Carnaval de Sodoma

Pedro Antonio Valdez

Carnaval de Sodoma

D.R. © 2001, Pedro Antonio Valdez
D.R. © De esta edición:
2002, Grupo Santillana, S.A.
Calle César Nicolás Penson No.26, Gazcue
Apartado Postal 11-253 • Santo Domingo, República Dominicana
Teléfono (809) 682-1382 • Fax (809) 689-1022
www.santillana.com.do

• Aguilar, Altea, Taurus, Alfaguara, S. A. de C. V.
Av. Universidad 767, Col. del Valle
México, D. F. 03100
• Santillana, S. A.
Torrelaguna 60
28043 Madrid, España
• Distribuidora y Editora Aguilar, Altea, Taurus, Alfaguara, S. A.
Calle 80 Núm. 10-23
Santafé de Bogotá, Colombia
• Editorial Santillana Inc.
P.O Box 19-5462, Hato Rey
00919, San Juan, Puerto Rico
• Santillana Publishing Company Inc.
2105 NW 86th Avenue
33122, Miami, FL, EE.UU.

ISBN: 999-34-861-16
Registro legal: 58-347
Impreso por D'vinni Ltda.

Diseño: Proyecto Enric Satué
© Cubierta: Elisa Santana • Marigina Eusebio

Entonces Yavé hizo llover
azufre y fuego proveniente de los cielos
sobre Sodoma.
Génesis 19, 24

En un bosque de la China,
la chinita se perdió,
y como yo era un perdido,
nos encontramos los dos.
Roberto Ratti

Levantó el cortinado
Y suspiró a la luna:
Brillante flor entre las nubes, sola.
Li Bai

LIBRO PRIMERO

LA ANUNCIACIÓN DE LAS PLAGAS

I, 1 / ROYAL PALACE. Retratos del cabaré

La segunda planta del cabaré era un bosque. Los parroquianos que bajaban al salón con los ojos enrarecidos daban fe de un mundo de vegetación maravillosa y bestias fantásticas que, según testimoniaban, se encontraba al subir la escalera. Regresaban con el paso cansino, la ropa raída, la carne macilenta, la piel estrujada, los pelos crecidos y con un resplandor lunar posado en la fuente de los ojos. Pero nadie les hacía caso porque en la cantina había cosas más urgentes en las cuales creer. Por ejemplo, en cómo hacerse para saldar la cuenta o en lo que el azar depararía mañana, cuando se tuviera que reasumir la vida sin unos tragos de más y con una resaca del infierno; o en la mujer que se tiene al lado, con la salida y el polvo ya pagos, al filo del deseo, esperando infinitamente a que se sirvan de ella. Ante tales evidencias, quién diablos se detendría a escuchar, en medio del humo y del bullicio, a un tipo amargado que describe un paraíso, cuando, si vamos al caso, los religiosos siempre lo habían detallado mejor.

Descendiendo en ese instante por la escalera, lívido y amarillento, con el rostro desgastado por las innumerables noches sin sueño, hizo su aparición Changsán. Tras él, empinada sobre la punta de los pies, descalza y desvanecida bajo un negro vestido de seda ajado por el tiempo, venía su fiel esposa Lù-shi. El chino contemplaba vagamente el salón, que casi se le perdía tras el tul de humo de los cigarrillos, ese espacio que tremolaba impreciso y lograba recuperar apenas, como una sucia visión habitada por flores de lodo, himnos lascivos y hombres golpeados por la noche y por el ron. Changsán alcanzó a ver a una mujer que daba unos pasos más adelante de la visión, como si intentara salirse del sueño, y se detenía en mitad de la escalera. La vio vociferar algo que no lograba oírse y que se perdía bajo el escándalo de la vellonera. La mujer repitió en cámara lenta el movimiento de los labios una, dos veces más. Finalmente el chino escuchó la voz lejana, eléctrica, que clamaba: "¡Eso es una Sodoma en miniatura!" Cuando la mujer logró acercársele, el chino pudo descubrir que no era en sí una ilusión, sino Mónica, de carne y hueso, la última de las mujeres que habían entrado a trabajar al burdel.

—Lo he buscado por todo el local, usted —adelantó, azorada. Señaló hacia la calle, tras haberse persignado—. Vea para afuera...

Changsán volteó el rostro y dejó que sus ojos, enmascarados por unas gafas negras, hurgaran por el vano de la puerta. Del otro lado de la calle, alineada en la acera del parque, había una multitud de mujeres que rezaban a coro, con sus rostros dorados por la flama de las velas. Como la luna permanecía oculta bajo la tumba de los nubarrones, la sombra espesa resaltaba el brillo de las llamas. Entre las rezadoras, se destacaba un indio que azuzaba el clamor de las masas desde un altoparlante; voceaba fragmentos de oraciones, improvisaba algunas maledicencias y denunciaba mientras señalaba acusador el cabaré: "¡Eso es una Sodoma en miniatura!" Changsán volvió la vista hacia la meretriz, quien continuaba alelada. Pronunció unas palabras en cantonés y siguió su marcha escalera abajo. Mónica quedó extrañada ante esa mansedumbre. Preguntó a Lù-shi qué había dicho el chino. La mujer, sin dejar de caminar tras el hombre, levantó el rostro y tradujo tranquilamente:

—Que el indio del altoparlante le debe una cuenta de trescientos pesos desde hace casi dos años a esta honorable casa de té.

El chino subió el volumen de la vellonera y pidió que le ayudaran a cerrar las ventanas que daban hacia el parque. La única persona que siguió sus instrucciones fue Lù-shi. Diligente, dando saltitos sobre la punta de sus pies, la mujer condenó una tras otra las ventanas. Cuando Changsán entrejuntó la puerta, uno de los clientes puesto de pie gritó:

—¡Coño!, ¿es que nos quieren quemar de la calor aquí adentro?

El chino miró al hombre por la rabiza del ojo. Era un tipo gordo, carilampiño, con el rostro colorado y grasiento. Quizá pensó con ironía, a la manera de un cristiano: *No hay por qué quejarse, si esto es un infierno.*

—No hay por qué quejarse, si esto es un infierno —se escuchó una voz sostenida y soñolienta.

El chino se volteó sorprendido, buscando con la mirada a quien había hablado. Las imágenes interiores del cabaré se sucedieron en blanco y negro tras el cristal de sus gafas obscuras. Lo descubrió sentado al fondo del salón. Era un tíguere amargado —no un amateur, todo un profesional, un amargado de verdad, hasta los tuétanos, que se pasaba los días en el burdel, taciturno y bebiendo jarras de cerveza con hielo—, a quien llamaban burlonamente Ángel el ángel, porque a veces repetía, vencido por el sopor de los tragos, que era Ángel, que era un ángel, dejando que se le arrastrara la lengua en un estéril juego de palabras. A Changsán le sorprendió que el tipo le hubiera como leído el pensamiento, y, más aún, que lo tradujera literalmente, pues había pensado en cantonés. Apurado por los gritos del carilampiño, que vociferaba ya como si se encontrara boyando en las pailas del infierno, el chino concluyó que aquello había sido una rara coincidencia y ordenó que encendieran los abanicos.

Tras flirtear en vano entre las mesas a la búsqueda de alguien que se quedara con ella, Mónica, picada por la certidumbre de que esta sería otra mala noche en la que el cuerpo no le serviría ni para pagar un plato de arroz, fue a sentarse sola a una de las mesas del fondo. Curiosamente, recordó que esa mesa era idéntica a la que usaban en el instituto, donde años atrás comenzó a estudiar mecanografía y archivo, curso que nunca terminó porque los señores de la casa, en la que trabajaba por aquel entonces como sirvienta, decidieron que el horario nocturno era muy peligroso para estudiar y que era mejor que se quedara en la casa a fregar los trastes de la cena. "Además, unas manos con un sazón tan delicioso y tan suaves para cepillar las paredes y hacer oficios... ¿no sería una pena que se estropearan machacando una máquina de escribir?", había determinado el Señor.

—Venga, pásese para acá; en esta mesa somos pobres, pero honrados.

Era la voz amarga, soñolienta, de Ángel el ángel. Mónica se sentó a su mesa. Le daba lo mismo. Sabía que con este cliente, que parecía encontrar más placer en las jarras de cerveza con hielo que en la carne de mujer, no sacaría ninguna ganancia a la noche. Peor aún, el sujeto siempre andaba en olla, tan en malas que era un misterio cómo pagaba la cuenta; las mujeres nunca lo habían visto sacar dinero. Pensaban que a lo mejor tenía alguna clase de arreglo con el chino... Así que si ella decidió sentarse junto a este amargado pelagatos, fue sin la esperanza de hacer la gran noche, quizá para entregarse a la desventura.

—La noche va viento en popa.

Mónica comprendió la burla, mas se hizo la desentendida. Esa mala maña tenía este tíguere: le gustaba ensañarse con la gente; entre frasecitas suaves y sarcásticas, jodía hasta hacer caer en la desesperación. Cuando la víctima era mujer, la mortificada terminaba en llanto, histérica, mesándose los cabellos, y reconocía entre lágrimas que "sí, coño, yo soy una mierda como tú dices, buen maricón, y es más, también soy esto y aquello", ante el semblante magramente complacido del burlón. Si la cuerda había sido dada a un hombre, el asunto se resolvía a las trompadas. En esos casos, sucedía que Ángel el ángel recibía todos los golpes, no porque no supiera tirar el puño, sino porque no evitaba que le pegaran, a la manera de un saco de boxeador. Una vez cansado de golpear, el ofendido, como pasaba con las mujeres, siempre acababa por aceptar ser una mierda, entre jipidos, ante el rostro ensangrentado y satisfecho del burlón. Por estas razones, Mónica prefirió no darle el gusto de seguir su juego. Para amarguras, la noche le bastaba.

—Perra noche... —exclamó, sólo por decir algo, mientras se servía un vaso de cerveza.

—No, no es perra noche... —corrigió Ángel el ángel, por joder, como si caricaturizara a Schopenhauer o a Cioran— ...es perra vida. Pero por ese camino nos iremos entendiendo. Sólo será cuestión de que le añadas a la noche el día.

A Ángel el ángel le pareció que la frase le había salido bonita. Pensó que si hilvanara muchas como esas, podría escribir un libro de filosofía o, en grado menor, hacerse pasar por poeta contemporáneo. En su mente surgió la maqueta de una sonrisa. Pero no sonrió. Para qué carajo escribir libros de filosofía, se preguntó amargado, y volvió a beber. Observó a la mujer que le acompañaba: le pareció una materia primitiva y torva, arisca, incapaz de exigir respuestas a la existencia, sumida en el dolor con mansedumbre, tan pasivamente animal; consideró que esa era al menos una forma provisional de ser menos infelices. Vio que la mujer lo miraba y trató de encontrar en el fondo de sus ojos alguna brizna de inteligibilidad. Todo era chato. Como contemplar unos ojos dibujados en la pared. *¡Mierda!, dentro del cerebro de esta mujer no hay nada*, confirmó para sí, no sin cierto regocijo.

—Este cabaré lo están por volver a cerrar —comentó ella, sobre el rumor de oraciones que venía desde el parque.

Volvió a poner los ojos en los del hombre, que la observaba. De repente, sonrió. Ángel el ángel pensó que aquella había sido una mueca estúpida, sin motivo, una sonrisa de loca o de hiena. La mujer sonrió una vez más. Su sonrisa debíase a que había encontrado un punto flaco en aquel hombre frío, quien por estar tan acabado, parecía ya invulnerable. Sucedió que unos instantes atrás ambos se miraron y el hombre creyó que en los ojos de ella no había nada. En realidad, el tipo no supo leer esa mirada suya de mujer, que consiste en observar sin mostrar en los ojos nada, la mirada bloqueada, la que es tan útil porque todo lo puede esconder. O sea que, si fuera necesario, al tipo lo podrían joder.

Tras notar que la mujer se empecinaba en aquella sonrisa vacía, Ángel el ángel presintió que tenía motivos para sospechar. Buscó una vez más aquella mirada y ella la dejó naufragar en el vaso de cerveza. Levemente, le pareció que algo terrible emergía desde el pozo de los recuerdos. Era algo difuso, sombrío, que no lograba distinguir. Pensó que fuera bueno que la mujer levantara de nuevo los ojos; mas al momento de ella levantarlos, todo se obscureció repentinamente.

—¡Fua!... el apagón —anunció una voz desde las tinieblas.

I, 2 / ROYAL PALACE. Las cursillistas de cristiandad

Ten piedad, Señor, ten piedad, soy pecador, ten piedad. Y de mí, Cristo, apiádate, contra Ti yo pequé...
—¡Y que salgan de ese antro de perdición las rameras, los fornicadores, los proxenetas! ¡O usaremos el fuego vivo del Señor para cerrar esa Sodoma en miniatura! —gritaba el solista por un megáfono.
Ten piedad, Señor, ten piedad, soy pecador, ten piedad.
Era posible adivinar ciertos movimientos en el salón apagado: el chino poniendo el candado a la oxidada caja registradora; Lù-shi que corría hacia la gasolinera a comprar un galón de gasoil para encender la planta eléctrica; los clientes ingenuos con las manos en las partes de vergüenza de las mujeres, cosa que al fin y al cabo podían hacer bajo la luz; algu-

nos que encendían fósforos desesperados, como si fueran náufragos en la mar anochecida; el chino parado ahora en la entrada principal, para evitar que alguno se fuera entre las sombras sin pagar los tragos. Todo se podía adivinar por el silencio o por el rumor. Desde el centro del salón, fue proyectada una voz:

—¡Corran, abran la ventana, que me estoy quemando!

Varios cuerpos se desplazaron a ciegas entre las sombras y abrieron las ventanas del salón. Entró una brisa tibia, medio muerta, junto a los residuos de luz de las velas. También se esparció por el salón un maullido gutural, desaforado, de una gata copulada en los techos vecinos. La escasa iluminación permitió constatar quién había gritado. Todos adivinaron: fue el carilampiño. En seguida, las sombras fueron borradas por un golpe de luz que vino precedido de un estruendo. La planta eléctrica estaba encendida. Los bombillos se volcaron sobre el carilampiño, que estaba de pie en medio del salón secándose el sudor con un pañuelo y abanicándose con una carpeta amarilla.

—¡Tora... el Pez Tigre Balón! —gritó un sujeto gordo, a la vez que señalaba al carilampiño.

El carilampiño era llamado Tora el Pez Tigre Balón. El nombre se le había quedado de unos muñequitos que televisaran hace muchos años, ya que, cuando niño, era como ahora: bajito, barrigudo, con rostro de rufián de caricaturas. Caminaba además con una pata tiesa, no porque esta fuera de palo, sino porque se le había quedado así desde la época en que le dio la polio, y, para completar, se reía ¡jia, jia, jia!, igual que en los muñequitos lo hacía Tora el Pez Tigre Balón. Cuando en la adolescencia vino a vivir a esta ciudad y le correspondió, como a la mayoría de nosotros, militar en un partido de izquierda, al preguntarle por cuál seudónimo prefería ser llamado, él respondió con naturalidad, sin pensarlo un segundo: "Tora el Pez Tigre Balón", con lo cual el apodo se le grabó para siempre, hasta el punto de que hoy día pocos conocen su nombre de pila.

Debido a la insistencia del sujeto gordo, quien exigía que le devolvieran su carpeta amarilla, Tora la hojeó desinteresado y, tras desplomarse en la silla, la tiró sobre la mesa de al lado. El otro recuperó con avidez la carpeta. Tora se pasó el pañuelo por el cuello.

—¡Con un poema no se hace la revolución, coño! — exclamó, mientras daba manotazos en la mesa, usando las garras del ron para sacar de la memoria los despojos de una discusión añeja—. ¡Nos estamos quemando!

El gordo no cogió la cuerda. Esta vez prefirió no discutir, aunque sabía que le hubiese bastado con responder que ellos, con los fusiles, tampoco pudieron hacer nada. Se empleó en abrir la carpeta y ver si los papeles estaban en su lugar, si ninguno se había extraviado o estrujado. Revisó cada página. Estaban completos. Se tomó un trago de ron, para confirmar a los nervios la noticia del alivio. Miró la primera página donde aparecían, impecablemente mecanografiados, su nombre de escritor y el título de la obra: *Poemas del ser y la nada*, por Edoy Montenégodo. Era su poemario más reciente, el que, a su juicio, si la crítica y los otros poetas no actuaban con mezquindad, estaba llamado a marcar los límites de la verdadera poesía. Releyó uno de los poemas con fascinación. No le cabía duda: nada había que arreglar, era perfecto. Claro, no lo decía por darse bombo, sino porque, evidentemente, sus textos no conservaban esos vicios poéticos que tanto abundaban en los demás. La suya sí era poesía.

—Tuyo es el verbo, primor... —dijo a la China, quien desde hacía un rato pedía permiso para interrumpir.

—Que ello se acabó el ron...

El poeta Edoy Montenégodo la miró, aún en Babia, con los ojos inundados por la satisfacción luminosa que le dio la lectura del poema. Le pidió que posara un momento, para él dibujarla en un papel. Cuando terminó el dibujo, levantó la copa. Constató que estaba vacía. La botella no servía ya ni para ser escurrida.

—Así que Baco se ha ido...

—¿Quién se fue? —preguntó la mujer.

—Baco, dulzura. Era el dios del vino en la mitología griega.

—¡Ah! —exclamó la China, aunque no había entendido. El fingir que comprendía con rapidez era su recurso para evitar que el aeda se explayara en teorías y explicaciones aburridas y menos comprensibles aún—. Ello podemos subir...

—Yo contigo subiría hasta la mansión de Zeus —correspondió el bardo.

La mujer le pidió el dinero para ir a pagar la cuenta. Como siempre, aprovechándose de su ebriedad y embebecimiento poético, calculó veinte pesos de más, los cuales fueron a parar directo a su cartera. Mientras Changsán sacaba las cuentas en un ábaco, ella miró hacia la calle. Las últimas rezadoras se marchaban, con su sombra alargada por el pálido resplandor de las velas. En el parque había reaparecido una luna inmensa, como pelota de ceniza, que vista sin ayuda de la perspectiva daría la impresión de estar desplomada sobre los árboles. Cuando la China regresó a la mesa, el poeta se puso de pie, solemne. Estaba preparado para el ritual de llevarla escalera arriba, o sea, la ceremonia del macho conquistador, el cucaracha que vuela, el gallo que vence sobre la hembra y se pavonea orondo por el gallinero. Así, el poeta la recogió en un abrazo y caminó por el salón con ella tomada de la cintura, y con una mano sobre un cachete de sus nalgas. *Su muñeca, eso es, la que siente atrapada entre los pies.* Ella le dio un beso en la boca, derrotada, para testimoniar que sí, él había vencido, había conquistado su cuerpo en los bordes de la noche.

Llegados al pie de la escalera, terminada la ceremonia, el vate la soltó. Lo hizo además porque notó que la carpeta amarilla había quedado atrapada en el abrazo de los cuerpos y corría el riesgo de estrujarse. Tras planchar la cartulina con una mano, indicó cortésmente a la mujer el camino y le recitó:

—¡Ea, Helena!, sube a prisa, antes de que te secuestre el Toro.

La China, sin saber qué Helena era esa, ascendió seguida por el poeta, inspirado, declamándole versos que ella no entendía, que no eran como los que se escuchaban de noche por el radio. *¡Qué rara se ha vuelto la poesía!*, a lo mejor pensaba, mientras taconeaba sobre las afiladas rosas amarillas que se esparcían dibujadas por el piso.

—Dime una cosa, mi sin par Dulcinea, ¿por qué dicen que esta segunda planta es un bosque?

—¿Un qué?

—Un bosque: una explosión natural de flora y fauna... algo así como un monte refinado —ilustró mientras entraban al cuarto.

—Ay, yo no sé, no. Eso se lo han inventado algunos locos y drogados.

—Cuentan que en ese bosque sale una hermosa princesa...

—¡Qué ombe!, eso es embuste.

—No, la princesa está aquí —susurró misterioso—. Voltéate y la verás... Pero hazlo despacito, para que no vaya a espantarse.

La China, intrigada, se volteó lentamente, casi sin respirar, para no espantar a la princesa. Cuando había girado por completo el cuerpo, no vio a nadie, sólo su imagen reflejada en el espejo junto a la de una luna redonda, labrada en plata, enmarcada en la ventana. Se quedó unos segundos embelesada y al fin comprendió. Sonrió levemente. En verdad, concluyó mientras se miraba en el espejo, no se veía tan mal. La marca de los trasnoches no había logrado afearle el cutis. Inclusive los aretes, siendo de fantasía, parecían de esmeralda y oro. Se bajó el ziper del vestido y se despojó discretamente del sostén, no fuera a ser que el hombre notara que estaba raído. Se quedó sólo en panti y se recostó en la cama. El poeta la puso boca abajo. La acarició en la nuca con la carpeta y repitió el mismo movimiento palmo a palmo, por el viejo camino de la espina dorsal; donde se acabó la espina, dio un salto hasta las piernas y la siguió rozando con la cartulina hacia los tobillos. Luego subió por la geografía arqueada del culo y procedió a introducir un ángulo de la carpeta por dentro del panti. La mujer, al sentir que un mar comenzaba a aflorar atrapado entre sus piernas, pensó extasiada: *Carajo, ya sabía yo que esa jodida carpeta debía servir para algo,* y dejó que la mano se deslizara hacia la tarántula peluda del toto. Porque eso sí, debía reconocer que el poeta era su cliente favorito, el que la hacía venir por los caminos de la luna. Es cierto que a veces la ponía hasta la coronilla recitándole disparates, mas eso luego se borraba en la borrasca sensual del polvo. Tanto le gustaba singar con él, que en ocasiones lo había hecho sin cobrarle —fiado, por supuesto—, tras prestarle incluso el dinero para alquilar el cuarto.

Púsose de pie el poeta Edoy Montenégodo para desvestirse, mientras la mujer se hacía prestidigitación en su parte de vergüenza. Ido de sí, como embriagado, se quitó la ropa y quedó sólo con los zapatos puestos. Se acercó a la orilla de la cama. La mujer, instintivamente, levantó las nalgas hasta quedar en cuatro. Instintivamente también, el poeta acercó su boca a la desembocadura de los muslos. Y he aquí que antes de juntar sus labios con los labios inferiores, quiso la ventura que un estado luminoso acaeciera en su ánimo. Ávido, el aeda se apartó deleitado y buscó algo en su cartera. Al notar que pasaba ya un instante y la boca del hombre no se aproximaba, la mujer miró hacia atrás, sin cambiar de posición, por entre las columnas de sus piernas. Vio que su amante permanecía de espaldas en un ángulo de la cama. Notó que su espalda estaba curvada ligeramente y que susurraba.

—¿Pasa algo, papi? —inquirió intrigada, con la voz afectada aún por el deseo.

El poeta permaneció en la posición descrita. Se escuchó una pandilla de gatos corretear sobre el techo, atabaleros gatunos que parecían golpear las planchas de cinc con martillos de goma. Tras unos segundos de silencio, tocado por la emoción, le respondió:

—Vas a tener que esperarte un rato... Se me acaba de ocurrir un poema.

De aquella ocasión se afirma que nació un soneto, mal atribuido a la China, el cual aparece en la coda de la presente obra literaria, y que comienza: *Ah, tú, maldito poeta...*

I, 3 / CATEDRAL. El padre Cándido

La luz clarísima de la mañana tapizaba los muros grises de la catedral. Generosa y agradecida de su Creador, quien tuviera la delicadeza de crearla primero que todas las cosas, se inclinaba sobre las losas del piso; lavaba los rincones del altar otrora sombríos; bruñía con esmero los retablos, resaltaba los tonos celestes y las más ínfimas gotas de sangre; colocaba chispitas brillosas en los alargados bancos de caoba; se apoyaba sobre la pila bautismal y, proyectada sobre las alas de una paloma de mármol, se empinaba hasta tocar los dolorosos clavos de Nuestro Señor.

El anciano contemplaba el milagro de la luz, que acaecía encerrado en la nave principal. Se desplazaba lentamente por los pasillos en su silla de ruedas, para cerciorarse de que todo estuviera en su lugar. Desde aquel imperdonable día en que un siervo de la gleba osara hurtar el cáliz de oro en que era escanciada la sangre de Cristo, había adquirido la sana costumbre de desconfiar de las otras sombras. Cada mañana hacía un minucioso inventario de los bienes principales de la catedral. Cuando terminaba de confirmar que ningún objeto faltaba, conducía la silla de ruedas hasta el pie de san Judas Tadeo y oraba con gratitud por haber salvaguardado las reliquias. Si se daba el caso de que algo había desaparecido — como una mañana que en el inventario faltó la tan milagrosa medallita del Beato—, también oraba sumiso, soldado incondicional del Señor, aunque no sin cierta flaqueza de devoción.

Las oraciones de esta mañana eran fervorosas, pues todo estaba en su lugar, las gracias a Dios sean dadas. No había terminado aún el venteavo padrenuestro, cuando un chirrido infernal lo sacó del arrobo. Hizo girar la silla de ruedas y descubrió, de pie junto al altar, a un tipo indio.

—Perdone este aparato, padre Cándido —imploró el individuo, en referencia al altoparlante que traía entre las manos—. Es que ha quedado medio desconchabado por la vigilia de anoche.

A medida que el padre se aproximaba, la respiración se le tornaba más fatigosa. Pronto descubrió quién era ese individuo que había interferido en su comunicación espiritual. Se trataba del Indio, un sujeto con voz de locutor mediocre, pecador arrancado de los jardines del infierno, quien en los últimos meses se convirtiera en cursillista de cristiandad. La tarde anterior habíale dado instrucciones especiales, enseñado incluso la oración a la santa Camisa, para que la vigilia en petición del cierre del muladar tuviera mejor efecto. Después de reprenderlo y dar un breve sermón acerca de los bienes del correcto silencio, escuchó el reporte de la actividad.

El Indio detalló los pormenores. Mientras lo hacía, no dejaba de mirar con curiosidad las facciones del padre Cándido. Tocado por la luz de la mañana, las ojeras del sacerdote resaltaban tan negras tras el cristal de los espejuelos, que más bien parecía tener los párpados achicharrados. El rostro pálido, desteñido, despertaba la desagradable sospecha de ser una máscara de cartón corrugado. Sus cejas anchas, canosas, daban la impresión de ser postizas, tomadas de un muñeco de ventrílocuo. De su abultada nariz brotaban rudos pelos que casi pinchaban sus labios descoloridos. Y la expresión de su mirada podría dar a pensar... *no* —se adelantó a pensar el Indio—, *¿cómo puede alguien pensar que este venerable sacerdote tiene una expresión demoníaca en los ojos?* No obstante, lo tranquilizó notar que estaba parado ante un hombre de noventa y dos años, la mayoría de ellos entregados al sacerdocio, y quien, no conforme con tanta entrega, cumplía incontables horas de ayuno y oración; que se encontraba ante el vencedor de innumerables tentaciones, ante un veterano de las huestes del Señor. En fin, acabó diciendo que la vigilia fue un triunfo.

Al terminar de escucharlo, el padre Cándido empujó la silla de ruedas hasta la puerta del templo. Vio que la mañana era alumbrada por un sol tibio, soso, y por el disco borroso de la luna. Usó la mano como visera y miró para el otro lado de la calle. Señaló hacia esa edificación de tres plantas que era el Royal Palace.

—¿Vos creéis que si la vigilia hubiese dado buenos frutos, ese antro de perdición todavía estuviera abierto? —preguntó indignado. El Indio no encontró palabras para responderle—. Oraciones, oraciones... Oración sin obra no obra. Y menos para enfrentar a esos demonios de cabaré: es como tratar de matar un burro a pellizcos. A esas mujeres les faltan pantalones para enfrentar a los ángeles de la perdición.

—Usted sabrá mejor que yo, padre. Pero mire que esas cursillistas tienen muy buenas intenciones...

El anciano, con el rostro ahora más arrugado debido a los rayos del sol, lo miró, poco convencido.

—¿Y de qué está sembrado el camino del infierno? —lo interrogó con tono pedagógico, el mismo que usara setenta años atrás cuando impartía la clase de catecismo a los niños.

—De buenas intenciones —respondió obediente el Indio.

El anciano quedó pensativo. Estaba tan inmóvil y callado que al Indio le dio la impresión de que se había quedado dormido. No le notaba ni siquiera la respiración. Parecía muerto.

—Empujad la silla, voy a ver si resuelvo ese asunto —ordenó con determinación el padre Cándido.

I, 4 / AYUNTAMIENTO. El presidente municipal

Las máquinas de escribir componían una pieza musical monótona, sostenida, en las oficinas del Ayuntamiento. Sonaban como un aguacero salvaje que desguaza los techos de cinc. Nunca se ha querido reconocer, pero esas máquinas no han sido distribuidas en las oficinas sólo para llenar formularios, sino *para que suenen*. El maestro Ching-Tsé ha dicho que "la carencia de sonido y de olor constituye el supremo grado de la inmaterialidad", por cuya vía contraria se deduce que la sublimidad de un elemento reposa en su ruido. Por eso hay un adagio que reza: "Lo que sea, sonará". Las textileras usan una máquina, supuestamente para hilar, que produce un ruido de vidrios rotos o cuchillos, mientras que los talleres de mecánica poseen una variedad de martillos buenos para tocar tambores de metal. Para las oficinas, entonces, las máquinas de escribir son la esencia de materialidad, su prueba de existencia.

El padre Cándido, empujado por el Indio, quien no paraba de hablar sobre los conflictos edilicios, subió la escalinata y se desplazó por los pasillos del Ayuntamiento. Un mal olor a casa sucia, a papeles ajados, le enrojeció la nariz. No olvidemos que la frase de Ching-Tsé citada hace un instante, destacaba también el olor como elemento constitutivo de la inmaterialidad; de donde se puede deducir, según su negativo, que en las oficinas públicas el olor...

—¡Callaos ya, hombre de Dios! —ordenó el anciano, alterado por la irritación nasal. El Indio frenó la silla de ruedas—. Es aquí.

Entraron a una antesala donde numerosas personas estaban reclinadas en las paredes a la espera de un turno para reunirse con el presidente de la Sala Capitular. Tras el escritorio del fondo yacía la secretaria, sumida en la práctica de ese legendario arte de hablar por teléfono pintándose las uñas. No perdía el tiempo, ya que impartía por el auricular una cátedra sobre el correcto sazonar del cangrejo zumbá. El Indio se le acercó.

—Que el Señor la bendiga, señorita —saludó con timidez, de corazón, a sabiendas que el sacerdote lo escuchaba—. Nosotros queremos ver al presidente, si no es mucho pedir.

La secretaria, sin levantar la mirada, señaló hacia el final de la fila. El Indio dio las gracias, otra bendición, y giró sobre sus talones. Entonces rebotó contra la mirada severa del padre Cándido.

—¡No seáis blandito, hombre! Sólo tenéis que empujar la puerta.

—Pero padre, si ello está cerrada...

—Venid, empujadme. No hay portales que se cierren ante la obra de Dios —declaró marcialmente.

El Indio se colocó tras la silla de ruedas y la desplazó hasta la puerta que daba paso a la oficina del presidente.

—¿Qué es! —interrogó alarmada la secretaria, al suave ruido de los goznes. Al descubrir que se trataba del padre Cándido, mudó a una expresión contrita. Puso una mano en el auricular del teléfono, en señal de respeto—. Bendición, padre.

—Quebrantaré puertas de bronce y cerrojos de hierro haré pedazos —musitaba el anciano, del libro de Isaías, mientras levantaba la mano para bendecir a la secretaria y se internaba por el umbral.

—Habla, corazón... —dijo el presidente de la Sala Capitular al oír cerrar la puerta.

Tras levantar la cabeza, tragó en seco. Lo embargó un sentimiento de incomodidad. No sabía qué treta inventar para disimular la imprudencia que acababa de cometer. En ese instante, sobre cada uno de sus dos hombros apareció un diablito y un angelito, a escala menor. El diablito vestía un mameluco rojo ajustado al cuerpo, tenía un tridente y una cola puntiaguda, ácido. El angelito traía una sotana blanca y una aureola, medio pariguayo. El diablito susurró: *No te dejes amilanar por ese carcamal; disimula.* Y el angelito le aconsejó al oído: *Recordad que por la verdad murió Cristo; así que abrid sin temor vuestro corazón a este sabio sacerdote, confesadle que habéis pecado de fornicación. Eso os hará sentir mucho mejor ante Dios y ante vos mismo.* Los dos espíritus se desvanecieron al escuchar la voz del padre Cándido.

—¿Por qué os habéis alelado? ¿Esperabais acaso otro tipo de compañía?

El interpelado carraspeó y dijo, con disimulo:

—No... lo que pasa es... ¿y ese milagro de venir hasta esta oficina? Mejor me hubiera mandado a buscar, para que se ahorrara la molestia...

El anciano levantó la mano en un gesto de desaprobación. El presidente se puso de pie y lo saludó con reverencia. Estaba un poco alterado por la confusión anterior. Del padre Cándido había recibido el bautismo y la primera comunión, el sacramento del matrimonio y el bautizo de sus hijos. *Me cago en el diablo,* quizá pensó, o a lo mejor calculó que en lo adelante la secretaria debería utilizar una clave de entrada, para evitar confusiones. Por ganar tiempo para tranquilizarse, le mostró al sacerdote los libros de la oficina; el cuadro del presidente de la República; un recorte de periódico donde salió su fotografía. Le platicó además sobre la disputa que tenía con el síndico. El padre se dejaba llevar, a sabiendas de que el hombre buscaba ganar tiempo; pero cuando consideró que ya era suficiente, fue derecho al grano.

—Seguimos sin resolver el viejo problemita con la casa de perdición aquella —denunció el sacerdote.

—¡Caramba! Eso es una vergüenza. El Ayuntamiento debería actuar con más determinación en ese asunto, pero ya usted oyó, perdonando la expresión, que al síndico le faltan pantalones. Ayer yo mismo tuve que firmar el permiso para que las cursillistas hicieran la vigilia en el parque —resaltó. Entonces miró por primera vez al Indio y le dio una palmada en el hombro con simulada familiaridad—. Bueno, este distinguido munícipe fue quien vino a solicitar el permiso.

—Siempre para servirle —confirmó el Indio, con la voz impostada, halagado por el gesto de confianza del presidente.

El anciano sintió desagrado ante aquella representación. Noventa y dos años de vida es tiempo suficiente para aprender a diferenciar entre el público y el payaso... o los payasos, pues juzgó que en esta escena había dos. Renunció a su condición pasiva de público y encaró al presidente:

—Tenéis que cerrar ese antro de una vez, y demolerlo, si es preciso. Sí... que no quede piedra sobre piedra ni polvo sobre polvo.

El presidente se mostró en desacuerdo con el uso de la fuerza, menos aún en un año preelectoral; pero prefirió no rechazarlo de forma directa:

—El problema es, padre, que el Ayuntamiento no puede operar fuera del marco legal. O sea, no tiene potestad para cerrar un local así por así. Ese es uno de los problemas de la democracia. Además, uno es cristiano, lo cual lo obliga a actuar con cierta... cautela, imitando, en lo posible, el ejemplo de Nuestro Señor...

—¿El ejemplo de Nuestro Señor? —reaccionó indignado el padre Cándido, con el mismo tono que empleaba treinta años atrás, cuando desautorizaba desde el púlpito los aprestos comunistas—. ¿Y cómo pensáis vos que obra el Señor cuando su pueblo es humillado? Dios es misericordia, pero también justicia, y la justicia tiene mano de hierro. Fue con esa mano de hierro que el Señor de los Ejércitos lanzó las doce plagas contra el faraón, y destrozó los portales de Babilonia para dar paso a Ciro, y esparció fuego y azufre sobre Sodoma. Dios es misericordia, sí, pero también es justicia.

Cuando terminó de hablar, el Indio exclamó emocionado "¡amén!", sin reparar en que son los evangélicos quienes suelen cerrar así los discursos. Menos mal que pasó desapercibido. Por otra parte, el presidente quedó en silencio, al carecer de argumentos y autoridad para discutir los puntos de vista del clérigo. Permaneció unos instantes de pie con el rostro hundido entre las manos, como si se lo secara con una toalla, simulando que meditaba las palabras del padre, aunque en verdad calculaba la mejor manera de salir limpio de aquel asunto. Político al fin, decidió con determinación:

—Bien, haré unos cabildeos para cerrar el Royal hoy mismo. No importa que tenga que pasarle por encima al síndico... Váyase usted tranquilo, padre, en lo que yo hago mis amarres para resolver ese asunto.

El padre no dijo una palabra más. El funcionario se acercó y posó respetuoso una mano sobre su hombro. Ambos se miraron en silencio.

—Respondedme una cosa —inquirió el anciano, con voz suave, casi temblorosa—, ¿os parece que este pobre siervo ha llevado bien la obra de Dios?

—Por supuesto, padre Cándido —contestó sin reservas el presidente—. Si usted es un santo varón.

El padre volvió a preguntar:

—¿Y perseveraríais en esa opinión aun después de mi muerte?

—Indiscutiblemente.

Habiendo escuchado esta afirmación, el padre Cándido, casi arrobado, le echó la bendición y pidió al Indio que lo regresara a la catedral. Cuando cruzaban el parque, el anciano sintió que la tierra empezó a ondular acompasada, sin furia de temblor, al ritmo de un corazón. El Indio venía aún impresionado. No se le había borrado de la mente el rostro que puso el presidente de la Sala Municipal al decir: "Haré unos cabildeos para cerrar el Royal hoy mismo". *Esa es la expresión de un hombre fuerte, caramba,* pensó admirado.

—Bueno, padre, ya sí se acabará la fiesta.

—¿De qué fiesta habláis?

—Digo, que ya se les acabará la fiesta a los pecadores de la cantina.

El anciano no hizo comentario. Su mirada se perdió entre las estructuras de cemento gris del parque. Tras escuchar las frases de triunfo del Indio e imaginar lo que se avecinaba sobre el cabaré, su rostro adquirió una expresión de honda frustración y amargura.

I, 5 / ROYAL PALACE. La estampida

El burdel ocupaba un pabellón inmenso, de tres plantas, que tenía hermosas flores pintadas en el piso y las paredes tapizadas con lotos y dragones. Desde la alta ventana de una empinada torre de la elevada catedral, el padre Cándido observaba la llegada del inspector de Sanidad al muladar. El funcionario venía escoltado por dos policías. Lo vio limpiarse la suela de los zapatos en el umbral y desaparecer en el interior del local, seguido por sus dos acompañantes. Entonces el padre se enrolló el rosario en la mano, con determinación, como si se tratara de una manopla, y contemplando la estampa del Beato, procedió a orar.

El inspector apoyó el maletín sobre la vellonera. Ante la mirada desconcertada de Changsán, sacó un formulario y pidió prestado un lapicero. Era el inspector un individuo común, demasiado repetido, moldeado en el viejo torno de los empleados públicos: rostro indolente, voz desabrida, movimientos desganados. Los espejuelos. Caminaba por todo el salón, resoplaba y se abanicaba con un pedazo de cartón; metía un ojo por aquí y otro por allá, mientras llenaba los formularios. El chino llamó a Lù-shi, quien destejía las telarañas de los rincones. La mujer se acercó sumisa sobre la punta de sus pies descalzos. Changsán, azorado, se reajustó las gafas negras y susurró unas palabras en cantonés. En seguida, la mujer, con tono azorado, preguntó a los presentes:

—Que si no desean un trago de algo, por cortesía de esta casa de té.

—De mil amores —aceptó el inspector y se humedeció los labios resecos con la punta de la lengua.

Pidieron cervezas. El chino escogió tres botellas que, por haber estado en el fondo del refrigerador, se veían escarchadas, cenizas, vestidas de novia. Al recibir la suya, lo primero que hizo el inspector fue acariciarse con el vidrio helado el rostro sudoroso. "¡Qué milagro: una cerveza fría!", exclamó el sargento, verdaderamente sorprendido. Entregada la ofrenda, Changsán, junto a su fiel esposa, se sintió con derecho a seguir de cerca al inspector. Lo acompañaba a todos los rincones, para hacer observaciones que su mujer seguido traducía. Ya fuera por la intromisión de los propietarios o por la bondad que en una mañana calurosa imprime al ser humano una cerveza fría, el Royal iba saliendo bien parado de la inspección. Inclusive, ante ciertas irregularidades —como aquella palabra "toto" que alguien dejara escrita con mierda en la pared del baño—, el inspector esperaba a que los propietarios dieran una buena excusa y entonces escribía lo más conveniente, verbigracia, "Baño: higiénico". Durante la inspección, Lù-shi se la pasaba equipada con una escoba y un trapo, lista para limpiar las irregularidades detectadas para que el funcionario no tuviera que escribir datos perjudiciales en el formulario.

Notaron una presencia sin rumbo que penetró al salón, dio algunas vueltas en medio del aire caliente y volvió a salir. Era la Patria. La Patria, a la que no le cabía una angustia más. Ni siquiera le quedaba un rinconcito vacío para alojar la humillación, el insulto, el desgano, la frustración, el pesimismo. Por eso no hacía más que beber, embriagarse con desenfreno, no tanto para que sus penas se ahogaran en el alcohol, como para que todo se le acabara de joder. Enjuto de carnes, culo seco, rígido y de caminar como juguetito de cuerda, la

Patria vagaba todo el día por las calles y de vez en cuando entraba y salía sin motivo del burdel. Vetusto, aniquilado por la indolencia, se dejaba ser en medio de la muchedumbre, ya sin preguntarse qué sentido tenía su existencia y sin que nadie tampoco se lo preguntara.

Mientras paladeaba su cerveza, el sargento —quien Masámbola por apelativo tenía— merodeaba con actitud de abandono por el local, sin intención de coger nada, sólo mirando. Desplazó la mirada por los exóticos dragones, aves fénix y árboles que empapelaban las paredes chamuscadas desde la época del incendio. Siguió el rastro incesante de las flores que se repetían armoniosas y coloridas, dibujadas sobre los mosaicos del piso. Le atrajo una pintura antigua que colgaba de la pared. Estaba cubierta por un vidrio sucio, bajo el cual resplandecían, amarillentas por la vejez, casi doradas, una miríada de imágenes pintadas en estilo primitivo: hombres, pabellones, caminos, aposentos, fuentes, árboles, una hermosa muchacha china —reproducida por todo el cuadro— que acariciaba un gato de color azabache bajo la luna. Las figuras se entretejían sin perspectiva, invadían entre sí los espacios, atiborraban el papel y se multiplicaban fuera de control, con lo que daban la impresión de que continuaban más allá del marco. El sargento apartó la vista del cuadro. Se sacó del bolsillo una novelita de Agatha Christie y se sentó tranquilo a hojearla, reclinado sobre una columna.

El inspector se repanchigó en una silla. Ante una orden de su consorte, Lù-shi buscó un abanico de pedestal y lo acomodó. El funcionario procedió a evaluar el contenido del formulario bajo el arrullo de la brisa artificial. En realidad, no decidía si existían indicios para clausurar el local, tan sólo daba tiempo a que el propietario decidiera qué cantidad de dinero le iba a ofertar para que se hiciera de la vista gorda, en pleno macuteo.

Y justo cuando el chino, que acaba de sacar cuentas en el ábaco, había dicho a Lù-shi que le dijera al inspector que hicieran un aparte para decirle algo, acaeció un suceso inesperado. Primero se oyó un extraño rumor. Y en seguida un retumbar sostenido, in crescendo, semejante a un derrumbe de tierra. Las paredes empapeladas y los mosaicos del piso comenzaron a vibrar. Todos permanecieron azorados, pensando que se trataba de algún terremoto. De pronto, hubo una calma, uno de esos silencios que se dice de sepulcro. De inmediato la edificación llenose de chirridos ensordecedores. La primera en descubrir lo que pasaba fue Lù-shi, quien profirió un grito desgarrado y, de un salto, cayó sentada sobre la mesa que ocupaba el inspector. Una estampida de ratas apareció repentinamente desde los rincones y empezó a atropellar todo en loca carrera. Los hombres las observaban estupefactos. Eran ratas descarnadas, famélicas, de ojillos sanguinolentos y rabiosos. Infernales. Parecían moldeadas a imagen y semejanza de esas ratas de Lovecraft. Plagios desalmados y terribles, esparcían chillidos endemoniados por la edificación. Saltaban sobre las mesas, rozaban los pies, algunas lograban encaramarse hasta los hombros y se desplazaban sin morder ni arañar, a ciegas, con torpeza. Impelido por aquel asqueroso espectáculo, el inspector salió a la calle. Los policías se sumaron a la retirada. El raso había tenido el temple de rescatar el maletín. El funcionario rebuscó nervioso entre los papeles. Finalmente salió Changsán, solo. Desde adentro venían los gritos aterrados de la histérica Lù-shi, quien había quedado cautiva. Enmudecido aún por la repentina plaga, el chino se acercó al inspector. El funcionario, sin prestarle atención, con los nervios alterados, encontró al fin un cartel en el fondo del maletín y lo pasó a los policías. Estos sacaron martillo y clavo y, tras clavetearlo en una pared, le ordenaron al chino que cerrara el lugar. Así irrumpió en el burdel la primera de las pestes, que fue de ratas nauseabundas.

El letrero rezaba: "Cerrado por Sanidad". Desde la alta ventana de la empinada torre de la elevada catedral, el padre Cándido logró deletrear los caracteres del cartel, o a lo mejor lo que hizo fue adivinarlos. Le pareció inadmisible que el inspector se hubiese limpiado los pies para entrar al cabaré y no al salir, cuando escrito está que lo malo no es lo que entra, sino lo que sale. Consultó un empañado reloj de cuerda y vio que eran las once de la mañana. En medio del repicar de las campanas, sintió dolor en el corazón al no poder dar gracias al cielo por el suceso acaecido. Triste hasta el alma, tomó el viejo reloj en la mano y se quedó contemplando las agujas. Hemos dicho que eran las once.

I, 6 / CATEDRAL. El sello roto

Las puertas y ventanas del cabaré fueron reabiertas a la una de la tarde. Dos horas atrás, el padre Cándido había pronosticado el hecho con exactitud. No lo vaticinó por don adivinatorio, más bien por mera experiencia. Porque el Royal Palace nunca duraba "cerrado por Sanidad" más de dos horas. Tristemente confiado en su inevitable pronóstico, el anciano había bajado de la torre a las doce, para rezar el ángelus al pie del altar y luego tener un diálogo de silencio con el Beato. Tras retornar a la alta ventana, sólo tuvo que esperar cinco minutos para ver cómo el cartel era hecho trizas y el muladar se reabría de par en par al pecado.

Como escasamente había dormido en la noche anterior, arregló la ventura que cayera en un profundo sueño. Estaba Cándido en la cima de un cerro al pie del cual se extendía un valle de vegetación hermosa. Un puñado de caballeros ataviados con oxidadas armaduras temblaban de pavor a su lado al encontrarse cercados por un ejército de taínos. Los cristianos aguardaban en silencio la embestida final de la indiada. En ese momento, Cándido se puso de hinojos tras un árbol y oró con honda devoción. Y he aquí que su nariz se llenó de un olor extraño y ante sus ojos apareció, como si hubiese sido copiada de una estampa, la imagen de la Virgen de la Inmaculada Concepción. Y díjole la Nuestra Señora de la Inmaculada: "No temáis, hijo mío. Por haber vos perseverado en la fe, todos seréis salvos. Haré que esos indios salvajes, cuyo interior es hueco por carecer de alma, caigan diezmados ante la espada de los cristianos. Se volverán polvo bajo mi poder fulminante. Sé que los cronistas del tiempo futuro dirán que este episodio fue patraña; eso no formará parte de mis desvelos. Mas, ¡oh Cándido!, necesitaré de vos para que la fe de Cristo mi Hijo se mantenga incólume por estas nuevas tierras. En vos depositaré la misión de mantener limpia de manchas la civilización de Dios, así que deberéis ser celoso para que las sucias influencias de bestias aindiadas, negras, amarillas o de cualquier otra color se mantengan lejos de la raza del Señor, que en vos depositada es. Como os necesito más adelante, voy a hacer que todo esto que veis aquí parezca sueño, y que cuando despertéis, sea cinco siglos más adelante. A través de este sueño, en que ahora ya estáis, os plantaré en el futuro. Sólo quiero que guardéis el mensaje que yo, la muy celosa de los reinos celestiales, os he dado en medio de este campo de batalla. Ahora ya podéis despertar". Y la Virgen le dio la espalda al esfumarse. En ese instante el padre Cándido notó que por los bordes de la túnica de Nuestra Señora brotaba algo parecido a la punta de una cola. En medio de la perplejidad, despertó. Su mente fue ocupada de inmediato por el episodio fallido de la clausura del burdel.

Llamado por la sed de oración, decidió separar de su mente —por el momento— ese asunto terrenal y emplearse en el oficio de la meditación. En verdad, no tenía motivos para mortificarse por unos acontecimientos que ya había previsto. En paz consigo mismo, sacó del bolsillo una tableta de chocolate y, tras morder un pedacito con la caja de los dientes, se entregó a las delicias de la meditación. Confucio dijo: "La prudencia aconseja no indignarse cuando los hombres nos engañan, no entristecerse cuando son infieles, pues el hombre prudente prevé siempre estas eventualidades".

LIBRO SEGUNDO

LOS VELOS REUNIDOS

II, 1 / ROYAL PALACE. Lù-shi desafía a las ratas

Los puñados de veneno se esparcían como pirámides en miniatura por la edificación. Sobre la puntita de sus pies descalzos, casi sin respirar para no despertar a las ratas, Lù-shi se internaba en los rincones más obscuros y solitarios para distribuir raciones de Trespasitos, un raticida que le fuera recomendado por un vendedor ambulante. "Eso es lo último para matar ratones, gente... lo que sea", había dicho con insidia el tipo mientras le ofrecía las trece bolsitas. De manera que, armada de aquel grano fulminante, la mujer decidió preparar la emboscada.

La idea de distribuir veneno provino de Changsán. Lù-shi, con el alma colgada de un hilito, lo escuchó planificar la estrategia. Yendo de un lado para otro por el centro del salón, con las manos detrás y los hombros rígidos, pasos firmes, aire marcial, el chino trazó el plan para la solución del problema ratonil. La fiel esposa lo miraba encantada y pensaba que con ese porte, si le quitaban las gafas negras, se parecería al general japonés, al de aquella película que vieran la única vez que fueron al cine, cuando estaban recién casados. De repente la comenzó a embargar la angustia. Porque conocía la forma de ser de su cónyuge, la sobrecogió la idea de que ese plan tan bien diseñado, esa campaña militar contra los roedores, terminaría encomendada al subalterno de mayor fidelidad y sacrificio: ella. No es cierto que Changsán ejecutaría la operación. Lo había visto salir desbandado cuando la plaga irrumpió en el salón, sin tener el heroísmo de rescatarla, por lo cual tuvo que permanecer dando gritos sobre una mesa hasta que la última rata se cansó de joder y se deslizó por un boquete. Por eso, cuando el hombre terminó de explicar la estrategia y la observó en silencio, ella agrandó los ojos, aterrada, y respondió que no.

De súbito, comprendió la grave magnitud de su respuesta. Era la primera vez en la historia de su familia que una mujer decía la palabra "no" a una orden del esposo. Sin aguardar a la reacción de Changsán, se tiró de rodillas al suelo y, tocándole numerosas veces los pies con la frente, le pidió perdón, que no era cierto, que los nervios hablaron por ella y que sí —aseguraba con una sonrisa nerviosa—, ella iba a colocar el raticida más rápido que inmediatamente y que hasta se lo comería si fuera necesario. Gracias a su prudente actitud, el esposo no tomó represalias y se limitó a dejarla distribuir el Trespasitos.

De manera que ahí andaba la heroica Lù-shi por los espacios más inhóspitos del Royal Palace, con el alma en un filo, dispuesta a esparcir las pirámides de veneno mezclado con arroz. En realidad, le costó trabajo asumir la idea de ejecutar el plan de envenenamiento. Para darse fuerza mental, recordó una tarde de su niñez en la que viera asustada, desde una ventana, a su padre exterminar las ratas que invadían los cereales; rememoró la voz atemorizada de su madre, quien desde la misma ventana observaba y recitaba aquel raro poema del *Shi-Jing*: *¡Grandes ratas, grandes ratas, fuera de nuestro trigo!* Antes de penetrar a un rincón, aguzaba el oído y miraba hacia los lados, no fuera a ser que encontrara uno de los roedores. Se levantaba el vestido hasta las rodillas, se inclinaba lentamente y dejaba caer el grano fatal. Pensaba con amargo consuelo que su negro vestido de seda ajado por el tiempo la ayudaba a pasar desapercibida por los parajes tenebrosos.

Esparciendo estaba la valiente Lù-shi un puñado de Trespasitos en un claroscuro rincón, sumida en sus hondos pensamientos, cuando propició la desventura que sus ojos se encontraran con unos ojillos sanguinolentos y rabiosos que mirábanla. Una rata. La mujer hizo una mueca de espanto y permaneció muda, fría, a punto de caer desvanecida. Las dos se observaron sin hacer movimiento, como estatuas puestas de frente. Era una rata ceniza, despeluzada, con un bigotito hitleriano que meneaba nerviosamente; tenía el rabo pelado y doblado en u sobre la rosa de un mosaico. Lù-shi fue sobrecogida por esa sensación nauseabunda de asquerosa naturaleza táctil, que enchina la piel, que la Real Academia ha de incorporar bajo el nombre de tiriquito. Inmovilizada por las heladas tenazas del miedo, vio que el roedor agitó la cola y comenzó a avanzar con lentitud hacia ella. El animal se desplazaba sigiloso, escrutando con sus ojos demoníacos a la mujer y a la pequeña pirámide que esta dejara levantada en el piso. Caminaba con seguridad, desafiante, como hacen los vaqueros cuando dan los diez pasos en el duelo. La mano de la mujer había quedado petrificada cerca de la pirámide. De pronto, la rata se detuvo. El olor grasiento del arroz se hizo más intenso. Sin dejar de mirar a la mujer, peló sus dientes amarillentos y devoró apetitosa el Trespasitos. Tras consumir el último grano, quedó estática por unos instantes. Entonces prosiguió su avance hacia la mano de la mujer. Dio uno, dos, tres pasitos... y cayó muerta.

Lù-shi no se levantó de inmediato. Permaneció un largo rato contemplando el animal yerto. Tan fácil que murió, sin hacer show y sin pataleos, hasta con tranquilidad, como si la muerte no fuera nada. Ensimismada, guardó en su delantal una bolsita de veneno y vio que la rata se puso completamente negra. Fue entonces cuando se desmayó.

II, 2 / ROYAL PALACE. Yara, o planos del cabaré

La inutilidad es ampliamente útil: sirve para todo. ¿En

qué no puede ser encajado lo que carece de utilidad? No hay nada tan absoluto, tan eterno e inmutable, tan infinito, ni siquiera la caridad. Lo útil, en cambio, es limitado: sirve sólo para una cosa; a lo sumo para dos o tres, pero no más. Lo útil es perecedero, finito, de insoportable chatedad. Por todo esto, pocos seres de la naturaleza descubren el tesoro de la inutilidad perfecta. Yara, modestia aparte, lo había descubierto. En alguna zona de su registro genético, o de su sino, el cielo ha de haber escrito: "Esta criatura no deberá servir ni para echársela a los perros". Así que Yara constituía la esencia de los gatos. Hay que subrayar "esencia", porque si bien es cierto que los gatos son inútiles, debemos recordar que la mayoría terminan por servir para algo, esto es, operando contra natura.

Fiel a su sino, la gata Yara descansaba con pereza sobre un mueble, muy quitada de bulla, arropada por un desteñido pedazo de sol que por el balcón se colaba. A su derredor, todo permanecía tranquilo y solitario, cocido a fuego lento por la tarde tropical. La segunda planta del Royal Palace tenía un diseño agradable y funcional. Desde el rellano de la escalera se extendía una sala de estar cuyo balcón daba hacia la catedral. A partir de este punto se abrían dos pasillos paralelos, de bombillas rotas, que conducían a los numerosos cuartos que eran alquilados para dormir o para el arte amatoria. Ambos pasillos estaban comunicados por otro, más corto y estrecho. Para tener una gráfica mejor acabada, se puede imaginar que esta estructura tenía una forma de H y una sala de estar.

Remolona y desidiosa, Yara entreabrió los ojos. El sol había subido un poco el fuego y le irritaba levemente los párpados. Su instinto inicial fue mover la cabeza, pero no lo hizo, para evitar la fatiga. Contempló las flores puntiagudas y extrañas que adornaban los mosaicos del piso. En ese estado, vio que una silueta peluda, muy sucia o negra, se aproximaba. La silueta se detuvo enfrente; tenía unos ojillos sanguinolentos y rabiosos, además de un olor nauseabundo. Se miraron largo rato. Al notarle el rabo despeluzado, Yara descubrió que se trataba nada más y nada menos que de una rata; en seguida contuvo la respiración, tensó sus felinos músculos, estiró los tendones, movió los párpados y se quedó dormida. De esta ocasión —lo cual es poco probable— se afirma que nació el metro que inicia: *Sois gata inerte, inútil harpía*, que aparece en la coda de esta obra literaria.

II, 3 / ROYAL PALACE. Ángela

Mónica se vestía en el cuarto, sudorosa. Echar un polvo en medio de esas tardes sofocantes, sin haber contado con un abanico ni una ponchera de agua para refrescarse la verija, siempre la volvía una mierda. Para colmo de males, venía más brava que el diablo, echando chispas, porque después de habérsela sacado al guardia —ese cabrón, tanto trabajo que me da sacarle la leche y tan malo que singa, la deja a una demolida, coño—, el muy pendejo recogió su carabina tranquilo y dijo que le cobrara al chino, que este pagaría el polvo y el cuarto, ya que era parte de un viejo negocio. Así que Mónica supo que sus sudores terminarían acumulados en la lista de deudas de Changsán, quien nunca pagaba en efectivo, sino que saldaba la deuda con platos de comida y alquiler de cuartos.

De haber sospechado que así sería el negocio, mejor se hubiese quedado arrellanada junto a la vellonera, amargada con la balada de Amanda Miguel. *Él me mintió, él me dijo que me amaba y no era verdad. Él me mintió. Era un juego y nada más. Era sólo un juego cruel de su vanidad. Él me mintió, no me amaba, nunca me amó. Él dejó que lo adorara, él me mintió.* Resonaba aún en su memoria la balada dolorosa, junto al recuerdo de la traición. Por el tiempo en que ella entró a trabajar a la casa de los señores, esa canción estaba muy de moda en las emisoras de radio. Trapeaba y lavaba oyéndola; cocinaba y fregaba tarareándola; se bañaba desgañitándose con sus letras. Justamente una tarde en que ella estaba en el inodoro haciendo una necesidad, el Señor abrió la puerta del baño de pronto y, tras mirarle asombrado los senos mal cubiertos por una repentina equis de los brazos, exclamó, sin apartar los ojos: "¡Ay! Perdone la imprudencia. Yo no sabía que había gente. Pero no se preocupe, que ya salgo. Perdone la imprudencia". *Con el corazón destrozado, el rostro mojado, soy tan desdichada, quisiera morirme.* Desde esa tarde, cuando estaba sola en medio de algún oficio, el Señor se acercaba sigiloso, le ponía una mano en el hombro, supuestamente apenado, y pedía excusas por lo del baño. Aunque era muy muchacha para aquel tiempo, pues no llegaba a cumplir los dieciséis años, se daba cuenta de que el Señor lo que buscaba era recordarle que él la había visto *encuerada.* Y el Señor se tornó más generoso con ella: empezó a pagarle con puntualidad el sueldito de la quincena; dijo que sí cuando ella pidió permiso a la doña para estudiar mecanografía y archivo; le regaló un corte de poliéster para que se mandara a hacer un pantalón. *Mentira, todo era mentira, los versos, las rosas, las falsas caricias que me estremecían.* Halagada por tanta cortesía, una mañana, mientras exprimía el trapo de trapear, ella le comentó, como quien no quiere la cosa y quizá para estrenar la picardía: "El Señor está que se encarama en los setos por mí". Entonces él la miró muy serio, con rostro de cuáquero, y aclaró: "No se puede confundir la buena intención con la frescura".

La sacó de sus cavilaciones un grito, más unos pasos apurados.

—¿Quién vive!

En seguida salió del cuarto. Descubrió que en el fondo del sombrío pasillo el guardia cargaba su arma y que, sin dejar de apuntar, entraba a un cuarto. Hubo silencio. Al rato volvió a aparecer en el pasillo, con la carabina al hombro. Le cruzó por el lado con el rostro pálido. Desde el rellano, antes de comenzar a clavar sus botas en los peldaños de madera, comentó:

—Esa mujer parece como si estuviera muerta.

Mónica llegó hasta el fondo del pasillo y entró al cuarto que el guardia revisara instantes atrás. Encontró a la mujer sentada en un rincón, mirando pesarosa la mortecina flama de la lámpara. Le acarició la cabellera canosa.

—Ángela —exhaló con tierna amargura—. ¿Todo anda bien?

—¿No has escuchado esos ruidos de metal? Son de una máquina de escribir —reveló la mujer, como desde el mundo sereno de la locura, y procedió a narrar en voz baja—. Un amanecer tocaron a la puerta del Royal. El patrón abrió y entró un chino joven con un neceser y una máquina de escribir, muy vieja, cargada sobre los hombros. El patrón señaló la escalera y le preparó un cuarto de la segunda planta. No hablaron ni media palabra...

Mónica la escuchó sin interrumpir ni curiosidad. Sabía que en la mente nebulosa de Ángela se mezclaban los sueños, la vigilia y lo leído en los libros que guardaba en su habitación. Por ejemplo, a veces ella decía: "Oye, esta tarde soñé que tú me regalaste veinte pesos", cuando en realidad ella le había dado ese dinero el día antes, o le preguntaba: "Oye, ¿cómo la acabaste de pasar anoche con el negro de la dentadura de oro?", quizá dando por real algo leído o soñado, pues en la noche anterior ella no se había juntado con ningún moreno.

—Puedo conseguirte un plato de sopa —sugirió, aunque sabía que Ángela no solía tener apetito.

—El difunto vino esta mañana —susurró con voz ida y cansada—... Me dijo que ya no vendría más a verme, porque hoy le iban a pasar la causa en el purgatorio.

Mónica la abrazó para ayudarla a ponerse de pie. Le apartó del rostro mustio la maleza del pelo, le desarrugó la falda, le quitó de las manos el rosario de plástico y se lo colgó al cuello. Lo hizo todo con ternura, en tributo de admiración, sin una pizca de lástima.

—Seguro saldrá bien... Ven, acuéstate.

Los oxidados hierros de la cama chirriaron cuando el cuerpo de Ángela quedó tendido sobre el colchón.

—Lo malo es que no sabré cómo le fue, para dónde lo mandaron. Tal vez cuando me muera —susurró—. Yo le he rezado mucho...

Mónica le echaba fresco con un pedazo de cartón. Esperaba al pie de la cama hasta que la mujer cerrara los ojos, no hasta que durmiera —con un dolor tan grande nadie logra empatarse con el sueño—, más bien hasta que el sopor y el agotamiento le juntaran los párpados. Luego apagó la lámpara y salió del cuarto.

II, 4 / AYUNTAMIENTO. Y aparecerte justo ahora, carajo

El inspector llegó veinte minutos tarde a la cita con el presidente municipal. La secretaria lo hizo esperar hasta que su jefe terminara de entrevistarse con el periodista. En busca de un poco de aire fresco, el visitante se reclinó en una silla que quedaba junto al pasillo. Contempló diversos detalles del edificio. Examinó los escritorios desvencijados, las paredes con la pintura descascarada, los mosaicos empañados por la mugre, los abanicos cubiertos por un velo de polvo, las bombillas rotas de los pasillos, los libros apilados en muebles carcomidos. Aspiró hondo y percibió un mal olor a descuido mezclado con el aire tibio de la mañana. Pensó con ironía que el local del Ayuntamiento reunía todos los requisitos para ser cerrado por Sanidad.

Se pasó una servilleta blanca por el cuello. Vio a la Patria pasar varias veces por los pasillos, sin rumbo, embicado de una chata de ron. Hacía un calor del diablo o más bien una humedad vaporosa que embadurnaba con mala fe el cuerpo. Un vendedor entró a la sala con una bandeja de chicharrón. El inspector reaccionó escandalizado; le dijo que hay que tener talento hasta para vender pendejadas, porque a quién se le ocurre, en medio de un calor tan apocalíptico, salir a vender chicharrón, no fuña, hay que ser condescendiente, más sensato, y vender ahora, por ejemplo, helados o jugo con mucho hielo. El vendedor frunció la bemba y se defendió con la siguiente cita, libremente traducida, de Aristóteles: "Mi hermano, cuando el hambre da calor, la batata es un refresco", y se fue a las otras oficinas.

El inspector levantó la servilleta para secarse el sudor de la frente; la halló tan húmeda y ennegrecida que prefirió tirarla al zafacón. Ojeó el reloj y luego a la secretaria, una rubia de mentira con nariz de boxeador. Muy atareada, buscaba un teléfono en una libreta. Cuando al fin dio con el número, miró hacia el hombre y sonrió con correcta cortesía. Entonces se colocó el auricular entre el oído y el hombro derecho, abrió la gaveta, sacó un frasquito y procedió a pintarse las uñas mientras conversaba con una amiga. El inspector, acostumbrado a las lides burocráticas, pensó que era incorrecto que esa maldita prieta se clavara a un teléfono para hablar mierda en medio de un calor tan sofocante. Decidió esperar un rato más hasta que el presidente estuviera disponible. En verdad, sabía que el funcionario edilicio lo había hecho llamar para nada, o sea, para comentarle su disputa con el síndico y soltarle una sarta de chismes relativos a ese capítulo. Con el mismo propósito lo había llamado un rato atrás el síndico; este se adelantó al presidente en pedirle a él, empleado de Sanidad y conocedor del tejemaneje político, que lo tuviera al tanto de cualquier chisme que se ventilara contra la presidencia. El inspector sabía que el presidente le iba pedir un favor semejante.

Ese par de pendejos, desaprobaba en sus pensamientos, *como si uno tuviera ánimo para salir por el mundo a recoger chismes, en medio de tanto calor.* Justo en ese momento, lanzó a la secretaria una mirada fatídica que le complicaría la existencia.

Pues acaeció que, por meterse en lo que no le importa, inclinó un poco la cabeza para ver cuál era la marca de la crema facial que la mujer recién sacara del bolso, y sus ojos dieron con una revista *Vanidades*, abierta de par en par sobre el escritorio, en la que una modelo oriental aparecía sentada sobre una mesa. Sin saber por qué, a su memoria vino de repente el recuerdo de Lù-shi aterrada. La rememoró entre gritos, levantando sin decoro las piernas y sobándole el hombro en medio de su desesperación. Durante mucho rato repasó esta imagen en el televisor de la memoria, como si la sacara de un casete: le daba a *play*, luego a *rewind* en un círculo vicioso. Cuando las campanas de la catedral hicieron el mediodía, se puso de pie. La secretaria ni siquiera notó el movimiento; muy concentrada contaba a la esposa de su jefe un chisme por el auricular.

El inspector cruzó la calle, tomó la acera del parque y llegó hasta un mesón. Al ocupar una silla, advirtió que había hecho tal desplazamiento de forma mecánica, sin poner atención al tránsito. Durante ese tiempo repetía en su memoria la imagen de Lù-shi que agitaba las piernas sobre la mesa. No entendía por qué la contemplaba una y otra vez, si al fin y al cabo siempre veía lo mismo, sin poner un pixel de más ni una línea de menos. Apartó la atención del asunto, abrió el maletín, se puso los lentes y procedió a revisar las facturas de la casa. Una vez más le pareció excesiva la cantidad facturada. No era posible que a un hombre que vivía solo le mandaran un recibo de teléfono tan alto, o le cargaran tanto dinero por el agua, o le llegara una factura de luz tan cara cuando a fin de cuentas a su apartamento iban más los apagones que la electricidad.

Sin embargo, al guardar de nuevo los recibos en el maletín, no se sumergió en sus quejas habituales, más bien se quedó rememorando la imagen aquella. En esta ocasión, introdujo un movimiento nuevo en el manejo del vídeo: *pause.* Ahora pulsaba *play;* cuando le llamaba la atención una acción específica, le daba a *pause*; luego *play* y otra vez *rewind*... La mesera se le puso enfrente. *Stop*.

—¿En qué le podemos servir?

El inspector pareció volver en sí. Había llegado al mesón asediado por la sed, azuzando los caballos sin brida del instinto, a beberse un vaso de Coca-cola con mucho hielo, chispeante, igual al que ponen en los comerciales. Empero se sintió desconocido de sí mismo cuando se oyó decir:

—Una cerveza, por favor.

II, 5 / ROYAL PALACE. La prueba de Yara

Lù-shi se inclinó bajo el mostrador en busca de Yara. Como no la encontrara, de paso aprovechó para organizar el derribado bosque invernal de botellas vacías que allí estaba. Entró al retrete para ver si la gata tomaba su acostumbrado baño de sol sobre el alféizar de la ventana; bombeó los inodoros sucios y secó los pocillos de orín del piso. Entró al almacén y rebuscó paciente. Como tampoco la localizara, se tomó un tiempo para desempolvar la cortina de cuentas de vidrio que cubría la entrada. Volvió a recorrer con la vista los rincones del salón, buscando a la gata entre las cosas inmóviles y soleadas. La primera planta, ocupada por el cabaré, se podía atrapar con un solo tiro de la mirada. Al cruzar la puerta principal, que estaba frente a la catedral, se encontraba el salón amueblado; justo enfrente, se abrían los vanos pestilentes del baño; a mano izquierda quedaba la cantina, protegida por el armatoste arqueado del mostrador y, detrás de esta, la cocina; a mano derecha, instalada en un rincón, estaba la vellonera. Para tener una gráfica más acabada, se puede imaginar cualquier cabaré de pueblo. Sólo habría que añadir a esta imagen común un cuadro antiguo, amarillento, casi dorado, los dragones, árboles y aves fénix que empapelaban las paredes ahumadas y un mural de fotografías —muchas en blanco y negro, otras recortadas del periódico— que se divisaba junto a la vellonera.

Embutida en su vestido negro de seda ajado por el tiempo, de mangas largas, que la atrapaba desde el encaje de los tobillos hasta el broche dorado que se abotonaba en el cuello, Lù-shi subió afanosa la escalera, inagotable, sin detenerse a resoplar por el fuerte calor que ondeaba en el edificio. Oyó con curiosidad un sonido metálico que provenía del interior de una habitación. Al entreabrir la puerta, descubrió a un chino joven, para ella poco conocido, que tecleaba en una máquina de escribir. Optó por no molestar en ese sitio. Terminó de revisar el resto de los cuartos y pasillos, mas de la gata no halló un solo rastro. Así que volvió a tomar la escalera y subió a la tercera planta. Dio una vista panorámica que abarcó inclusive los tejados vecinos, pero tampoco encontró a Yara. Entonces aprovechó para enjuagar una sábana que estaba en una cesta. La tercera planta era una amplia terraza entrecruzada por cordeles, ahora sólo usada para secar la ropa. La mujer exprimió la sábana y la enganchó en un cordel; la tela mostró un letrero rojo, de caracteres toscos, que rezaba: "Me la robé en el Royal Palace".

Se detuvo en el rellano de la segunda planta. Lo que más le gustaba del Royal era poder contemplar los mosaicos que adornaban el piso. Para ella, pisar en cuartos y pasillos era semejante a introducir los pies dentro de un jardín de flores exóticas. Había al menos cuatro series de flores que adornaban los mosaicos, juegos florales esparcidos como una infinita alfombra paradisiaca. Hay momentos así, mínimos pero pletóricos, que hacen que vivir valga la pena. En verdad, Lù-shi nunca estuvo de acuerdo con que su esposo llenara de mujeres el local. Le gustaba más el estilo anterior, el establecido en vida de su suegro. Sin embargo, nunca se atrevió a tocar el tema. Ella y Changsán se referían al burdel como "casa de té" y no llamaban prostitutas a las mujeres, sino "flores de lodo".

Tras haberse embebido un instante, Lù-shi metió las manos en el delantal y siguió escalera abajo. Se sobrecogió al ver que un reflejo cruzaba entre sus pies. Era una rata enjuta, atlética, que se detuvo en el peldaño de arranque para mirarla con sus ojillos sanguinolentos y rabiosos, mientras se lamía el rabo untado de aceite. Tocada por el pavor, la mujer quedó inmóvil en la escalera hasta que la pequeña bestia se retirara. Recordó con vaguedad aquella rata que murió junto a su mano unos días atrás. Le asombró la facilidad con que se había envenenado. Así que en aquella ocasión, tan pronto quedó repuesta del leve desmayo, entró al apartamento en que vivía con su esposo, sacó una pequeña caja de jaspe y vació en ella, cuidadosamente, el paquetito de Trespasitos que había guardado en su delantal. La rata terminó de lamerse el rabo, pero permaneció otro rato sobre el peldaño sin hacer nada, sólo para dárselas de terror.

Cuando el animal se hartó de joder y se marchó, Lù-shi bajó al cabaré. Encontró a Changsán sentado en la barra, despreocupado. Él solía tener la mente puesta en otros asuntos, como en las cuentas del negocio o en evitar que los roedores se comieran las gallinas que enjaulaba bajo el mostrador. Ni siquiera llegó a enterarse de que aquel día a su esposa le había dado un patatús. Aunque ella permaneció desaparecida por casi media hora, él no salió a buscarla. Fue Ángela, la señora que asea los pasillos y los cuartos, quien la encontró desmayada y la revivió con alcoholado Bayrum y con el sobo de hojas de guanábana. Changsán tenía a Yara sentada sobre las piernas, acariciándola con ternura. El chino alzó la gata, a la manera de un trofeo. En seguida dio largas y detalladas explicaciones, en cantonés, que no podemos en este momento traducir. Sin embargo, las acciones que sucedieron de inmediato fueron el resultado de dichas explicaciones. El acontecimiento que estaba próximo a acaecer podría dar a los escépticos una idea sobre si existe la inteligencia animal.

Changsán puso a Yara en el piso y, sacando adrede un ruido cristalino a la cortina de cuentas de vidrio, entró al almacén. Lù-shi se sentó a una mesa con los pies recogidos, como un Buda hecho mujer. El hombre retornó al salón con una caja de cartón cerrada. La abrió despacio frente a la gata y se apartó para esperar el desenlace. Yara, sin romper su posición de descanso, miró hacia la caja. Una rata barriguda, fuera de forma, salió indiferente. La gata la observó atenta: *comprendió* que se encontraba ante un animalejo vil y despreciable, obeso, de cabeza medio pelada, que la observaba con estúpida soberbia a través de unos ojillos sanguinolentos y rabiosos. En su instinto gatuno, *calculó* que necesitaría dar un sólo salto, un simple zarpazo, para lambérsela y retornarla a la nada. Al mismo tiempo *analizó* que en el edificio había otros cientos de ratas que merecerían un tratamiento semejante. Así que, sin perder tiempo, dio un brinco, cayó amortiguando sobre sus garras, erizó los pelos del espinazo, profirió un temeroso maullido y, con un salto ágil, fue a parar sobre la mesa en que permanecía Lù-shi, aterrada.

La rata se retiró pesadamente, altiva, ante el azoramiento de los curiosos. Entonces la gata se reclinó con tranquilidad a un lado de la mesa y se dispuso a echar un sueño. Nadie debe quemarse la sesera para entender esta actitud de Yara. Basta con recordar aquel enorme roble del que nos habla el *Zhuangzi*, que por su madera no servir para nada, nunca fue cortado por el hacha.

—Esa gata es una inútil —determinó desde el umbral un recién llegado.

II, 6 / ROYAL PALACE. El violinista

Por el vano de la puerta vieron entrar a un hombre de mediana estatura, pelo bueno y bien peinado, piel pálida y mirada triste. Vestía de frac y cargaba un estuche de violín. Por la formalidad en el porte, Changsán temió que se tratara de un nuevo inspector de Sanidad. Cuando lo vio sentarse a una mesa del fondo y ordenar que le trajeran una mujer y una botella de ron, se internó aliviado en la cantina.

—¿Que de qué clase va a querer el ron? —tradujo desde el mostrador Lù-shi.

—De cualquiera —contestó con voz sedienta—. Y la mujer también.

Justo en ese momento entraron Mónica y la China. La China, que era más vivaracha, advirtió primero la presencia del visitante y se acercó de inmediato a la mesa. Así que ella fue la escogida, mientras que su compañera tuvo que sentarse a la mesa contigua, a esperar, rumiando su maldita suerte. Mónica vio a la otra levantarse para ir en busca de la bandeja y, de camino, echar una moneda a la vellonera. *¡Qué casualidad tan perra!,* maldijo en su pensamiento. Había puesto la canción de sus amargues: *Él me mintió...*

La China colocó los dos vasos y la botella sobre la mesa. Sirvió primero el vaso del hombre y luego el de ella, como le habían enseñado desde la adolescencia. Él se lo bebió de un solo trago, puesto de pie y con la mirada hacia el techo. Al volverse a sentar, ya sus ojos no estaban mustios, sino relajados y sonrientes. La mujer le sirvió de nuevo. El cliente miró hacia la otra mesa y solicitó, con refinada cortesía:

—Sírvele también un vaso a la damisela.

Mónica rechazó el trago, agitando el dedo como si fuera un limpiabrisas. Él volvió a insistir con la misma cortesía. Ella pensó que este era uno de esos pendejos que cree que una bebe y singa por simple gusto.

—No, lo que pasa es que ahora no tengo apetito de ron —aclaró, con una sonrisa mecánica—. Pero se agradece.

—¡Cómo va a ser! —insistió, más gentil—. Entonces tómese un jugo o pida algo de comer. Yo lo pago.

En ese punto, Mónica, tanto por salir del tipo como para resolver temprano el asunto de la cena, pidió un jugo de piña y un plato de sopa. Claro, hizo que lo ordenara él, no fuera que después se hiciera el pendejo y tuviera ella que pagar la cuenta. Le sorprendió que el tíguere acudiera personalmente a la cantina a encargar el servicio y que, una vez traída la bandeja, se pusiera de pie para servirle la mesa, con mucha elegancia, y que al final le dijera *bon appétit. En esta barra se ve de todo,* pensó algo perpleja.

Haciendo un espectáculo ampuloso e inadecuado para cualquier descripción, el atardecer de desahuciadas luces empezó a tender su levísimo cadáver sobre las flores del piso; un manto finísimo y sucio, hecho de viejos crepúsculos, se acomodó sobre el interior del salón. Casi nebuloso, empañado por la pobre iluminación, el hombre terminó la segunda botella de ron y pagó la cuenta. La China le informó que el cuarto costaba treinta pesos y que ella tomaría lo que el caballero le quisiera regalar... de cincuenta pesos en adelante.

—Yo quiero rentar el cuarto por un mes —aclaró el cliente.

La mujer buscó a Changsán, para que se pusieran de acuerdo en el alquiler. El chino, equipado de esposa y ábaco, se acercó a la mesa. La China se sentía un poco afiebrada, con el cuerpo cansado, así que se puso a calcular qué subterfugio usaría para que el hombre se viniera rápido en la cama. Cuando el asunto del cuarto estuvo arreglado, el cliente tomó el estuche del violín y se puso de pie. Se despidió de Mónica con un gesto de la mano. Al ver que este se disponía a irse y que no habían acordado el precio de lo otro, la China se levantó y tosió con dramatismo. Él entonces se volteó hacia ella y le pidió con amabilidad:

—Mejor quédate. Necesito dormir. Estoy un poco cansado.

Y en seguida le regaló un billete de cien pesos. La mujer quedó turulata. Su primer impulso fue acercarse a la escalera y darle las gracias por el gesto; no lo hizo porque en ese momento empezaron a llegar otros clientes al negocio.

La tarde no pudo mantenerse levantada un instante más y cayó desvanecida a los pies de la noche. La luna, encendida, comenzó a descender con lentitud, digamos por un hilo, hasta quedar colgada en un extremo de la ciudad. El cabaré se fue poblando de hombres heridos en el corazón o de fantasmas, de crápulas libidinosas que cruzaban el umbral aluzados por la luna y de señores honorables que se escabullían desde la sombra. Se saturó también de vellonera, de agua ardiente, de mujeres que hacían lo mal hecho, o lo bien hecho, depende de cómo o por cuánto lo hicieran. Todo entraba y se comprimía entre los muros a manera de detritus, para girar en la rueda eterna del mundo, sordamente, como si el destino del Royal Palace fuera permanecer por los siglos de los siglos.

LIBRO TERCERO

NOCHE DE NAUFRAGIOS

III, 1 / CIUDAD INTRAMUROS. Máscara brava

Changsán percibió que la vigilia se le inyectaba en la sangre. Miró a su alrededor por la compuerta a medio cerrar de los ojos. El cuarto en penumbras: sus ventanas bloqueadas por visillos de terciopelo rojo y una lámpara de queroseno con la llama moribunda colocada sobre la coqueta. Sin levantarse, trató de distinguir los objetos que se repetían alrededor: mesa, sillas, biombo con amantes desteñidos por el tiempo, campanillas de bronce, tetera de porcelana... en fin, realizaba ese ejercicio de reconocimiento que todo el mundo hace tan pronto despierta, aunque hay personas, como él, a quienes la laxitud obliga a hacerlo lenta y pesadamente. Tras aplicarse un poco más, supo que eran las tres de la tarde y domingo.

Sintió suaves cosquillas en los pies. Levantó un poco el cuello para permitir que la mirada cruzara sobre el pecho, la barriga, la rodilla, la pierna y se detuviera en los alrededores del talón. Descubrió una bola de pelusa negra, o quizá una rata, sí, una rata que hundía sus dientes amarillos en la cachaza dura de la planta mal cuidada y, para que no se sintiera el mordisco, soplaba sobre el corte, haciendo una delicada pedicura. El hombre la contempló abobado, sin asumir el peso de la situación, hasta que chocó con los ojillos sanguinolentos y rabiosos del animal. Entonces sacudió el pie y la rata se retiró de la cama entre chillidos de protesta.

El chino sintió el cuerpo desganado, vuelto una mierda. Así que extendió la mano hacia la mesita, rebuscó a tien-

tas y encontró una taza. El café estaba frío y amargo, polvo-
reado con ceniza de cigarrillo, en su punto. Cuando sorbió el
último trago, oyó un rumor que se desataba calle abajo y subía de volumen, in crescendo, mientras se acercaba. Pronto se
convirtió en un ruido ensordecedor, mezcolanza de gritos,
golpes y cascabeles, como en el desfile del dragón. Sin descua-
jaringarse, se levantó de entre las sábanas sudadas, apartó el
terciopelo de la ventana y miró hacia la calle.

Había unos disfrazados de diablos, que hacían una
danza coja y correteaban hacia todos los lados para golpear a
los curiosos con vejigas. Los diablos usaban preciosas caretas
cornudas, mefistofélicas, pintadas con bellos contrastes y
adornadas con ingeniosos detalles. Sus disfraces eran también
de colores encendidos, mayormente rojos y amarillos brillantes, bordados con cientos de cascabeles. Traían en su mano
una vejiga oblonga de goma, forrada de tela, que al rebotar sobre el cuerpo de la gente producía un seco sonido de tambor.
Changsán se deleitaba con este espectáculo. Los curiosos reta-
ban a los diablos y mostraban las nalgas, para que les golpearan; entonces las máscaras se acercaban entre saltos y pegaban
fuertemente. Llamó su atención un tipo que, puesto en cuatro patas, elevó el culo y, al recibir una larga tunda de vejiga-
zos, voceó con felicidad: "¡Eso no da duro, coño! ¡Dame duro!", y finalmente se levantó contorneando las nalgas al ritmo
de un bullicioso merengue.

Encantado por aquel juego de alegre colorido y chispeante sensualidad, Changsán, en camiseta, pantalón corto y
chancletas, bajó apresuradamente la escalera y salió hasta la
calle. Se detuvo en la esquina a observar la turba que bebía y
festejaba en medio del sonido de atabal de las vejigas. Conta-
giado por el espíritu de la festividad, fue hasta el centro de la
calle y quedó allí ansioso, con el fundillo al descuido, para
que le pegaran. Un diablo se le aproximó dando saltitos, uno
que traía un disfraz resplandeciente y una careta de buen diseño, casi natural, que parecía la del mismo diablo. Cuando

lo vio acercarse, insinuó un poco más las nalgas y el diablo, sin perder tiempo, le pegó. Fue un golpe seco, limpio, de tambor, que se amoldó entre los cachetes de sus nalgas. "¡La semilla!", a lo mejor rumió en perfecto español el chino tras recibir el vejigazo, antes de caer adolorido sobre el asfalto caliente. Contrario al placer que pensara experimentar, el golpe le magulló el fundillo, le produjo un zumbido en el oído y le borró de los ojos el colorido de la tarde, como si lo hubiesen flagelado con una mandarria. Permaneció largo rato desvanecido en el suelo, sin aire, afectado por un doloroso picor, hasta que un buen samaritano se condolió de su suerte, lo apoyó en un hombro y lo llevó al cabaré.

Lù-shi tiró la bandeja sobre el mostrador. Vio a su consorte proferir quejidos lastimosos, con las gafas en la punta de la nariz, los pies a rastras, apoyado en un hombro, como si lo trajeran herido de la guerra. Guió al buen samaritano hasta un cuarto de la segunda planta y le pidió que depositara el cuerpo de su esposo sobre la cama. La mujer se empleó de inmediato en embadurnar con ungüentos la parte herida; estrujó paños tibios en su cuerpo delgado; le dio a beber una infusión de yerbas amargas. Hizo todo esto sin advertir que el buen samaritano permanecía de pie junto a la coqueta. El buen samaritano se llamaba Mazamorra. Y era ladrón.

III, 2 / ROYAL PALACE. El altar de los antepasados

Acostado boca abajo sobre las sábanas sudadas, adormecido por el olor de los ungüentos, Changsán evocaba con impotencia y rencor su desafortunado encuentro con el diablo. Un estremecimiento infernal le recorría la piel. Pensaba ahora que el carnaval era un espectáculo cruel, falso, demasiado humano.

Sintió un ligero confort al imaginar que destruía la ciudad con una bomba. Salió de la cama y entró al baño para darse una ducha. Lo de la ducha es sólo un decir. En un pueblo en cuyas cañerías raras veces acaece el milagro del agua, lo que en realidad se hace es llenar una cubeta y mojarse el cuerpo poco a poco, estoicamente, con una jarra. Una vez aseado y vestido de forma adecuada, Changsán pasó a otro salón, donde estaba el altar de sus antepasados.

En un rincón había una mesa cubierta por un mantel blanco. Su centro lo ocupaba un trípode de bronce, lleno de inscripciones para la invocación del dragón. También una escudilla de cerámica y dos platos de oro. Había allí además, colocados con esmero, preciosos vasos y antiguos utensilios, entre los que se destacaba un sable de vaina purpúrea. Encima de la mesa, apoyados a la pared, reposaban varios daguerrotipos alrededor de la fotografía de Sang-tua, su padre, quien no cumplía aún los tres años de haber fallecido. Changsán se quitó el sombrero de la virilidad con hondo respeto; sirvió en los platos arroz hervido y trocitos de carne de buey, mientras que en los vasos escanció vino fresco. Fiel a la costumbre, se comportaba en el altar de sus antepasados con el mismo respeto que hubiera guardado ante ellos si estuvieran vivos.

Acto seguido, quemó incienso en el trípode y permaneció inmóvil, cogitabundo, para que su rostro reflejara la mayor expresión de dolor. Tse-yeu ha dicho: "Cuando se guarda luto por la muerte de los padres, el dolor debe alcanzar su grado máximo y mantenerse en él". Changsán vio su rostro reflejado en el cristal que protegía el retrato y pensó que su padre, si estuviera vivo, se hubiese sentido satisfecho con su semblante perfectamente acongojado. Recordó aquel pasaje que tantas veces leyera en el *Libro de Mencio,* sobre el príncipe que preparó las honras fúnebres de su progenitor — "el día de los funerales, hombres venidos de los cuatro puntos de la tierra pudieron comprobar el intenso dolor que se reflejaba en la palidez de su rostro, y quedaron admirados por la intensidad de sus quejidos de pesar"— y se consideró digno de las costumbres y los rituales.

Juntó las manos sobre el pecho en señal de cortesía y saludó con profunda reverencia a Sang-tua. Procedió a platicarle sobre los asuntos del Royal; sobre el calor del archipiélago; sobre aquellas cuestiones de alguna manera tristes que impregnaban su mente. Mientras hablaba, procuraba mantener los brazos caídos como las alas de un pájaro. De vez en cuando, al notar que la expresión de su rostro se había desvanecido por perder la concentración, hacía silencio y no volvía a conversar hasta estar seguro de que su semblante reflejaba compunción y palidez.

Más allá de la piedad filial, guardaba con respeto genuino la memoria de su padre. Sang-tua lo había mandado a buscar a China a sus diez años y desde esa edad se convirtió en su guía, para que el muchacho se aplicara al estudio y no se convirtiera en un libertino, en uno de esos galanes frívolos, que flotan con las olas, o no se perdiera en la compañía de esos jóvenes viciosos que proliferan caprichosamente como ramitas de sauce. Tan empeñado estaba Sang-tua en que su hijo recibiera una educación apropiada, que decidió formarlo por sí mismo, aun contra el consejo de Mencio, quien afirmaba que los niños debían ser entregados a otra persona para que los educara, "porque el padre no puede ser riguroso con su hijo".

Así que sin acatar esta recomendación de los antiguos —y apoyado en la certidumbre de que en estas tierras de bárbaros no encontraría un maestro suficientemente instruido para cultivar a un ser humano—, lo introdujo en el estudio de los libros clásicos y le enseñó todo lo que pudo sobre las artes de la música, equitación, tiro con arco, escritura y aritmética. Lo inició además en los secretos de la platería. Sang-tua empleaba parte de su tiempo libre —del poco que le quedaba tras agotadoras jornadas de trabajo— en mostrarle a través de los libros el camino de la virtud. Le hizo conocer al dedillo el *Libro de las costumbres*; memorizar buena parte de las canciones ancestrales del *Ji-Shing*, lo familiarizó primero con las doctrinas de Confucio y después con las de sus discípulos; le mostró sus raíces mediante las lecturas del *Canon de la historia* y los *Anales de primavera y otoño;* lo inició en los misterios del *Libro de los cambios.* Y todo se lo enseñó con rigor y disciplina —siempre temeroso de aquel sabio consejo de Mencio—, apegado al método, tal como instruyera a sus alumnos a la sombra de los sauces que se levantaban debajo del cielo, en los tiempos lejanos, cuando aún las guerras no lo habían obligado a emigrar a este país de bárbaros y sol rasante.

Cuando Changsán cumplió los veinte años y su padre le cubrió la cabeza con el sombrero de la virilidad, símbolo de que entraba en la madurez, se encontraba bien educado para ocupar un lugar relevante en la familia, entre los amigos y en la vida pública. Tanto había aprovechado las enseñanzas de los clásicos, que ese día su padre lloró con lágrimas del corazón al lamentar que no se pudiera presentar ante los exámenes imperiales. Borrado con la mano de los hombres el mandato del cielo que daba permanencia al Imperio, y más aún, alejados ellos de su tierra natal, ¿quién se interesaría en la fina educación de un hombre?

—Si estuviésemos debajo del cielo —le dijo esa vez—, estoy seguro de que obtendrías el primer lugar en los exámenes y te pasearías a caballo por la ciudad con el certificado sellado por el Emperador... Pero ya ves, en estas tierras no se está nunca bajo el cielo.

III, 3 / ROYAL PALACE. La vida no vale nada

Tora, ebrio y medio fundido por el calor, caligrafiaba en la mesa con un pedacito de hielo: "La Rebolusion es Inminente", frase que tantas veces pintarrajeó en el viejo tiempo en que la naturaleza tenía la costumbre de hacerle creer que el destino estaba en la mano de los desventurados y, al sentirse él parte de un complot que planeaba un golpe de Estado contra la historia, realizaba operaciones subversivas y adquiría con fervor folletos, elepés, camisetas, poses, frasecitas intelectuales y todo material que evocara la revolución. Dejó de escribir para ver a la Patria, que pasaba con su andar de tabla de cuerda, temblando por la amargura y por el ron. Tora se paró en una esquina del mostrador a contemplar las mesas ocupadas por esos munícipes que, a su parecer, no tuvieron el temple de jugársela en la hora señalada y que ahora, fuera del engranaje de la historia, reían y tomaban pendejamente sin sospechar que este hubiese sido su tiempo mejor. Susurró con amargura, mientras se abanicaba con la boina: "Somos una nación de cobardes: políticos cobardes, militares cobardes, religiosos cobardes, juristas cobardes, periodistas cobardes, intelectuales cobardes, ciudadanos cobardes... cobardes que no hemos tenido el valor de instaurar la verdad en los momentos críticos de la vida nacional; cobardes que, en gran número, hemos corrido a desmoronar las escasas gestas de los escasos valientes que han querido sacar la cara por la nación". Entre aquel amasijo de lumpenproletarios que faltaron a su cita con la historia, Tora descubrió con desprecio al Poeta de la Carpeta Amarilla, Edoy Montenégodo, quien corregía abstraído unos papeles. "¡Hey, tú, pequeñoburgués!", vociferó, "ponle a esos poemitas los pies sobre la tierra... Y aunque la revolución se esfumó, los oprimidos *todavía* siguen ahí". En seguida señaló hacia el parque, donde circulaban limpiabotas y mendigos.

El poeta permaneció concentrado en su tarea. No estaba en esta ocasión sumergido en sus rectificaciones habituales. Corregía unos exámenes de inglés. El poeta se ganaba la vida en un instituto de segunda categoría enseñando inglés, idioma del que apenas dominaba la gramática y algunas frases convencionales. Así que punzante fue la sorpresa para Tora cuando se acercó y le tomó uno de los papeles y pudo ver, sin entender ni un coño más allá de lo fundamental, lo que el otro hacía.

—¡Jia, jia, jia! —rio burlón—. ¡Mente flaca! Tal vez en inglés puedas escribir un poema que sirva. ¡Jia, jia, jia!

El poeta levantó la pluma y lo miró molesto. Estaba bien que este pedante lo llamara vendepatria, alienado, hasta comemierda... pero no podía tolerar que insinuara que él era un mal poeta; un tipo como él, caramba, que se había leído a los franceses y a los ingleses y sobre todo a los griegos; que tenía seis libros de poemas inéditos y otro casi terminado; que podía darles cátedra de lo que es poesía a todos esos poetastros del patio que salían en los suplementos sin tener una obra que los avalara. Verdaderamente —pensó, halagado con el catálogo de lisonjas recién extraído de su memoria—, no debía permitir que un frustrado lo cuestionara en público. Defender ante esta humillación su prestigio, no era cuestión de ego, era asunto de honor. De manera que, habiéndose tomado un trago, puso a un lado el paquete de exámenes, se armó de la carpeta amarilla en la que reposaban ansiosos de fama sus versos más recientes y la emprendió contra Tora.

Se enfrascaron en la eterna discusión, en esa especie de partida de ajedrez inacabada que siempre era retomada desde la apertura, repitiendo los mismos recursos de ataque y defensa, atropellándose y sin escucharse. Edoy Montenégodo arremetía apoyado en Homero o en T. S. Elliot e ilustraba con fragmentos de su carpeta amarilla. Tora, entre gritos e irreverentes carcajadas, usaba eslóganes y testimonios políticos para desautorizarlo, lo acusaba de poeta evasivo y alienado.

Lo absurdo del caso es que, en su discusión estéril, apelaban al juicio de los clientes de turno. Aunque más absurdo que la apelación en sí era que algunos de los clientes les siguieran el juego y se pusieran a juzgar sobre tópicos que no dominaban ni un carajo; que opinaran, verbigracia, que el análisis político era correcto o que el poema del aeda sí era muy bonito. Y la disputa se escenificaba siempre bajo un salvaje zarandeo de bachatas o boleros aciagos. Era terrible escuchar estrofas de *El cementerio marino* o citas de *Los seis escritos militares* sobre una melodía de percusión y guitarra.

—Porque dígame usted si esta no es la verdadera poesía —inquiría el poeta entre los clientes del cabaré, eufórico, mientras recitaba fragmentos poéticos extraídos de su inagotable carpeta amarilla, perseguido por las risotadas del Pez Tigre Balón.

Muchos no hacían caso y seguían encallados en el trago o en el amargor de la vellonera. Otros, más por decencia que por amor a la poesía, fingían escucharlo e incluso pedían que lo repitiera. Dando carpeta con su recital itinerante, el poeta llegó a la mesa de un tipo quejumbroso, taciturno, amargado.

—Léase algo para ver si lo consagramos —le pidió este con cinismo.

Era Ángel el ángel. Un tanto desconcertado ante el tono de su voz, el vate rebuscó uno de sus mejores poemas y, con la mirada puesta en algún sitio lejano, lo recitó de memoria. Detrás, Tora reía burlón con un vaso de whisky en la mano y se echaba fresco con la boina. Ángel el ángel miró a los dos y no supo a cuál elegir. Sin intervenir, permaneció en silencio mientras uno se ahogaba melancólico en un poema seco y otro remeneaba el abultado vientre en medio de la risa.

—El poema es interesante… —opinó, cortante, pues se había decidido por Tora—, pero le falta sustancia.

Vio que el poeta cerró la carpeta con la intención de defenderse. Le hizo una señal despreciativa con la mano, para que se retirara. Tora sonrió con agrado ante el juicio de Ángel el ángel y aceptó sentarse en la silla que este le ofrecía. Antes fue a su mesa y regresó con la botella de whisky. No sabía que había caído en la trampa.

—Ese poeta está alienado.

—Muy alejado de los sectores populares —corroboró Ángel el ángel, que acababa de llenar con hielo su jarra de cerveza—. Lo que hay que hacer aquí es abrir un círculo de estudio revolucionario y adoctrinar a toda esta lacra, por la fuerza...

—¡Jia, jia, jia! —rio el otro, mientras se frotaba un pedazo de hielo por el pecho.

Y fantasearon en esa línea. Ángel el ángel, quien adivinara que a Tora el aguardiente le desenterraba el romanticismo comunista, trazó un curioso plan de contingencia en el que todos los presentes, "so pena de ser fusilados si rechazaban la doctrina", tendrían un papel fundamental: el poeta estaría a cargo de mecanografiar la propaganda clandestina; el chino prestaría las instalaciones del cabaré para celebrar las reuniones secretas; los cueros se encargarían de recaudar los recursos económicos para la causa; Tora sería el comandante en jefe... Al final, cuando notó que su interlocutor estaba emocionado, Ángel el ángel decidió mortificarlo. Se puso de pie con porte militar y dijo, procurando que su cansina voz fuera oída en medio de la música angustiosa: "Ahora quiero hacer una crítica al comandante Tora".

El comandante, sorprendido, apartó el vaso de sus labios. Puso el rostro grave. Bajó la cabeza con humildad y se quitó la boina.

—Yo quiero criticar a Tora el Pez Tigre Balón porque se ha alienado —censuró. Se deleitaba al ver que el carilampiño perdía la paciencia y seguía con seriedad el juego—. El camarada se ha dedicado a la bebida y a menudo abandona su jornada de trabajo para holgazanear en los bares. Ya no es más que un guiñapo, un frustrado...

—¡Traidor! —se apuró a denunciar el otro.

Al verlo arder de coraje, Ángel el ángel dio la estocada final:

—¡El camarada aquí presente siempre fue un pequeñoburgués!

Ante esta última acusación, Tora estalló de rabia. Los demás burdelianos se sorprendieron al verlo reaccionar de una forma que les parecía tan absurda. Escuchaban sus palabras de defensa, que iban acompañadas de violentos ademanes. Tora, al advertir que los demás lo observaban incrédulos como si hubieran llegado a la conclusión de que él era culpable, empezó a salirse de sus casillas. Para colmo, oyó una frase que parecía provenir desde algún rincón del salón o de la memoria: "El camarada traicionó la revolución..."

"Usted es un pequeñoburgués de los más peligrosos: de los alienados de la mente", resaltó Ángel el ángel, que sacaba estas palabras de la memoria dolorida del criticado. Para acabar de desatarle la cólera, le puso el dedo índice en la sien. Tora, que sudaba y bufaba como una bestia, golpeó con ambos puños sobre la mesa. Cegado por el coraje, se lanzó contra su crítico. Ángel el ángel dio unos pasos hacia atrás y se apartó de la mesa. Hizo este movimiento no para huir ni ponerse en guardia, sino para darle a Tora mayor espacio de acción. Con los brazos caídos, indolente, se dejó cachetear el rostro; permitió que lo tirara contra la pared; no hizo nada para evitar que le pateara las costillas. Ensangrentado el rostro y con una leve sonrisa tatuada en los labios, veía a Tora lanzarlo sobre mesas y botellas rotas, contra las columnas, en medio del gesto cómplice y falsamente atónito de los presentes. Y lo veía sin quejarse, sumiso, con una borra de placer, como si se tratara de un muñeco de sí mismo en una representación.

Aunque algunos parroquianos intentaban detenerlo, Tora se zafaba y seguía su arremetida brutal. Le pegaba con todo mientras gritaba: "¡Defiéndete, poco hombre!" Lo castigaba con pasión, metódico, incluso con un poco de imaginación. Lo tiró sobre el mostrador y duró un largo rato golpeándolo con el puño, como si la víctima fuera un saco de boxeo. Le pegó sin cesar hasta que su rabia y su fuerza se agotaron. Luego se apartó de su opositor en silencio, se reclinó en una columna y se puso a llorar. Entonces le oyeron reconocer, entre amargos jipidos, que sí, que quisieron joderlo al acusarlo de alienado y traidor. Balbuceó: "Pero ellos terminaron siendo los traidores, porque yo sigo aquí, vuelto una mierda, pobre hasta los huesos, mientras ellos ahora viven como reyes, siguiéndole el juego al poder". Y se hundió en el silencio.

Mientras Tora sonreía penosamente y se chupaba los mocos, Lù-shi y los cueros reorganizaban el local. Por suerte no se rompió nada, pensaba el chino paseando con el ábaco en las manos. Dos mujeres recogieron a Ángel el ángel del suelo y lo llevaron en parihuelas hasta su mesa. Lastimado y con una sonrisa rota entre los labios, pidió que le prepararan un vaso de cerveza con mucho hielo y que no se preocuparan por su estado. Desde su silla, con el cuerpo demolido por la golpiza, escrutó de reojo a Tora, quien se secaba del rostro el sudor y las lágrimas. Lo observó sin inquina, sin pena ni rencor, como quien mira a un actor representar su papel. Lo contempló incluso con admiración y un poco de envidia.

III, 4 / LIMBUM. Opiumi Pax

La alfombra verde, de ánades salvajes y dragones bordados con hilos de oro, se levanta leve del piso, ondulante, sensual, danzando bajo el limpio acorde de las cuerdas de la pi-pa. Los seis puntos fijos del universo —nadir, el norte helado, el sur ardiente, el oeste seco, el este florido, cenit— se llenan de aire coloreado por la flama de una luna que flota sobre el humo blanco de su propia luz. El tiempo es este movimiento incesante de estaciones que se suceden infinitas sin mover una sola aguja del reloj. Viene una tortuga de plata; crece una flor de durazno precipitadamente; un pájaro azul cruza veloz pintándole una herida atroz al cielo, ¿o es un relámpago?

El primer hombre en venir deja caer un manojo de varillas sobre el espejo.

—Bajo el cielo va el trueno: todos los elementos alcanzan el estado natural de la inocencia. Pero el acto inocente trae desgracias... —vaticina, mientras censura los placeres— ¿Cómo puede unir a un hombre aquello que desunió a un imperio? Ah, si tu padre te viera...

Changsán levanta su mano vegetal y, con un movimiento lentísimo, borra la imagen del recién llegado. De inmediato, todo regresa a su lugar de sueño. Sumergido en la deliciosa paz de las imágenes, seguro al fin de que puede cultivar un campo de cereal con la mirada y ver con el ojo de su mano los festines que tras las Puertas de Oro del Palacio de las Nubes se celebran, Changsán pone a un lado la pipa de opio y deja que los vientos del cielo lo guíen.

III, 5 / ROYAL PALACE. El sueño de Tora, o el Tora soñado

Tora pidió una botella de cerveza y se sentó solitario a una mesa del fondo, desde la que se podía ver una luna inmensa, insoportablemente blanca, que no cabía por la ventana. El trago le desenterraba la angustia juvenil de haberse quedado sin pelear en una revolución. Porque, en el fondo, la sublevación no fue para él un proyecto social, ni un mero motivo para la rebelión, sino una necesidad espiritual y estética. Hay seres que para sentirse realizados necesitan dinero o rangos sociales o alcanzar la santidad: él necesitaba una revolución. Bebiendo y con el pensamiento puesto en estos asuntos, se puso a tararear una vieja canción... De una de esas noches de penoso recuerdo, se dice que nacieron unos versos erróneamente atribuidos al Machote, que rezan: *Sin lucha y sin ilusión...* y que son recogidos en la coda de la presente obra.

En busca de alivio para sus cuitas, desorientado, Tora hizo una señal a Mónica. Se trató de ese gesto primitivo, procaz, que se hace de la siguiente manera: se forma un circulito con el dedo índice y el pulgar de la mano izquierda, por el cual se introduce y se saca repetidas veces el dedo índice de la mano derecha, gesto que significa singar y que puede intentarlo el avezado lector si tiene al lado a quien amar o está solo. Mónica se descuajaringó y subió escaleras arriba con el cliente.

La mujer se desnudó, se lavó su parte en una ponchera, encendió el abanico, guardó la medallita de santa Mónica y se tiró boca arriba sobre la cama. Tora permaneció un rato en la ventana, con los ojos perdidos en la masa luminosa de la luna. Luego empezó a quitarse la ropa con eterna lentitud, apartado de sí, como si el tiempo ya no existiera.

—Te quedan veinte minutos —le advirtió la mujer desde la cama.

El hombre se recostó de lado con la boina puesta. Miraba apesadumbrado la luna mientras la mujer se lo mamaba. Ella sola hizo el resto de las diligencias cuando vio que el güebo de Tora había alcanzado la dureza reglamentaria. Lo puso boca arriba y se le subió encima; se le colocó en cuatro; abrió las piernas boca arriba y se lo encaramó... en fin, escenificó con él todos esos números prescritos por la rutina. En una, bañada de sudor, le preguntó: "¿Es que tú no te piensas venir? Sólo te quedan dos minutos". El hombre se levantó furibundo.

—¿Tú quieres que te diga cuál es el problema tuyo? —inquirió en tono acusador, mientras se ponía la ropa—. Que tú no sabes singar. Eres una mujer seca, dura, no te sabes mover. El que se acuesta contigo termina con el cuerpo adolorido, vuelto una mierda. Por eso es que los hombres no te buscan...

Le gritó muchos insultos más, pero en un argot barrial que, por el momento, no tenemos facultad de traducir; y lanzó los billetes sobre la desnudez de la mujer antes de retornar al salón. Mónica se encogió de hombros mientras contaba el dinero. Con la cara dura, tratando de no pensar, se puso la ropa. Sin darle importancia al asunto salió al pasillo. Antes de alcanzar el rellano, se devolvió corriendo hacia el cuarto. Cerró de un golpe la puerta, se tiró sobre la cama y se puso a llorar.

Tora se internó entre los vapores amoniacales del baño. Vencido por la congoja, meditabundo, se sacó el güebo para mear mientras dejaba que la vista se le perdiera entre los paisajes lejanos y borrosos de la memoria. La del hombre que orina es la postura idónea para cavilar: mantiene el cuerpo relajado, los músculos flácidos, la mirada puesta en la infinitud. Si monsieur Rodin hubiese sido menos moralista, habría puesto mayor realismo a sus esculturas, y su *Pensador*, verbigracia, estaría orinando. A Tora le hubiera sido muy útil comulgar con el pensamiento de Epícteto, porque sólo de uno mismo depende el estado de ánimo.

Orinando, pues, y en honda meditación el Pez Tigre Balón estaba, cuando arregló la ventura que sus ojos descubrieran que, desde un boquete del techo, unos ojos lujuriosos lo contemplaban. Desconcertado, apenas atinó a proteger dentro del pantalón el miembro de su virilidad y a tirar la botella de cerveza contra el boquete. En seguida escuchó un maullido feroz, desaforado, y la mirada desapareció de las alturas. Permaneció un rato intrigado. Regresó a su mesa, sin salir del estupor. Delia, que estaba en ese momento desocupada, se le acercó. Tora le pidió que se sentara y ordenó otra cerveza.

—Unos ojos me estaban brechando... en el baño. Yo hacía pipí —dijo, tras un nebuloso silencio.

La mujer llenó los vasos de cerveza.

—Ello hay hombres que siempre dicen que los han acechado cuando mean en ese baño —anotó Delia indiferente—. A mí no me han brechado.

Tora se tomó de un tirón el vaso de cerveza. La luna se había puesto más brillante y destilaba una leche luminosa que embadurnaba los muros grises de la catedral. El hombre comenzó a sudar copiosamente —copiando la manera de sudar de un hombre quemado por el calor—, como si fuera fulminado por la fiebre tropical. Se desabotonó la camisa y tiró el reloj sobre la mesa. Musitó frases inconexas, eslóganes destrozados, y se sintió arder en la brasa de aquella mirada que lo había observado desde la altura en el baño. Durante ese estado no pudo percibir si el tiempo pasaba o si se había detenido. El asunto es que Lù-shi se acercó a la mesa con una bandeja de plata donde traía una taza de porcelana decorada con flores exhuberantes. Al recibir la taza, Tora notó que estaba llena de una infusión de color extraño que olía a remedio o a veneno. Sin importarle ya nada, se tomó la infusión de un trago. Lù-shi recogió la bandeja y se retiró hacia el mostrador. El hombre sintió que el calor de su cuerpo aumentaba y que, una vez llegado hasta el punto de lo insoportable, comenzaba a descender con rapidez, hasta que la temperatura le fue agradable. Entonces volvió a quedar medio dormido.

—¡Tora! ¡Tora! —oyó la voz lejana de Delia, que trataba de despertarlo zarandeándolo por los hombros.

—¿Qué pasa? —respondió, medio ido—. Tuve un sueño...

—¡Tora! ¡Tora! —oyó la voz lejana de Delia, que trataba de despertarlo zarandeándolo por los hombros.

Las flores que adornaban los mosaicos del piso provocaron un leve rumor y empezaron a ascender perezosas, lentamente, con naturalidad. En poco tiempo, Tora notó que el cabaré se había llenado de rosales, como si el Royal fuera una ruina en cuyo interior crecía un jardín silvestre. No se sorprendió de no haberse sorprendido. Apenas se quedó en vilo, dejando que el perfume salvaje de las flores le penetrara por la nariz. Entre la exquisita maleza, volteó el rostro hacia la escalera florida y descubrió a una mujer de rasgos orientales, una china de sin par hermosura, que permanecía indecisa sobre un peldaño. La mujer, parada bajo la sombra rosácea de una sombrilla roja, traía un vestido azul bordado con lotos y crisantemos. Por encima del delicado porte y de las ricas alhajas, se destacaba su rostro, que era la casa de la belleza. Ella le lanzó a Tora la flecha dorada de sus ojos y él, herido por el suave fulgor, quedó prendado. La mujer subió la escalera y desapareció, notablemente turbada. El hombre, angustiado, no pudo evitar que se marchara. Aunque sólo la contempló por escasos segundos, le había dejado su imagen grabada en las planchas sensibles de la memoria. Pero más que su delicada belleza, recordaba la tierna amargura con que ella lo había mirado.

—¡Tora! ¡Tora! —oyó la voz lejana de Delia, que trataba de despertarlo zarandeándolo por los hombros.

—¿Qué pasa? —respondió, medio ido—. Tuve un sueño... —susurró con profunda melancolía y le contó la visión de la mujer oriental—. Después tú me despertaste zarandeándome por los hombros, diciéndome "¡Tora! ¡Tora!"

—¡Tora! ¡Tora! —oyó la voz lejana de Delia, quien trataba de despertarlo zarandeándolo por los hombros.

LIBRO CUARTO

EL SUEÑO DE LA RAZÓN

IV, 1 / JARDÍN EXTRAMUROS. El sueño de la razón

I am a guide to the labyrinth
Come & see me
in the green hotel
Rm. 32
I will be there after 9:30 P.M.
Jim Morrison

La luz de la luna trazó un camino de polvo sobre las flores del piso. Rodeado por los rosales silvestres, Tora lo siguió hesitado, hasta que se le borró al pie de la escalera. Vio que en el peldaño de arranque, Ángel el ángel, sumido en una sonrisa nebulosa, lo esperaba con la mano extendida.

—¡Apúrese, apúrese! —le advirtió el tipo—, que ya se va el barco...

—Contigo yo no iría ni a beberme un purgante —replicó Tora, rencoroso.

Ángel el ángel insistió impaciente:

—¡No se haga el pendejo, hombre! Si no aprovecha este ahora, no volverá a ver jamás ni nunca en la vida a la Princesa de Jade. ¡Venga!

—¿La princesa de qué?

—La oriental aquella, la buena hembra de la sombrilla roja —respondió confidencial, moviendo con picardía las cejas—. Véngase ya, que el camino es largo.

Lo tomó por un brazo y avanzaron escaleras arriba.

Tora lo seguía sin protestar. Las barandillas eran tallos de bambú florecidos, abrazados por la yedra esmeraldina. Y había que tocar con delicadeza el pasamanos, no fuera a ser que se arruinara la línea de rosas que lo cubría. Cuando llegaron al rellano, un fuego repentino incineró la luna y, en seguida, apareció por el cielo el disco rojo del sol.

—Hasta aquí llega el lazarillo. Ahora usted sigue solo... No se olvide de mandarme una postal...

Tora contempló hacia adelante y notó que seguía mucha arena revoloteada por el viento. Nadie tuvo que decirle que se encontraba en un desierto, como nadie tiene que explicarnos qué cosa es esa cuando estamos parados por primera vez frente al mar. El camino era difuso, del tamaño exacto del desierto.

—¿Y por dónde sigo? —preguntó perplejo.

"Siga por la raya amarilla", escuchó la voz de Ángel el ángel, quien se alejaba. Tora se volteó para pedir una explicación. Pero al girar sobre sus botas quedó inmóvil y pasmado. La escalera había desaparecido y hacia abajo sólo se veía un despeñadero profundo, de piedras afiladas con mucha mala fe.

Tuvo que esperar un largo rato para reponerse de la sorpresa. Estaba solo en mitad del vasto yermo y no sabía por cuál de los cuatro puntos cardinales avanzar. Recordó las últimas palabras de su guía: "Siga por la raya amarilla", y sonrió irónico al notar que todo a su alrededor era de color amarillento: el sol, el suelo, el viento mismo manchado por la arena revoloteada. Sin embargo, descubrió que entre tanta monotonía, una línea de arena muy quemada, se extendía por la superficie. Línea que se mantenía visible aun soplara incesante el aire sobre ella. Así que decidió seguirla, sin tener ni idea de hacia dónde conducía.

Quizá transcurrió mucho tiempo. Es difícil advertir el paso de los días en el desierto, donde un viajero inexperto no tiene manera de percibir el cambio de las estaciones: no ve flores, ni frutas, ni hojas secas, ni pájaros rezagados temblando por el frío. Peor aún, en este arenal deshabitado nunca era de noche y el sol siempre quemaba desde la altura. Tora arrastraba sus pies sobre la línea amarilla. Estaba sediento y sus ojos ya no le servirían para descubrir por ahí ese milagro de agua fresca y de palmeras que se llama oasis. Sin fuerzas, cayó de bruces y se quedó dormido. Era tanto su cansancio que soñó que caminaba sobre una raya amarilla y se quedaba dormido. Y en este sueño soñó que estaba en medio de un monte.

IV, 2 / JARDÍN EXTRAMUROS. El arte de la guerra

Tora husmeó a su alrededor. Se encontraba en medio de una plaza. Unos burros parduscos masticaban apaciblemente la yerba esparcida como arañazos salvajes por el suelo. Rondaba un silencio de muerte, digamos un rumor oprimido por la modorra. Tras merodear por el pueblo, se dio cuenta de que estaba en un lugar antiguo o en una ciudad retrasada en el tiempo. Una brisa húmeda, vaporosa, se arrastraba por las calles polvorientas y los zaguanes solitarios, batiendo las ventanas desvencijadas que encontraba a su paso. Extrañado por tanta soledad, Tora tocó en puertas, dio voces por la calle principal, agitó una oxidada campana que colgaba de un asta en el centro de la plaza. No recibió respuesta. No se escuchaba ni un alma. Tocado por una sensación de vacío, evocó la imagen de la Princesa de Jade. Regresó a la plaza y se sentó en un banco, sin entender por qué no había nadie en aquella ciudad.

—Es por la guerra —comentó una voz fatigada, a sus espaldas—. Todos siguen ahí, apelotonados en sus casas, pero no quieren salir: están esperando a ver quién gana, para ponerse a las órdenes.

Descubrió a un anciano sentado a la sombra de un robusto tamarindo. Se encontraba con la espalda curvada y la mirada hacia abajo. En una mano traía un puñal, mientras con la otra movía la manivela de una piedra de amolar.

—¿La guerra? —se preguntó Tora, extrañado—. Pero no hay nadie afuera.

—Es que se fueron a un campo cerca de aquí, a enfrentarse. El ejército que demuestre que puede pegar más tiros, ganará.

Tora estaba perplejo.

—No entiendo... Si es la guerra, da lo mismo que batallen donde sea.

—No es lo mismo, no… —explicó el anciano amolador—. Calcule, vale: ellos pelean por quedarse con esta ciudad; pero si dañan y queman todo, ¿qué sentido tiene que peleen? Hay que ser medio guanaco para guerrearse por una ruina. No, aquí son civilizados... De algo les ha servido hacer la guerra a diario.

—¿Cuántos años lleva esta guerra?

El amolador levantó la mano, en gesto de que esperara. La volvió a poner parsimonioso sobre la manivela e hizo girar la piedra de amolar. La hoja del puñal rechinó al contacto con la piedra y volvió a llenar de chispas la sombra del tamarindo.

—¿Años? Es la guerra de hoy. Comenzó esta mañana y debe terminarse al atardecer, antes de la cena —informó el anciano.

—No comprendo por qué una guerra tenga que acabar el mismo día...

—Es que cada día tiene su propia guerra, vale. Mañana toca otra y pasado otra, y así —aclaró. Como notaba que el visitante continuaba sin entender, fue más específico—. En esta ciudad, cuando dos grupos encuentran motivos para levantarse en armas, lo que hacen es ir al Ayuntamiento y pedir que les aparten un día para guerrear. Ahí los inscriben en una lista. A veces tienen que esperar hasta dos años por la fecha, porque la lista es muy larga... Fíjese que, al pasar tanto tiempo entre el motivo y la batalla, se han dado casos en que grupos se enfrentan sin recordar por qué.

Tora no perdía de vista el trabajo del amolador. Lo veía meter la hoja del puñal en un cubo de agua, luego revolverla en una cesta de arena y posarla de nuevo sobre la piedra de amolar. Cuando iba a hablar, paraba de afilar por temor a perder la concentración. De repente, Tora sintió que la tierra comenzaba a vibrar levemente, agitada por un temblor armonizado. Mas no se escuchaban muros agrietándose ni piedras resquebrajadas, sino un ruido acompasado, semejante a un latir. "Otra vez el corazón", musitó el amolador, mientras se quitaba respetuoso la gorra. Pronto el ambiente volvió a quedar sepultado en el silencio y la modorra.

—Con razón vive poca gente en esta ciudad —dedujo Tora—. Se han muerto de tantas batallas...

—No, vale, aquí la guerra ya no mata a nadie —advirtió el anciano—. Recuerde que esta es una ciudad civilizada.

El otro lo miró incrédulo.

—¡Claro que no! —replicó irónico—. Con una batalla diaria, ¿quién tiene razones para morirse? Total, entre una bala y un pellizco la diferencia no es mucha...

—Aquí la guerra no se hace como por allá. Recuerde que esta es una ciudad civilizada y culta, vale —aclaró el amolador—. Vea, cuando a dos ejércitos les llega el día de guerrear, lo que hacen es apostarse frente a frente ante una mesa. Allí los generales enemigos ocupan dos sillas, despliegan un mapa de la ciudad y, a partir de las armas y el número de hombres con que cuentan, desarrollan su táctica. Al final de este juego, se sabe quién pierde y quién gana.

—¡Qué absurdo! —exclamó Tora—. Así gana el que diga más mentiras. Si tenemos cien hombres y el otro diez mil, sólo tendríamos que decir que contamos con cien mil hombres y simularlos sobre el mapa...

—¡Ahí no se puede decir embustes! —cortó el anciano—. Es muy riesgoso. Porque si el que tiene diez mil hombres duda de la palabra del otro, entonces puede obligarlo a comprobar sus fuerzas en un combate cara a cara, y destrozarlo. Una vez se dio un caso parecido...

—¿Y qué pasaría si el bando que perdió en la mesa viola el convenio y no acepta la derrota? ¿Se irían al campo de batalla?

—No —contestó tajante.

—¿Y qué harían en ese caso?

El anciano se quedó pasmado al oír esta pregunta. Silencio. Sólo advirtió:

—No quiera usted saber.

Una bestia de las que merodeaban por la plaza se detuvo entre los dos hombres y se puso a masticar la yerba. Un burro pardo se acercó remolonamente a mordisquearle el pescuezo; luego se le colocó por detrás y le encaramó en las ancas las dos patas delanteras. "¡Ea, bestias!", se apuró a vocear el amolador. Los animales se alejaron espantados, pendulando en el suave trote sus sexos descomunales. El hombre se dirigió al visitante, apenado. "Esos burros son tan perversos... Este mundo anda de patas para arriba, vale", comentó avergonzado.

—Es absurdo —opinó Tora.

—Son verdad. Y una desvergüenza... Esos dos burros son machos y ya usted vio lo que iban a hacer —admitió. Entonces notó el desconcierto del otro—. Usted se refería a los burros, ¿no?

—Yo hablaba sobre la forma en que hacen aquí la guerra —esclareció Tora, ciertamente desconcertado—. Es un absurdo.

—Absurdo es como decir "pendejo", ¿no? —preguntó. Al ver que el otro confirmaba con un movimiento de cabeza, continuó—. Antes se guerreaba como por allá: con cañones, incendios y demás, y créame que era más absurdo que ahora, porque el absurdo mataba gente y destruía todo. Yo llegué a pelear en muchas guerras así y estoy vivo de chepa. Aquí se calculó que si las guerras siempre van a estar yendo y viniendo, ¿por qué no las organizamos de forma que las propiedades y la gente siempre se queden? Por eso se batalla en una mesa, a veces dándose unos tragos.

—¿Y cuál es el motivo de la guerra de ahora?

El amolador guardó silencio por un largo rato, mientras labraba una parte del puñal. Tora observó su rostro mohíno, que casi se esfumaba bajo el torbellino de las chispas. El sol montaba sobre los carros desvanecidos del viento y se paseaba entibiando las calles de la ciudad. La piedra de amolar detuvo su revolución y el anciano permaneció un rato en silencio, haciendo memoria.

—Si mal no recuerdo, es un asunto entre invasores y revolucionarios.

Tora reaccionó sorprendido. La palabra "revolucionarios" dejó un eco vago en su memoria. Su pecho se infló por la emoción.

—¿Cuál revolución? —quiso saber, ansioso—. ¿Por qué hay un levantamiento?

—Es contra los hombres del Norte, que han mandado un ejército para invadir... A los de aquí les costó trabajo explicarles las reglas de guerra de la ciudad; pero al final se dieron a entender y dejaron a los invasores encantados con el método. Así que esta mañana compraron trescientas cajas de ron y se sentaron a la mesa en un campo de framboyanes cerca de aquí, para hacer la guerra.

Tora dejó que sus venas patrióticas bombearan la sangre con potencia hacia el corazón. Por primera vez en su existencia, se encontraba ante una revolución. Pensó que debía ponerse de inmediato bajo las órdenes del ejército insurrecto. Sin embargo, pronto quedó disuadido al advertir que, dada la forma en que aquella ciudad resolvía sus combates, no lograría jugar un papel heroico. Sintió en su alma las sólidas tenazas de la impotencia.

—Usted debería engancharse a la revolución... digo, usted es de esta ciudad...

—Ya no creo en las revoluciones —interrumpió con

determinación. La vista se le murió en algún punto lejano y se le tornó melancólica—. Yo soy un veterano de siete revoluciones, por eso lo digo. Y todas esas revoluciones terminaron volviéndose reaccionarias, como por una condena.

Tora notó que, tras haber pronunciado estas palabras, la cara del anciano empezó a languidecer. En la glorieta, en segundo plano, el burro pardo había logrado enganchar al otro. El amolador volteó el rostro y dio con aquella escena que le pareció más antinatural que irreal. Intentó espantarlos con un gesto de la mano, pero se dio cuenta de que era un poco tarde para separarlos. Los burros lo miraron con resignación, podría decirse que con descaro, como implorándole perdón por aquel acto.

El amolador hizo que el puñal emitiera destellos de sol. Luego lo guardó en una delicada vaina de terciopelo rojo bordada con hilos de oro. Se lo entregó a Tora.

—¿Y esto para qué es?

—Entréguele este presente a la Princesa de Jade —dijo el amolador, con una dulce congoja en el timbre de la voz.—. Ahora váyase pronto, no sea que la luna lo encuentre en mitad del camino. ¡Apúrese!

Tora abandonó el parque. Desde la calle alcanzó a vislumbrar el rostro atribulado del amolador. Cuando llegaba a las afueras del poblado, descubrió que uno de los burros, semioculto tras el árbol, lo acechaba con ojos duros y turbios. Volteó el rostro y apuró el paso. Se internó por un camino de maleza salpicada por flores multicolores, silvestres, que casi cegaban al contacto con la vista o el olfato.

IV, 3 / JARDÍN EXTRAMUROS. Monkey

He knew every magic trick under the sun.
Godiego

Tora erró durante un tiempo inconmensurable en medio de la vasta extensión floral. Sin embargo, se guió siempre por una hilera de capullos amarillos que resaltaba entre la vegetación. Durante esta larga caminata, la primavera se fue y vino el verano, y ambas estaciones estuvieron de ida y vuelta por veces incontables. Al fin, los capullos lo condujeron hasta un río de aguas mansas y turbias. Notó que un hombrecillo le hacía señas desde una barca que estaba en la orilla.

—¡Apúrese! ¡Apúrese! —le gritaba, dando saltos sobre la barca. Mientras más veía acercarse a Tora, más agitados eran sus movimientos. Cuando lo tuvo a unos cuantos pasos de distancia, levantó el remo—. Tenía una eternidad esperándolo, hombre. Venga, súbase rápido, no vaya a ser que la luna aparezca de repente. ¡Apúrese!

—¿Qué pasa? —exclamó Tora sofocado, al momento que apoyaba una mano en un costado de la barca y se impulsaba hacia su interior. Tan pronto puso un primer pie adentro, se contuvo asombrado—. ¿Qué es esto?

Había descubierto que la barca carecía de fondo, o que tenía por único fondo el río. Tora permaneció estático, con un pie adentro y otro en la orilla. El barquero lo tomó por un brazo y, de un fuerte tirón, lo subió a la barca. Cuando el pasajero abrió la boca para quejarse, ya la embarcación comenzaba a navegar río arriba. Se le hacía difícil mantener el equilibrio, aunque tenía las manos aferradas a la borda. Sentía que las fuerzas le fallaban y que su cuerpo se desvanecía. Pasmado, vio que numerosos cuerpos ahogados pasaban en las ondas del río. Eran figuras planas, ondulantes, a lo mejor recortadas de un libro de historietas. Le resultó curioso que todos se parecieran entre sí, con exactitud... pero más le sorprendió darse cuenta de que esos cadáveres se parecían a él.

—Sí, ese cadáver que va río abajo eres tú —le respondió el barquero y señaló con el remo a los otros cuerpos—. Y este otro eres tú, y también lo es aquel, y ese otro que va por allá...

El pasajero se soltó de la borda y avanzó hasta el centro de la nave. Hizo una visera con las manos para distinguir los cientos de Tora ahogados que pasaban por el río. Justo cuando iba a preguntar a qué se debía el fenómeno, la barca chocó suavemente contra un pilar de bambú y se detuvo en la orilla.

—Este viaje termina aquí —anunció el barquero. Hizo una señal a Tora para que desembarcara—. Si el recuerdo le funciona, dele mis saludos a la Princesa de Jade.

Y remó corriente abajo. Tora lo contempló desde la orilla hasta que la embarcación se confundió con el agua y se evaporó a lo lejos. Luego se internó por las sombras frescas de un bosque de cedros. Su cuerpo estaba liviano, tanto que casi cedía al paso de la brisa, como si hubiese acabado de despojarse de una pesada carga. Tras caminar un largo rato, fue tocado por una dulce sensación de sueño. Así que se sentó al pie de un cedro. Soñó que deambulaba por un boscaje lleno de aves coloridas, siguiendo una raya amarilla hecha de pájaros dorados que aleteaban en perfecto orden. Sin perder de vista esta raya trazada en el cielo, se quedó dormido. Y soñó que dormía en el interior de una cueva cuya entrada daba a un precipicio. Dormido en esa cueva se encontraba, cuando soñó que alguien lo tocaba con una barra de acero.

—¡Levántate, monstruo holgazán!

Tora despertó sobresaltado. En la entrada de la cueva había un hombre de estatura baja y cara barbuda, más bien peluda, de mono, vestido con una piel de tigre y armado con una barra de acero. El extraño lo golpeó en la cabeza con el arma. Tora decidió contraatacar; cuando dio el primer paso notó que el otro empezó a flotar en el aire. Acto seguido recogió una piedra para derribarlo; tras evadir el impacto, el cara de mono hizo un soplido y el lugar se llenó con trescientas imágenes semejantes a sí mismo. Entre tantos hombres monos, Tora comprendió que no podría hacer mucho para defenderse. El otro lo miraba burlesco con sus seiscientos ojos, alargando y encogiendo la barra por antojo. Cuando se disponía a embestirlo con las seiscientas barras, se escuchó una voz aguda que venía de afuera.

—¡Monkey! No debes golpearlo...

Sin cambiar de posición y con la mirada belicosa, el hombre cara de mono apuntó hacia la cabeza de Tora.

"Será sólo un porrazo más, Maestro", acotó, al momento de saltar con sus seiscientas armas contra el oponente. Justo antes de descargar el golpe, cayó al suelo transido de dolor y reunido otra vez en una sola imagen. Tora lo veía dar saltos en el suelo rocoso y tratar de quitarse de la cabeza una delgada diadema de metal. A sabiendas de que su atacante estaba indefenso, se agachó para recoger del suelo la barra de acero. Todos sus esfuerzos para levantarla fueron en vano, pesaba miles de toneladas. Un muchacho de ojos claros y semblante sereno entró a la cueva.

—Ya estaba casi vencido, Maestro —reprochó el hombre mono, ya recuperado.

—No tenías que golpearlo —corrigió el muchacho. Y se dirigió a Tora—. Perdona a mi discípulo Monkey, honorable Pez Tigre Balón. Tiene la mala costumbre de agredir sin antes usar la palabra. Soy el monje Tripitaka. Voy peregrinando hacia el oeste en compañía de mis discípulos, con la intención de traer las Santas Escrituras a la tierra que se expande debajo del cielo. Anoche soñé que tú necesitabas de nuestra ayuda y por eso hemos venido hasta aquí.

Tora le dio las gracias por haber intervenido en su favor, aunque no entendía a qué ayuda se refería.

—¡Vamos, haragán, antes de que el sol se borre! —ordenó Monkey.

—Distinguido Tripitaka... creo que tu nombre me suena —advirtió, mientras se ponía a su lado para evitar otro ataque—. Si me explicas qué es eso de la ayuda, te estaré doblemente agradecido.

—Es que debes sembrar los melones para los Jueces de

la Muerte —dijo el monje, para lograr que hiciera memoria—. La parcela en que serán cultivados está en el otro extremo del Jardín de Oro, muy lejos de aquí, junto a la puerta sur del Reino de las Tinieblas. Aunque fueras hacia ese lugar en barca o a caballo, no llegarías a tiempo; así que he traído a mi discípulo Monkey, quien te conducirá.

Tora miró de reojo, con desconfianza, al supuesto guía. Monkey se apartó de la cueva jurando que prefería ser prensado en la roca por mil años y alimentado con pastillas de hierro y jugo de cobre, antes que hacer ese viaje. Entonces Tora oyó que de los labios de Tripitaka escapó un suave susurro, "Om mani padme hum", y vio al hombre mono caer adolorido en el suelo. Sólo cuando este cambió de opinión y prometió que viajaría hasta los confines del cielo si fuera necesario, el monje dejó de susurrar y la escena de dolor desapareció.

Tripitaka entregó al Pez Tigre Balón un talego de cáñamo lleno de semillas de melón. Monkey dio un soplido y una nube del cielo bajó hasta sus pies. Subió de un salto sobre ella y le ordenó a Tora que viniera.

—¡No tenemos toda la eternidad, haragán! —le gritó—. ¡Apúrate!

Tora subió el pie bueno en un borde de la nube y, apoyado en la mano que le ofreciera Tripitaka, logró subir y agarrarse a la espalda del guía. El monje se despidió de él con mucha reverencia. Cuando Monkey dio la orden de partida, la nube se elevó con suma velocidad hacia el cielo. Tora, sobrecogido por el repentino movimiento, paró la respiración súbitamente. El vehículo nubloso se detuvo en la altura y avanzó a una velocidad siete veces mayor que la del relámpago, con dirección al Sur. Pasaron montañas, selvas inagotables, campos de batalla inmensos, mares infinitos, desiertos sin fin. Tora no pudo aguantar por muchos segundos la respiración, y cuando soltó el aire para tomar otra bocanada, la nube se detuvo en el suelo.

—Hemos llegado —informó Monkey y empujó al pasajero hacia la tierra—. Si no siembras pronto esos melones, la muerte se llevará a la Princesa de Jade.

Antes de que Tora se diera cuenta, la nube levantó vuelo y desapareció. La tarde empezó a caer. Solitario, en medio de un vasto campo recién arado, el hombre abrió el talego de cáñamo y esparció por la tierra las semillas de melón. Cuando hubo terminado, se sentó a orillas de un trillo y se durmió. Soñó que vagaba por el campo y que llegaba a un bosque sombreado por las gastadas luces del crepúsculo; allí se durmió sobre una alfombra de hongos. En su razón adormecida merodeaba la angustia de no saber en qué punto se encontraba, por lo cual se sentía más perdido que Cucurulo en el monte obscuro. Sólo vino a darse cuenta del lugar donde estaba, cuando una voz suave lo despertó:

—Estás perdido.

Miró a su alrededor. En el campo no había ni un alma. Caminó hacia un lugar tupido por tallos de bambú. Al llegar, el crepúsculo se desmoronó y dejó que el sitio se tiñera de sombra. Vagó sin saber adónde sus pasos lo dirigían, sin contar esta vez con la flama de un astro ni con una línea amarilla que lo guiara. La noche era profunda y solitaria. Mas quiso arreglar la ventura que Tora chocara con una superficie de metal. Tras el leve contacto el lugar se iluminó. Del cielo colgaba una luna brillante, amarillenta, que vertía un diáfano resplandor sobre la tierra. El hombre descubrió encantado que estaba en mitad de un jardín donde los árboles y las flores eran de reluciente oro, y eran de oro las aves que aleteaban entre las doradas ramas, y también de oro las piedras y la tierra, y el viento se teñía de amarillo cuando soplaba sobre el polvo de oro que se acumulaba por los rincones de oro. Y este jardín poseía las dimensiones de un bosque. En el centro había un lago de aguas profundas y claras, cuyo fondo estaba forrado por una superficie aurífera. El hombre contemplaba embebecido aquel paisaje solitario en el que todo el oro del mundo no valdría más que por su mera belleza. En tal escena encajaban a plenitud aquellos versos de "El capullo de ciruelo", que dicen: *Cubren las nieves el monte del sabio, y bajo los árboles, al claro de luna, brilla la belleza.*

Deambuló bajo el dulce cantar metálico de las aves, entre aquellos árboles que al ser tocados por la brisa agitaban sus doradas hojas con un armonioso acorde de campanillas. La luna se posaba sobre el lago y temblaba levemente con las ondas. Tora vio a una mujer que paseaba de un lado para otro en la orilla contraria, indecisa y melancólica, como si anduviera perdida, con un gato de color azabache entre los brazos. Luego ella se sentó sobre una alfombra esmeraldina de césped. Y dispuso además la ventura, tan eficiente para las frivolidades, que el hombre y la mujer se miraran. Él reconoció sus preciosos ojos dorados y supo que se trataba de la Princesa de Jade. Agitado por las campanas de su corazón, decidió que debía pasar el profundo lago para juntarse con la bella. Se sintió impotente al advertir que sería difícil cruzarlo. No había rastro de alguna barca y, además, los extremos de las aguas se extendían hasta perderse en el Norte y el Sur. La Princesa de Jade le lanzó una mirada angustiosa. El jardín se llenó con un penetrante aroma de flores silvestres. Entonces el hombre, que dominaba poco el arte de la natación, decidió cruzar a nado. Cuando dio los primeros pasos dentro del lago, se asombró al notar que el agua no le llegaba a los tobillos. De manera que caminó hasta la ansiada orilla, donde ella aguardaba sobre el césped acariciando la pelambre del gato. Él se sentó en un tronco de oro y se deleitó en la contemplación de su rostro, que brillaba bajo el esplendor lunar. El viento se llenó con los suspiros del pájaro de la pasión y con las notas gorjeantes del fénix. No soportando más la lejanía, Tora se arrodilló junto a la alfombra de hierba y, sin dejar de perderse en sus dorados ojos, le tocó la mano. La Princesa de Jade se apartó ruborizada. Su rostro primero palideció y después enrojeció de vergüenza. Justo en el instante en que el hombre iba a alentarla con dulces palabras, se escuchó una voz alarmada.

—Ama, nos tenemos que ir —anunció una sierva, que salía apurada desde los auríferos rosales—. Si no llegamos pronto a la casa, notarán vuestra ausencia.

La Princesa de Jade se puso de pie y avanzó hacia los relucientes matorrales. Su rápida partida hirió de amor al recién llegado. La mujer que había hablado se acercó a recoger algunas pertenencias. Era una esclava que traía el rostro cubierto con un velo de seda, sobre el cual saltaban unos ojos evasivos que denunciaban su carácter casquivano. Turbado, Tora permaneció estático hasta que el rastro de las mujeres se desvaneció entre la vegetación bruñida. Tan pronto salió del ensimismamiento, juró que no descansaría una sola hora, aunque tuviese que vaciar los mares y cavar toda la tierra, hasta tener en sus brazos a la Princesa de Jade. Las artes que empleó para alcanzar su fin amoroso fueron tan arriesgadas y escandalosas, que se hicieron dignas de ser recogidas en una historia de frivolidades que circuló de forma anónima en el año 107 de la dinastía Qing, bajo el título "La Princesa de Jade".

LIBRO QUINTO

LA PRINCESA DE JADE

V, 1 / EL JARDÍN DE ORO. La Princesa de Jade

Su alma tiene la ternura de los ríos otoñales
y de jade hicieron la pureza de sus miembros.
La rosa del hibisco la ilumina
y hojas de sauce son las curvas de sus cejas.
¿No será una inmortal del Lago de Jaspe
o del Palacio Lunar?
Eastern Shame Girl

Durante el reinado Shao Ding de la dinastía Song, vivía una encantadora joven cuya hermosura hizo fama por todo el mundo. Su primer nombre era É, pero la llamaban Princesa de Jade. Aunque no era ella retoño de grandes señores, nadie se molestaba porque llevara tal nombre, quizá porque consideraban que su exquisita belleza era un don celestial. Su persona despertaba una delicada seducción; de su cuerpo emanaban gracias y deliciosos perfumes; sus caderas ondeaban con encanto, como ramas de sauce mecidas por el viento. Tenía los ojos profundos y amarillos y sus cejas semejaban arcos de azabache. Su rostro era un crisantemo y sus labios una cereza cuidada por la primavera.

Como la ley del destino prohíbe que la mucha belleza permanezca sin dueño, la Princesa de Jade había sido tomada recientemente en matrimonio. Su señor era un joven muy poderoso, cuyo padre poseía el monopolio de la sal. Las bodas fueron celebradas con gran derroche, debido a que el hombre quería resaltar la belleza que tomaba para siempre. Durante la observación de los ritos los invitados lo notaban ansioso y se tocaban con los codos a manera de broma, pues ya sabían a qué se debía el nerviosismo del futuro consorte. Algunos susurraban la siguiente sentencia de Mencio: "Los hombres se sienten felices con la posesión de una mujer hermosa", y provocaban sonrisas entre los convidados.

Sin embargo, en esa parte de la ceremonia en que la novia es dejada a solas en el altar para que salude a los antepasados de su nuevo señor, llegó a la casa una tablilla sellada por el príncipe. El mensajero le dio lectura. Era una petición para que el novio se presentara con urgencia en el palacio. Sucedía que un mandarín se había sublevado y el príncipe organizaba un ejército para atacarlo. En esa armada, que estaba presta a partir hacia la provincia rebelde, el novio debía ir como consejero de guerra.

El joven se hundió en la desesperación tan pronto le fue leído el mensaje. De sus ojos brotó una lluvia de lágrimas y no sabía qué hacer. Su padre, que era buen conocedor de los ritos, le recordó que la primera fidelidad de un hombre debe ser hacia su príncipe y lo consoló diciendo que a su regreso tendría tiempo para dedicarse a los cuidados de su encantadora consorte. En seguida, lo urgió a recitar en el umbral el poema a la novia, con lo cual quedaron observados los ritos del matrimonio, y le pidió que saliera hacia el palacio sin demora.

De manera que la bella Princesa de Jade pasó la luna de miel encerrada a solas en su cuarto, sin conocer la parte ardiente y húmeda del amor. Se pasaba los días suspirando desconsolada en la casa de los suegros, anhelando el retorno de su esposo. Pero los días transcurrían y él sólo llegaba en cartas, siempre para informar que su regreso se postergaría unas semanas más. Ella pudo convencer a los suegros para que le permitieran ser servida por su antigua esclava, a la que conocía desde niña, pues de lo contrario la soledad y la espera serían más tortuosas. Al menos con su esclava podía salir al patio y, de vez en cuando, sin que nadie más en la casa lo supiera, pasear por los campos privados bajo la luz de la luna.

Entretanto, apareció por aquellos días en la ciudad un extranjero de complexión inusual; tenía el pelo duro, como de antorcha, y la piel ahumada por el sol. Su primer nombre era Pez Tigre Balón y le llamaban Tora, que en la lengua de los bárbaros significa algo así como "la esposa del toro". A su llegada, merodeaba por los pabellones en busca de noticias sobre la Princesa de Jade. Entre numerosas copas de vino caliente, escuchó de diversos labios la misma información. Todos describían su belleza y comentaban el inconveniente que acaeciera durante las nupcias. Cuando querían saber, extrañados, por qué preguntaba por ella, el extranjero se limitaba a contestar, con cautela, que sólo la oyó mencionar en las provincias de Shaanxi. Así que nadie sospechaba que la había visto una noche sentada a la orilla de un lago ni que estaba perdidamente enamorado de ella.

Una mañana, Tora pasaba por el mercado y entre los mercaderes descubrió a una mujer con el rostro cubierto por un velo, que regateaba hojas de té. Se trataba de la esclava que llamara a la Princesa de Jade aquella noche junto al lago. Le pidió que le hablara de su señora. Como esta se negaba a dirigirle la palabra, él tuvo que ablandarla con la oferta de cincuenta monedas de cobre y la promesa de que si sus palabras eran fluidas, al final de la plática le daría otra cantidad similar.

—Mi ama está muy apenada por la ausencia de su esposo —comentó la esclava. En seguida le contó el episodio de las nupcias, lo cual está borrado de esta parte debido a que ya fue reseñado más arriba. En sus afanes de fluidez, le dio detalles sobre la rutina diaria de su ama—. A veces, cuando entra a la cama por las noches, es afectada por la fiebre y se le oye proferir sollozos ahogados. Creo que tiene muchos deseos de consumar los negocios matrimoniales... En ocasiones, con el rostro enrojecido por la vergüenza, me hace preguntas sobre el arte amatoria.

El hombre suspiró con ansiedad y amargura. La impotencia de su amada batía con fuerza las ventanas de su corazón. La sierva se llamaba Tu y, como buena criada, poseía gran talento para la cháchara y la doblez. Al enamorado no dejó de parecerle extravagante que una esclava se abotonara la túnica a la derecha y usara velo en el rostro, pero en su mente atormentada no cabían pensamientos complejos.

—Tenéis que ayudarme a secar la lluvia que nubla los ojos de la Princesa de Jade —le suplicó el hombre, con la otra bolsa de monedas en la mano para enternecerla.

—Esta esclava daría hasta la vida porque tal fenómeno acaeciera —aseguró la criada, mientras contaba con avidez las monedas.

—Yo tengo un presente para vuestra ama —informó Tora. Se refería a un precioso puñal guardado en una vaina de terciopelo rojo bordada con hilos de oro, que traía consigo desde el país de los bárbaros—. Si me arregláis un encuentro con vuestra ama, recibiréis un premio de mil onzas de plata.

Tu se mordió los labios acongojada. Sabía que las costumbres prohibían que una mujer recibiera un regalo directamente de las manos de un hombre, y menos aún si era casada. Aunque en verdad su congoja se debía a la posibilidad de dejar de ganarse las mil onzas de plata. Luego de pensarlo un buen rato, Tu dijo:

—Los ritos no permiten que un hombre entregue un obsequio a una mujer que no es su madre ni su hermana. Sin embargo, es tan grave la desidia que aqueja a mi ama, que me sacrificaré. Aprovecharé la confianza que deposita en mí y haré los arreglos para que vaya esta noche al lago Bi-chow. Os advierto que deberéis dejar el presente sobre un cedro derribado que allá hay, para que mi señora lo recoja. Si queréis, podréis ocultaros tras los arbustos y contemplarla, y nada más.

Satisfecha con la honorable decisión y con la confirmación de que las mil onzas de plata eran auténticas, Tu recogió las hojas de té y se marchó. Tora la vio perderse entre la muchedumbre, mientras pensaba en los mil portales que el amor y el dinero, en conjunto, pueden derribar. En cuanto a la cita que Tu había concertado para su ama aprovechándose de su confianza, sería imprudente sorprenderse. Ya Confucio advirtió que "los criados son difíciles de tratar; si se les concede un trato afable y amistoso, entonces se toman excesivas confianzas".

La Princesa de Jade se aproximó al tronco de cedro que estaba derribado a orillas del Bi-chow. La luna brillaba como agua. Desde los arbustos, Tora la vio tomar en sus delicadas manos la vaina de terciopelo rojo bordada con hilos de oro en la cual reposaba el fino puñal. En ese momento Tu se acercó y ambas parecieron discutir. La Princesa de Jade se guardó el presente en su seno, suspiró con dulce amargura y se retiró del lago.

Durante el resto de la noche, el enamorado no pudo soportar el peso de su corazón. Se pasó la mañana siguiente en una casa de té cuyas ventanas daban al mercado, urgido de ver a la esclava. Llegó el mediodía y ninguna mujer con velo apareció entre los mercaderes. Sus nervios estaban alterados. Curiosamente, se podría pensar que esa mañana el enamorado ansiaba más ver a la esclava que a su ama. Se fue el mediodía con sus luces claras. Vino después el atardecer vestido de colores pardos. Entró al fin la noche con su puerta negra y cerró el día. No tuvo noticias de la criada. Y a la mañana siguiente hubo la misma ausencia.

Entre copas de vino de arroz y frutas secas, pasó varios días sentado a la misma ventana, hasta que al fin descubrió entre los vendedores de té a la mujer anhelada. La esclava le contó que había estado ocupada en el cuidado de su ama desde que, tras aquella noche, cayera afiebrada. Era evidente que el regalo había ablandado más su diluido corazón.

—Hoy despertó más aliviada —Tu resaltó. En seguida se mostró preocupada—. Si continúa sufriendo de esa forma, temo que se vaya a desvanecer. El médico le miró el semblante, le escuchó la voz, le tomó el pulso, le preguntó por los síntomas. Entonces diagnosticó que ella está aquejada de un fuego resultante del desequilibrio que los principios de calor y frío provocan en su cuerpo... Pero yo sé que es mal de amor lo que la martiriza. La prueba de mi diagnóstico es que hoy mi ama se levantó casi restablecida, tras el arribo de una carta en la que su esposo anuncia que estará en casa dentro de una semana.

Al escuchar esta noticia, Tora sintió que algo se desmoronaba dentro de su pecho. Con el esposo de regreso, las flores de su amor se deshojarían en el viento. Cayó de rodillas e imploró a la esclava que le permitiera al menos ver de cerca el loto antes de que la primavera se fuera para siempre. Y para hacer que Tu se apiadara de su dolor, depositó en sus manos una bolsa con diez mil onzas de plata. La esclava se sintió realmente afectada por el sufrimiento del enamorado; empero consideró que era muy arriesgado para ella propiciar tal encuentro en contra de la Razón Celestial. Como los antiguos dicen que hay veces en que una cantidad de dinero no es suficiente para doblegar la voluntad, el hombre duplicó la suma.

—De acuerdo —accedió conmovida la mujer. Luego de meditar sobre el asunto y pesar la plata, trazó un plan—. Mi ama espera ansiosa la llegada de su consorte. También está muy curiosa por aprender algunas lecciones sobre el deseo, pues no quiere llegar con tanta ingenuidad a su primera noche de amor. Yo podría decirle que esta noche vendrá una prima que sabe platicar sobre esos asuntos. Vos podríais ser esa "prima", para lo cual deberéis disfrazaros de mujer.

Tora el Pez Tigre Balón sonrió escéptico ante la propuesta de Tu. Al ver la seriedad en los ojos de la mujer, comprendió que no se trataba de una broma; más aún, supo que quizá era la única oportunidad que el cielo ponía en sus manos para acercarse a la Princesa de Jade.

—¡Oh! ¡Eso es imposible! —exclamó el enamorado— Me descubrirían. Yo no tengo idea de cómo disfrazarme de mujer.

—Yo puedo arreglar eso. Tengo dos amigas que cantaban en el teatro y ahora trabajan en un burdel. A cambio de algunas onzas, pueden encargarse de vuestra transformación. Entonces vendréis mañana en la noche a la casa. Una vez que estéis a solas con mi ama, de vos dependerá que la plática amatoria desborde las palabras...

Hasta el oficio más arriesgado se justifica en nombre del amor, sobre todo cuando la amada es hermosa y se escogen por himno los versos del *Libro de los cantos* que dicen:

La agradable sonrisa de su boca es fina y delicada.
Su mirada es dulce y encantadora.

El burdel ocupaba un pabellón inmenso, de tres plantas, que tenía hermosas flores pintadas en el piso y las paredes tapizadas con lotos y dragones. Dos mujeres de belleza muy disminuida recibieron a Tora en la entrada. Una era rolliza, ya entrada en años, y la otra espigada y esquelética, ambas incapaces de provocar el apetito carnal. Tras acordar el precio, se encerraron en una habitación. El cambio de hombre a mujer no dejó de presentar sus inconvenientes. Los pies del extranjero eran toscos y callosos, lo cual fue solucionado con el uso de una túnica bordada que llegaba hasta el suelo. Como caminaba sin gracia y arrastrando una pierna, le recomendaron que tratara de permanecer el mayor tiempo de pie o sentado. El vientre, que era bastante abultado, se lo aplanaron con una faja de cáñamo. Le pusieron un tocado de falsas perlas que le ocultaba la cabeza y los hombros. El problema de su piel, que parecía sucia o quemada por el sol, lo resolvieron con guantes de seda y mucha pintura en el rostro. Le trataron de enseñar las seis notas musicales, para que afinara la voz. Cuando el trabajo quedó listo, Tora se puso ante el espejo y descubrió con desgano que las damas lo habían transformado en una mujer ridícula y fea, como ellas. Las meretrices lo vieron salir y lamentaron que un hombre con un badajo tan asombroso bajo la campana de las piernas, hubiera decidido convertirse en mujer. Sería al día siguiente, cuando Tu las pusiera al tanto de todo, que esparcirían por los cuatro vientos la noticia, para ruina de los amantes y fortuna de la literatura de libelo.

Esa noche no hubo inconvenientes para que Tora, disfrazado de mujer, entrara a la jaula de oro donde su avecilla gorjeaba tristes cantos de pasión. La esclava había arreglado el encuentro a la perfección. Realmente estaba contenta, tanto por el aliento que recibiría su ama como por la otra bolsa de plata que iba a ganar. Había convencido a los suegros de que estaba agotada por desvelarse en el cuidado de su ama enferma; así que no le fue difícil lograr que su "prima" hiciera esa noche la vela por ella. Cuando el hombre se encontró ante la cama en que la engañada amante reposaba, tuvo deseos de desgarrarse la ropa y el maquillaje y meterse de prisa bajo el cobertor. Empero prefirió contenerse, temeroso de arruinar con tal arrojo la ocasión. Se sentó en una silla junto a la cabecera y respondió cortés las preguntas de la inexperta joven, quien acariciaba su gato distraída. De la boca de su amada brotaba dulce perfume y sus ojos llenaban de encantadora luz la recámara. Antes de llegar la medianoche, entre las dos fluía una agradable confianza.

—No entiendo... cuando mi mano repose en su tobillo, ¿de qué manera debo moverla? —inquirió medio sonrojada la Princesa de Jade.

En ese momento, Tora aprovechó para ir más adelante en su amoroso trabajo de jardinería. Así que se sentó a la orilla de la cama. Pidió permiso para levantar el cobertor y le apartó un poco el ruedo de la bata. Al tocar los suaves pétalos de sus tobillos, fue transportado a un placer profundo. Con caricias suaves, deslizó poco a poco su mano por la pierna.

—Así, así... —susurró, mientras sus dedos jugaban sobre el rosa pálido de la piel de su amada.

Las mejillas de la Princesa de Jade se pusieron rojas. Pronto, con la ascensión de la mano por su muslo, se volvieron sonrosadas. Su respiración se hacía irregular al sentir la mano del labriego que abría surcos en la tierra virgen de su jardín. La caricia giraba en suaves remolinos, dibujaba flores extrañas sobre su piel. Cuando los dedos del hombre tocaron la parte del muslo que está más próxima al centro del jardín, la Princesa de Jade se apartó sobresaltada y se arregló la bata.

—No te espantes, hermanita... Ya entiendo —dijo, con la voz cortada por la respiración y el rostro enrojecido por la vergüenza.

El jardinero, tenso por la pasión, continuó revelándole los secretos para cuidar la flor. Siempre sucedía que la inexperta afirmaba que no entendía algo, ante lo cual la supuesta amiga, para ilustrar, procedía a poner en práctica las palabras. Pero el final era semejante: cuando explicaba cómo acariciar el cuello con la punta encendida de un dedo y la tocaba con delicadeza bajo la barbilla, la instrucción terminaba antes de que la yema se apagara en el pozo de los labios; si le lamía los dedos, adiestrándola, y la rozaba con la lengua por el brazo y las axilas perfumadas, la caricia terminaba antes de juntar la boca con sus carnosos senos; y cuando acercaba su rostro para adoctrinarla acerca de cómo arrullar las mejillas, y la mimaba pasando la punta de la nariz por sus párpados, por sus pómulos, por sus graciosas orejas... la sesión terminaba antes de que sus labios sorprendieran los de ella en un beso.

Así, Tora vio pasar gran parte de la noche entre caricias sin terminar. Con la certeza de que su plan no le daría para consumar lo más deseado, elaboró la siguiente estratagema.

Poniéndose de pie, anunció que la clase había terminado y que se tenía que marchar.

—¡Oh, hermanita, aguarda! —exclamó apresurada la Princesa de Jade y puso el gato sobre un cojín—. No me dejes con tantas dudas, te lo ruego... Prometo que si te quedas, no haré ninguna oposición a tus lecciones.

Oyendo la noticia, Tora se sentó de nuevo. La lánguida flama de la lámpara; la luna dorada semejante a una naranja, que se asomaba en el papel de la ventana, y el amarillo profundo que brillaba en los ojos de la cándida joven, daban una iluminación discreta y encantadora a la recámara. Esta vez él la tocó con mayor propiedad, sin preámbulos, marchando sobre su cuerpo con autoridad. Abrió la cerradura de su vergüenza y se tragó la llave. Le bajó la bata hasta los hombros y recogió en la lengua sus pezones, que eran rosados y duros como picos de pájaro. Luego subió al pozo de su boca y bebió sediento de sus aguas aromadas.

La Princesa de Jade, para no mostrarse tan ingenua frente a su amiga, le acariciaba los muslos. Su mano tímida se abría paso en el matorral de vellos erizados por el viento de la caricia. Y he aquí que cuando sus dedos llegaron a la juntura de las piernas y hurgaron temblorosos, descubrieron cierta cosa que se suponía no debía haber allí. Para romper de un todo con el engaño, el hombre se despojó del vestido y quedó ante su amada desnudo, sin ilusión, con su sello masculino descubierto, mientras lloraba de amor. La Princesa de Jade contemplaba al bárbaro silenciosa. Ante sus ojos se levantaba una espada mortal, protuberante, callada y terrible como el hielo. Hay una parte misteriosa, muy profunda, del *Libro de los cantos*, que dice:

> *Su contemplación produce miedo y temblor,*
> *como si estuvierais ante un profundo abismo,*
> *como si os aventuraseis sobre una delgada capa*
>   *de hielo.*

Al borde del abismo, con sus hechiceros pies posados sobre una fina película de hielo que en cualquier momento podía quebrarse y enviarla al fondo borroso y terrible de las aguas, la Princesa de Jade escuchaba las palabras que su enamorado sacaba del corazón. El bárbaro contaba las vicisitudes que tuvo que pasar para llegar a la reunión de esa noche. La joven contempló admirada ese árbol carnoso y sin hojas, de otoño, que se mantenía en pie bajo la media luz de la luna. No aguantando más, se echó a sollozar.

—Lloro porque no podré corresponderos con la parte debida —explicó ella—. Para salvaguardar mi honor, he de entregar a mi esposo la ansiada flor intacta, sin que le falte un pétalo. Si en la noche de consumar el matrimonio, mi señor descubriera que la flor fue cortada, yo caería en la más deshonrosa de las desgracias —hizo una pausa y dejó que el rostro del hombre se reflejara en el fondo de sus ojos amarillos—. Ahora sé que eres el hombre adorable que tomó mi mano junto al lago, el mismo que me hizo aquel presente tan hermoso. Eso hace mi impotencia más dolorosa...

Tora se conmovió con sus razones y su llanto. Pero como era uno de esos hombres que flotan con las olas, o sea, que picaba de flor en flor, y acostumbraba visitar teatros y burdeles donde las mujeres de cara pintada alquilan sus artes amatorias, no tardó en hallar un justo medio para alcanzar el placer sin dejar daños en el jardín. Así que la convidó para que posara sus tibios labios de fresa sobre la ardiente copa de su árbol. Con su húmeda lengua la joven subía y bajaba por la corteza, y exclamaba de vez en cuando con ingenua candidez: "¡Qué costumbres tan extrañas tienen los hombres del país de los bárbaros!"

Entretanto, la esclava Tu, que observaba la escena amorosa desde una brecha, se apartó al oír unos pasos. Debido a los fuertes suspiros que salían de la recámara, la suegra de la Princesa de Jade había venido a ver si pasaba algo malo con su nuera. Tu se interpuso; le dijo que su ama estaba delirando con la temperatura ardiente y que a eso se debían los suspiros. La suegra quiso entonces entrar. La hábil criada la tranquilizó diciendo que estaba a punto de beberse una cocción y que era mejor que la dejaran descansar. Tan pronto logró que la suegra regresara a sus habitaciones, Tu se apostó de nuevo en la brecha.

En la penumbra de la recámara los trabajos de jardinería continuaban. La lengua de la joven pulía con suavidad la corteza. Cuando el árbol estuvo suficientemente labrado y a punto de expulsar la savia que traía dentro, el hombre lo apartó de los labios de la amante. Le dio noticias de que acto seguido le introduciría el madero. Ante el desconcierto de ella, le pidió que no temiera por la flor y le reveló que en la parte trasera del jardín crecía otra de pétalos exuberantes, menos codiciada aunque de deleite similar, que podrían arrancar sin que el dueño de la huerta la echara de menos, pues los hombres de la China no la sabían disfrutar. Así que la puso bocabajo sobre el cobertor florido y le levantó la bata hasta las caderas. La inexperta, temerosa de que el enamorado se equivocara de flor, se cubrió fuertemente con sus manos la unión de las piernas. Pasó un tiempo sin tiempo, vacío, en el que la primavera y el verano pudieron sucederse de forma infinita sin que nadie los percibiera... hasta que la estaca del jardinero fue penetrando, con firmeza, arrastrando hacia el fondo de la tierra otrora virgen los pétalos destrozados. Los oídos de la mujer se llenaron de un concierto de variadas melodías, hecho de instrumentos de bronce y piedras sonoras mientras que el metal de sus ojos brillaba como oro bruñido por el sol. Su boca esparcía un quejido sostenido, nasal, que se confundía con los maullidos del gato que los observaba desde un cojín. De repente el jardín se borró tras un intenso resplandor, el espacio se llenó con un estruendo vegetal y ese loto grande que es el universo se llenó de un líquido luminoso. El hombre se tiró a un lado de la cama y luego cayó dormido; ella quedó inmóvil en la misma posición, con sus manos entre las piernas aún. No hubo movimiento ni palabras. El silencio se quebró después, cuando Tora despertó y, con la voz apagada, confesó:

—Te amo.

Y la Princesa de Jade le dijo:

—Entonces estás perdido...

El amante quiso verle el rostro una vez más. Al voltearse, la cama estaba vacía. Repentinamente la recámara se llenó con un golpe de viento que arrastró los objetos hacia el cielo; el papel de la ventana y la luna fueron quemados por el sol. Tora se puso de pie y descubrió que se encontraba en medio de una sabana de flores silvestres. La vegetación comenzó a reducirse velozmente hasta no quedar de ella más que mosaicos regados por el suelo. Tora supo que se encontraba en un pasillo caluroso, con los ojos cegados por la luz de una bombilla que alumbraba desde el techo. Sofocado, avanzó por el pasillo, hundido en la depresión por no saber a qué espacio de sueño o de jardín se había escapado aquella extraña mujer que le llenara de luces el corazón.

V, 2 / ROYAL PALACE. Los monstruos de la razón

La Maura se acercó a la mesa tarareando un vals. Posó su mano arrugada, seca, garra de ave rapaz, en el vaso desatendido. Sorbió un trago. Delia la vio de reojo, con mala mirada. La Maura tenía la maña de revolotear entre las mesas, con su aspecto de pájaro de mal agüero, para rapiñar lo que hallara mal puesto y sonsacar a los clientes ajenos. En el cabaré se aseguraba que tenía boca de sal, porque cada vez que abría el pico era para cantar malas noticias. Y aparte caer mal, lo peor era que a Delia le daba la impresión de que la tíguera se esmeraba en caer mal.

—¿Adónde se fue Tora? —inquirió, tras sorber otro trago del vaso de él.

Dándole su más duro perfil, Delia respondió:

—No sé. Lù-shi le sirvió un té de esos, porque parece que se sentía mal. Después me dijo que iba de un pronto al baño, pero subió por la escalera...

—¿Hace rato que subió para allá?

—No. Desde que se bebió el té no han pasado ni diez minutos.

La Maura señaló hacia la escalera. La otra primero le vio la uña sucia, mal pintada, y la piel estrujada. Tora bajaba por la escalera.

—Parece que duró diez años por allá arriba —opinó el pájaro de mal agüero—. Míralo cómo viene: derrengado, sucio, peludo, vuelto una mierda, con los ojos yo no sé cómo... ¿Qué le habrá pasado por esos mundos?

Tora alcanzó penosamente el peldaño de arranque. Sus ojos estaban anegados por un resplandor intenso. La vellonera hizo silencio y varios parroquianos se voltearon a mirar al hombre. Tora levantó los brazos azorado.

—En la segunda planta hay un bosque —comentó.

Y en seguida, entre palabras atropelladas, contó historias que sonaron extravagantes; describió un desierto, un paraíso, una princesa de hermosura sin par... Los parroquianos no tardaron en retirarle la atención, algunos porque estaban muy ocupados en la administración del placer y otros porque ya se habían hartado de que en ciertas noches un pendejo bajara por la escalera con un cuento similar. Una de las mujeres echó una moneda en la vellonera y el salón se llenó de música estridente.

LIBRO SEXTO

LA ESTRATEGIA DEL RENACIMIENTO

VI, 1 / ROYAL PALACE. La carta de desalojo

El árabe guardó el dinero en el maletín y tiró la carta sobre el mostrador. Salió del cabaré echándose fresco con el precario abanico de la mano abierta y el rostro enconado sabrá Dios si por el calor que se acumulaba en aquellos salones o por el malestar que sufría cada mes cuando le tocaba cobrar la renta del Royal Palace. La Maura lo siguió hasta la salida, acezando, con la mirada famélica y libidinosa, loca por desplumarlo. Changsán abrió el sobre y no supo qué hacer con la carta. Dio unas voces en cantonés hacia el cielo. En seguida se vio a su consorte bajar apurada por la escalera.

—Ese es un papel del árabe, para que le desalojen el local —vaticinó La Maura desde el umbral, lo que provocó el desagrado de las mujeres y los pocos clientes que a esa hora ardían a fuego lento en el salón. Crucita la miró con la rabiza del ojo pensando: *¡Esa azarosa!*—. Y no es que yo sea azarosa, no, el azaroso es el papel, que dice eso...

Lù-shi leyó la carta, pero cierta jerga jurídica esparcida entre los párrafos le impidió entender con claridad. El violinista terminó de bajar los peldaños y se ofreció a interpretarla. Primero se secó el sudor del cuello. Acto seguido se paró firme, con las piernas juntas y los pies abiertos en forma de V, la mano izquierda en la espalda y el papel en la derecha a dos palmos de la cara, como le enseñaron a leer en la escuela primaria. Tras leerla en voz alta, explicó que se trataba de una petición de desalojo.

—Ese árabe no tiene alma —acotó, mientras cerraba el sobre con meticulosidad—. Es capaz de pegarle fuego al negocio con tal de conseguir su propósito.

—No —descartó La Maura—. Eso no se va a dar así... al menos por este rato.

Las mujeres sintieron alivio al escuchar estas últimas palabras. El chino guardó la carta bajo la caja registradora y profirió unas breves palabras. Lù-shi tradujo textualmente:

—Que eso no es nada nuevo, que el árabe lleva más de cinco años dejando el mismo papel.

El violinista solicitó que le volvieran a mostrar la carta y ocupó una mesa cerca del mostrador. Rogó, con fina cortesía, no encender la vellonera en lo que él analizaba el caso. Pidió un litro de whisky y una funda de hielo. Era un hombre tan obsequioso que tuvo la delicadeza de disponer un vaso para cada uno de los cueros, a quienes solía llamar "damiselas"; inclusive puso un recipiente para La Maura. Cuando su vaso estuvo servido se puso de pie y lo bebió de un tirón, mirando hacia el techo. Ya más relajado, abrió el sobre y lo leyó concentrado. Todas esperaban admiradas a que aquel héroe letrado emitiera un veredicto satisfactorio, mientras que algunos clientes se desabotonaban la camisa a la vez que pensaban cómo diablos ese tipo podía andar vestido de frac con un calor tan desesperante. Durante casi media hora el violinista releyó, meditó, se rascó la cabeza. Finalmente encendió un cigarrillo.

—Hay que cambiar la estrategia de este negocio —determinó. Clavó su índice sobre el papel—. Si no, este dispositivo puede estallar.

Los cueros dilataron los ojos, estupefactos, para hacerle coro. Changsán permaneció indiferente, sacando cuentas en el ábaco. Entonces se escuchó la voz sentenciosa de La Maura, que sorbía whisky de los recipientes que quedaban descuidados.

—Algo habrá que hacerse, porque con el tiempo y el

palito esto se puede volver color de hormiga, muy peligroso —auguró con tono grave.

Estas palabras inquietaron al chino. Comunicó algo a Lù-shi y esta, a su vez, preguntó al violinista que qué pensaba él que debería hacerse para evitar el desalojo del local. Silencio. La Maura disfrutó magramente por la conmoción que despertaron sus palabras. El interpelado introdujo la carta en el sobre.

—Yo voy a estudiar a fondo el asunto —anunció y se puso de pie. Golpeó la mesa con los nudillos—. Este local no lo cierra ni Dios que baje del cielo.

Tora oía sus murmullos. Siguió sin prestar atención debido a que no eran asuntos de su ministerio y, más que nada, porque acababa de observar algo muy interesante: en un cuadro primitivista y amarillento, casi dorado, que colgaba de la pared, las imágenes que atiborraban el papel seguían un orden lógico. Es más, al observar con detalle, notó que muchas de las escenas pintadas habían sido vistas o vividas por él durante la búsqueda de la Princesa de Jade. Reconoció el desierto, la vieja ciudad, al amolador, a Monkey, a la esclava Tu, a su amada acariciando el gato bajo la luna. El corazón se le llenó de pálpito y desconcierto.

La sesión se levantó más tarde cuando frente al cabaré se detuvo una motocicleta que arrastraba un carretón de hierro. Las mujeres salieron en desbandada, unas a esconderse y otras a mirar los nuevos vestidos que venían en el carretón. El mercader era Elpidio el turco, un hombre taciturno y flemático, jorobado por la vejez, que le fiaba la ropa a los cueros del Royal. En plena calle las clientas se probaron blusas, pantalones, camisetas, sombreros, refajos —claro, sin desnudarse—, y le pidieron al mercader que se los diera a crédito. La Maura halló una bufanda de plumas rosadas, desteñida, que le encantó, y trató de seducir al viejo para que se la diera a cambio de un polvo, pero Elpidio el turco se apartó de ella y le anotó la pieza en la lista de los fiados. Acto seguido entró al cabaré; preguntó por sus deudoras, de las cuales no encontró ni rastro. Mansamente salió del cabaré, encendió el motor y se fue calle abajo arrastrando el destartalado carretón.

VI, 2 / ROYAL PALACE. La muerte incluye sus aromas

El olor empezó a emanar a media tarde. Primero fue un tufillo confuso, quizá de basura vieja que está dejando de heder. Luego un escape de gas lacrimógeno que saturó el espacio. Entonces el aire se llenó de un vaho insoportable y cortante, como de inodoro vaporoso o quién sabe si de ántrax. El salón del cabaré fue inundado por el tufo irrespirable. De inmediato Changsán se puso manos a la obra. Pidió a su consorte que revisara los baños; después le ordenó que hurgara en el refrigerador. Aunque los baños fueron surtidos con trementina y se tuvo que tirar a la basura una libra de carne que ya hedía demasiado, el mal olor continuó. Todos buscaron a ciegas por los rincones, sin encontrar el origen de la fetidez. Quien acertó con el asqueroso misterio fue La Maura, tras olfatear el aire desde la cima.

—El que compra la vaca también compra el becerro —reveló por enigma. Al ver que no habían entendido, se glosó a sí misma—. Ese es el vaho de los ratones muertos por el Trespasitos.

El chino le exigió a su esposa que hiciera algo. La fiel Lù-shi fue de un rincón a otro. Dando saltitos con sus pies descalzos, levantaba pesados muebles y cajones en busca de la rata muerta. Por doquier pasaba, dejaba un chorrito de trementina, que paradójicamente volvía más difusa y profunda la fetidez. Mientras tanto, los clientes y los cueros se abanicaban con mayor energía para apartar el calor y el tufo. Lù-shi entró al almacén y organizó una alta columna de cajas de cerveza. Al apartar la última, halló la rata. Estaba tirada de lado con las patas tiesas y la panza hinchada. Tocada por el azoramiento, temerosa, la mujer se cubrió la mano con un pedazo de papel, se puso en cuclillas y, despacito, con asco, la tomó por la puntita del rabo. La rata dio un salto. Lù-shi se apartó espantada. El roedor la enfocó con sus ojillos sanguinolentos y rabiosos, soberbio, como si pensara: *¡Coño, es que en esta casa no se puede dormir en paz!*, y se deslizó perezoso por una brecha.

Atolondrada, Lù-shi regresó al salón. El chino le preguntó si había encontrado los roedores podridos. Al escuchar la respuesta negativa, descargó contra ella una arenga implacable: mala mujer, haragana, qué hizo él para merecer una consorte tan inútil, que no era capaz siquiera de darle descendencia, oh mísero; le sobraban ganas de enviar una carta a sus suegros, quejarse de la falsa joya que le habían enviado, devolverla con todo y dote, oh mísero de él, infelice... vociferaba Changsán. Los cueros escuchaban, sin intervenir, el atropello de palabras; primero, porque ese era un pleito entre marido y mujer y, segundo, porque el hombre había gritado todo en cantonés. De cualquier modo, Delia, en un leve arranque de solidaridad, comentó:

—Al que me habla así a mí, yo le mocho el güebo —en alta voz, para que el hombre la oyera.

La consorte sólo hacía genuflexiones y bajaba la cabeza apenada, para aplacar la furia de Changsán. El chino gritó algo, sabrá el cielo qué fue, que paró en seco el llanto de su consorte y la hizo ponerse de nuevo manos a la obra. Desorientada, girando en desorden como una cucaracha a la que le han pegado un chancletazo, Lù-shi rebuscó ansiosa por el salón. Desde la escalera, La Maura olfateó aire corrompido e hizo la siguiente oferta: "Si me pagan algo, ayudo a encontrar los animales podridos".

Lù-shi siguió los pasos de La Maura, quien, guiada por su propio olfateo, llegó hasta la vellonera y le pidió que buscara debajo. Tras mover el pesado armatoste vieron el cadáver despeluzado de una rata. Lù-shi, advertida por su experiencia anterior, buscó un palito para tocarla en el rabo, no fuera a tratarse de una desagradable interrupción de sueño. La Maura se interpuso y agarró al roedor con la mano.

—Ese pájaro está muerto —demostró, sin un ápice de tiriquito, a la vez que hacía pendular a la rata por la punta del rabo.

Se detuvo ante el mostrador y dejó que se reflejara en los espejuelos del chino. Lù-shi señaló el trofeo del animal, con una sonrisa nerviosa; Changsán apartó el rostro sin dar señal alguna de satisfacción. La Maura tiró la rata hacia la calle y extendió la mano abierta en busca de la recompensa. La consorte miró a su esposo, para que hiciera el pago, pero este volvió a hundir los espejuelos en el ábaco. Entonces ella le pidió a la cazadora que esperara un momento y subió por las escaleras.

Lù-shi entró al cuarto que compartía con su esposo. Con los ojos anegados de lágrimas, abrió una gaveta y sacó cinco pesos. "Las mujeres siempre guardan su dinerito", diría cualquiera con un guiño, sin entender que ella hacía esos ahorros no por ambición personal, sino para darle la sorpresa a Changsán si un día este se viera sin dinero. Sí, decirle no te aflijas, poquito a poco he podido guardar algo durante todos estos años. Y entregarle el dinero salvador para que él sonriera, le sonriera alguna vez, y también por primera vez en su vida le dijera: gracias. Y nada más.

Sus manos rebuscaron temblorosas en la gaveta y encontraron una cajita de jaspe. Se sentó un momento en la cama acariciando el bello recipiente. La mirada se le fue lejos, de manos con el pensamiento. Por la ventana del recuerdo vio pasar a una niña, muchos años atrás, que correteaba por un bosque de ciruelos florecidos bajo la sábana resplandeciente del día primaveral. La niña recogía orquídeas y se sentaba a la sombra de los árboles para escuchar el canto de las urracas. Lù-shi retornó al presente, puso un vaso de agua sobre la mesita de noche y abrió la cajita. Bastaría con diluir en el agua la cantidad de Trespasitos que cupiera entre dos dedos... Changsán va a entrar al cuarto dos, tres horas después, extrañado, y al verla dormida en la cama le dará una palmada en el rostro. La niña del recuerdo despertó un día al sentir la caricia del viento posado en una mano tierna: "Lù-shi, ven a la casa, que tu padre desea hablarte". Tras abandonar el bosque que empezaba a ponerse rojo con el atardecer, entraron a la sala; alrededor de una tetera, la esperaban el padre, la madre, con el rostro lavado por la tristeza, y una casamentera. La boda estaba arreglada: del otro lado del mar la aguardaba el primogénito del respetable maestro Sang-tua. Había en un rincón dos maletas de ropa y un cajón con los bienes de la dote. Afuera esperaba un palanquín, en el cual la transportarían hasta el junco que la llevaría al puerto de mar. Changsán, al ver que ella ya no despierta, que no despertará jamás, va a arrodillarse al lado de la cama y le pedirá, entre lágrimas del alma, perdón... Perdón suena mejor que gracias, porque viene más del corazón. Y va a lamentar Changsán no haberle tomado una foto, para colocarla en el altar familiar. Le dará, al menos, un beso en la frente y se quedará con su rostro grabado para siempre en la corteza de la memoria. No escuchará más su voz, no tendrá ya quien se esmere en su cuidado. El Royal se le va a venir abajo entre tanta soledad, entre un silencio como ese de la muerte, tan imposible de quebrar...

—¡Avívese! Dese rápido con los cinco pesos —voceó La Maura desde el pasillo—. Casi tengo que volar.

Lù-shi se paró rápido de la cama. Guardó la cajita de jaspe, botó el agua del vaso y cerró la gaveta. Aliviada por la descarga del recuerdo y sedada por las imágenes de su muerte, salió al pasillo y le entregó el dinero a la mujer. Mientras descendía por la escalera, La Maura contó los billetes y los guardó en una carterita emplumada que cargaba entre los senos. Cuando pisó el último peldaño, se volteó hacia Lù-shi y dijo, enigmática: "Ello hay gente que se muere haciendo una cosa".

VI, 3 / CIUDAD INTRAMUROS. El Royal historiado

El violinista entornó una ventana. Miró con detenimiento hacia la calle y, cuando estuvo seguro de que no había moros ni cristianos en la costa, salió a la calzada. El edificio del Ayuntamiento quedaba en la misma calle Restauración, justo en la esquina siguiente, a treinta pasos del Royal. Verdaderamente, las distancias entre las edificaciones principales del centro de la ciudad de La Vega podían contarse en pasos romanos a partir del cabaré: del Royal a la catedral, 20; al Palacio de Justicia, 30; al Casino Central, 40; al viejo cuartel de Bomberos, 60; a Correos, 75, y, con cinco pasos más, se llegaba al Palacio de la Policía o a la Gobernación. En general, el centro urbano se podía recorrer de cabo a rabo en una hora a pie o en quince minutos a caballo.

El violinista se arregló el nudo de la corbata y se planchó la solapa del frac con las manos, se enderezó el clavel. Entró a una de las oficinas del Ayuntamiento. Buscaba informaciones sobre el edificio del Royal Palace. Recibió un tratamiento eficiente y afable, como es natural... como es natural cuando se mojan las secas manos burocráticas con billetes de veinte pesos. Le mostraron cartas de los viejos archivos, en las que se hablaba de la edificación; le desenrollaron sus mapas borrosos y amarillentos; le sugirieron que por equis cantidad harían cualquier arreglo en los antiguos documentos, hasta le regalaron papel y lápiz para que tomara apuntes. Y le imploraron, cuando se iba, que regresara en otra ocasión.

El violinista caminó hasta la biblioteca del municipio. El bibliotecario no le prestó atención; en ese momento estaba ocupado escuchando un capítulo de *Kazán el Cazador*. Así que el joven merodeó a ciegas entre papeles ajados y a medio devorar por los insectos. Al no encontrar nada, se acercó al empleado. Carraspeó. El otro le dio una mala mirada y, con la mano abierta, le indicó que aguardara, pues Úrsula Hamilton y Ricardi el Rubio ultimaban un plan para asesinar a Kazán. Como el intruso insistía, se enganchó el radio entre el hombro y la oreja y, fastidiado, le preguntó con un ademán qué quería. Sin escuchar la petición señaló hacia un estante cualquiera y subió el volumen. Casualmente había indicado el lugar correcto. El violinista encontró periódicos viejos en los que se informaba sobre las actividades sociales que antaño celebraban en el Royal. Preguntó al bibliotecario cuál era el procedimiento para fotocopiar esos papeles. Tan pronto profirió estas palabras, el empleado dio un manotazo sobre el mostrador y saltó furioso, maldiciendo, blasfemando, cagándose hasta en su propia madre. Se había ido la luz y justo en el momento en que Kazán llegaba al sitio de la emboscada. ¿No era una auténtica tragedia? El violinista comprendió que lo más atinado era esperar a que el sujeto se serenara, antes de insistir en su petición. Lo vio caminar de un lado a otro, mientras pateaba los mosaicos y respiraba profundo, no para tranquilizarse, mejor para resoplar la rabia, como hacen los boxeadores o los toros. Cuando al fin se detuvo y empezó a golpearse suave la frente contra una columna, el violinista le volvió a preguntar. Entonces el bibliotecario volteó el rostro, derrotado, miró el manojo de papeles viejos que aquel traía entre las manos e hizo un chasquido con la lengua, que quería decir "llévese esa porquería".

Después del almuerzo, el violinista siguió con sus inquisiciones. Llegó a la casa de un historiador municipal. Fiel a su costumbre, el historiador primero preguntó para qué quería esos datos, receloso, y tras asegurarse de que no los utilizaría para escribir un artículo o un libro, procedió a darle algunas informaciones sobre la historia de la edificación, con la precaución de no revelar las fuentes. Narró que antes de convertirse en un lupanar de reputación indudable, el edificio era una hermosa construcción ideada por la ·prestante munícipe doña Elvira Soñé, "que en paz descanse". Era una mansión de madera, de dos plantas, "blanca y con franjas de diversos colores, adornada con calados artísticos semejantes a filigranas y encajes orientales, que en su interior tenía numerosos cordoncillos dorados", todo esto diseñado por el excelso pintor, músico y actor don Manuel Puello, quien había emigrado desde la Madre Patria, España, para llenar de gloria la ciudad, etcétera. La honrosa dama habitó la planta alta en compañía de su ilustre consorte y rentó la planta baja "al distinguido caballero borinqueño y queridísimo de todos los veganos, don José García Rodríguez", quien, un memorable día 11 de febrero de 1911, inauguró allí el restaurante aristocrático y elegante que llevó por nombre "La Gioconda", inspirado en el célebre lienzo de bellos matices pintado en aquel país mediterráneo del que nos venía el mármol de Carrara, etcétera. Para orgullo de la pujante municipalidad, todos los periódicos del país se hicieron eco del magno evento de inauguración, afirmando que se trataba de uno de los centros de diversión más refinados del país, si no el que más, pues, aparte su rico diseño, contaba —para el esparcimiento espiritual de lo más granado de la flor y nata de la sociedad que en sus salones se reunía— con tres mesas de billar, un moderno teléfono, mesas elegantes, un fonógrafo, etcétera. Refirió también el ilustre historiador que años después la casa de madera fue destruida para dar lugar al actual Royal Palace, verdadera obra de arte de la arquitectura, "labrada en mampostería, con preciosos mosaicos, balaustres de hermoso calado, balcones de herrería con siluetas acorazonadas reposando sobre plataformas sostenidas por pilastras casi musicales", la cual fuera mandada a construir por el ciudadano español Sebastián Font y Cabot e inaugurada el 19 de diciembre de 1925. En el nuevo edificio —siempre fiel a los datos del erudito municipal, que explicaba todo con árida emoción, a la manera de los buenos maestros de escuela—, fue abierto un prestigioso restaurante, que llegó a contar entre sus comensales al mismo Generalísimo. Su terraza era visitada por las juventudes de alta alcurnia, que realizaban allí celebraciones y actos necesarios para mantener en alto "la noble nombradía de nuestra ilustre municipalidad, Culta y Olímpica, donde la naturaleza tejió valles esmeraldinos y un río de fluir cantarino que engalanan, cual arco iris patrio, esta histórica ciudad, de la que dijera mi ilustre predecesor fray Bartolomé de las Casas, cito: '... la vista della es tal, tan fresca, tan verde, tan descombrada, tan pintada, tan llena de hermosura... y el Almirante, que todas las cosas más profundamente consideraba, dio gracias a Dios y púsole por nombre La Vega Real...", etcétera. El ilustre historiador quitose los espejuelos y sacó un pañuelo. *¿Para secarse qué?*, pensó el violinista, si el erudito tenía las pupilas secas. Al ver la manera en que se pasaba el pañuelo por los ojos, recordó que ese era el cliché con que los munícipes terminaban los emotivos discursos que evocaban las glorias de la ciudad romántica. Luego de un ceremonioso silencio, el violinista le preguntó si sabía de algún libro que tuviera datos sobre el Royal Palace. El historiador municipal dobló el pañuelo y respondió categóricamente: "No".

A media tarde, el violinista cruzó la explanada gris del parque. Se detuvo en una galería arrullada por la brisa bajo la sombra del tamarindo. Todas las tardes un selecto grupo de señoras de la flor y nata se reunían ahí a tomar el té. La intención del violinista era recabar entre ellas algunas anécdotas sobre sus vivencias en el antiguo Royal. Eran damas honorables, de correctísimos modales, arregladas con esmero, descendientes de próceres municipales o de empresarios ilustres, metidas en el callejón sin fondo de la vejez.

—Mi tío fue quien sembró ese árbol centenario, años después de la gesta de Independencia —recordó la anfitriona, que menospreciaba las diversas teorías sobre el origen de dicho árbol. Luego se dirigió al joven, con ceremonia—. Eso es lo que me gusta de ti: que siempre andas vestido con formalidad, diferente a esas juventudes locas de hoy en día.

El violinista recibió el halago con un ademán cortés. Le sirvieron té inglés —no un genérico: té traído de Manchester, como aseguraba orgullosa la anfitriona— y le dieron a elegir entre unas arias del tenor Enrico Caruso y unas composiciones de Juan Espínola en ocho tracks. El joven rebuscó en la discoteca y prefirió un elepé. Cuando lo mostró en la galería, una dama que se adornaba la solapa de la blusa con un corsage de begonias, se tapó la boca, escandalizada.

—Eduardo Brito... —advirtió con frialdad una viuda de bufanda de seda, que decía haber sido soprano en sus años de mocedad. Colocose con elegancia unos quevedos para observar la carátula—. El que visitó las óperas de Europa y terminó sus días en un manicomio... ¿No llegaron a oír ustedes esa canción suya? ¿Cómo era que decía...? Ya recuerdo: *Esclavo soy, negro nací, negro es mi color y negra es mi suerte* —canturreó desafinada, con timbre de soprano, para ridiculizar el barítono de Brito—. Le faltaba escuela, no sabía entonar.

La anfitriona tomó el elepé y lo hizo desaparecer tras un mueble. Todas voltearon el rostro, o lo pusieron de piedra, al ver a la Patria que pasaba dando tumbos bajo el sol. El violinista las escuchaba aburrido, con atenta cortesía.

—Yo no sabía de ese disco de Brito. Sabrá Dios cómo habrá venido a parar aquí —mintió la anfitriona. Frunció con recato el ceño al ver a un negro que pasaba bajo el tamarindo vendiendo maní—. Brito tenía origen haitiano, ¿no?

—Sabrá Dios...

La anfitriona se sirvió una taza de té inglés y mordió una galletita. Se pasó con calculada finura la servilleta por los labios. Prosiguió:

—Digo, yo no tengo nada en contra de los haitianos. Ellos también son gente, como nosotros. El año pasado, en el Triángulo Rosa hicimos una recolecta de caridad para donar un galón de pintura a una escuela de la frontera. Lo que yo quería significar era... ¿Alguna de ustedes desea más té?

Una dama se levantó con discreción el ala de la pamela para observar de reojo al negro que estaba parado bajo el tamarindo.

—Esos nos tienen envidia. Se están infiltrando en nuestro país para después invadirnos —susurró tras fruncir las cejas la doña de la pamela, con discreto ánimo de enchinchar. Las demás ratificaron su opinión—. Es un plan de alta inteligencia que tienen armado desde que nos independizamos de Haití.

El violinista contempló al manisero y pensó que se debía ser muy estúpido o perverso para imaginar que ese infeliz, que se tostaba bajo el sol con un cubo de maní, era un asalariado de la inteligencia militar haitiana. Pidió permiso para desplazarse hacia el tocadiscos. Puso el elepé que contenía las arias de Caruso, esperanzado en cambiar el ritmo de la conversación, pues necesitaba abrirle camino real al tema de su interés: los recuerdos del Royal. La viuda de la bufanda aprobó con una sonrisa fría. La voz de Caruso es ideal para despegarse de la aspereza del mundo, porque tiene la peculiaridad de poseer una fuerza terrenal que se alarga, muy gótica, hacia el cielo.

—El Royal se dañó con la llegada de esos chinitos —deploró la dama del corsage—. Los chinos se encierran en sus costumbres extrañas y no se integran a la sociedad. Hablan tan enredado...

—Es que son gente rara. Ni se mueren. ¿Ustedes alguna vez han ido a un velorio de chinos? —intervino la doña de la pamela—. ¡Nunca se mueren!

El joven las escuchaba sin intervenir. Pensaba que si en aquella velada se cambiaban los vestidos, los temas y las bebidas, no distaría mucho de una de esas francachelas que improvisaban los cueros del cabaré. Menos mal que por encima de aquellas voces se levantaban el decantado recuerdo y la voz de Caruso. Caruso que *Vieni sul mar* y se va elevando en la *Mattinata* perseguido por las cuerdas de Leoncavallo.

—Los chinos mantienen su mundo aparte, como los animalitos del monte —opinó la anfitriona—. Digo, no es que yo tenga nada en su contra, ellos también son gente, igual que los haitianos... Inclusive, son muy ingeniosos. En su país hacen unas alfombras bellísimas...

—Esos son los persas —corrigió la dama del corsage.

—¡Ah! Pues no he dicho nada —retractose la anfitriona—. Pero antes de que esos chinitos se metieran, el Royal era un sitio para la gente decente, de clase. Los empleados vestían de impecable uniforme y, cuando uno consumía, no podían venir a cobrarte: te traían un vale para que lo firmaras y luego pasaban a recoger el dinero por tu casa. Se celebraban unos carnavales que ni en Venecia. Desde la terraza, uno podía observar los cortejos de las candidatas a reina... Yo me disfracé una vez de Cleopatra y me llevaron en un palanquín cargado por cuatro negros, que eran cuatro jóvenes de la élite con los rostros pintados...

Y la anfitriona, asistida por las remembranzas de las otras damas, evocaba entre suspiros los recuerdos románticos de su mocedad, encumbrada por las arias de Caruso. La tarde se volvió exhalaciones, rostros cuarteados de emoción, maquillajes arruinados por la lágrima indiscreta. Las reminiscencias fueron ilustradas después con fotos viejas: "En esta yo soy Cleopatra y en aquella otra, Sissi la emperatriz; el ángel es fulano, requiéscat in pace; la de los cuernos es zutana, que casó con un general; aquel negrero es mengano, que luego fue obispo; y esta momia es perencejo, ahora embajador". La doña de la pamela provocó carcajadas en la concurrencia al contar una anécdota de carnaval. La anfitriona, asaltada por la risa, perdió la compostura y rio a mandíbula batiente. En una, un objeto salió disparado de su boca y todas notaron que un hueco se formó entre sus dientes. La anfitriona paró de reír, cerró la boca y se agachó a buscar algo entre los mosaicos. El violinista se sacó el pañuelo y recogió del suelo unos dientes postizos. Con correcta pleitesía se los ofreció a la atónita dama. Ella los tomó apurada y se los llevó rápidamente a la boca. Volvió a sonreír, esta vez con cordura. Acto seguido recogió las fotos del carnaval.

—¡Ah! El tiempo se lo lleva todo —comentó con fina reticencia la doña de la pamela.

La anfitriona prefirió hacerse la desentendida. Agitó una campanilla para que la criada viniera a retirar la vajilla. Con falsa confidencia se dirigió en voz alta al violinista:

—Supe que hace unas semanas te fuiste de tu casa. ¿Cómo fue eso?

—Él siempre ha tenido esos problemas con su padre —reveló la doña de la pamela, en procura de que se le notara la lástima disimulada.

El violinista sintió pavor sólo de imaginarse en las caritativas lenguas de aquellas damas. Con la certeza de que ya había recogido datos suficientes, decidió pedir permiso para retirarse. Para su alivio, en ese instante las invitadas se pusieron de pie con la intención de marcharse. Faldas alisadas con la mano, guantes recogidos, coloretes retocados, besos con rastro de talco y abur. Y así, como dice el antiguo proverbio, se rompió la taza, cada cual para su casa.

VI, 4 / ROYAL PALACE. La experiencia virtual

Changsán dejó sobre el mostrador el tazón de porcelana y, paladeando los residuos de la infusión amarga, subió por la escalera. A esa hora se sentía despierto, en sus cabales, cruelmente lúcido. Las dimensiones del tiempo y del espacio se le imponían con ordinaria potestad. Los sudados vestidos del calor, las deudas del negocio, la fetidez de las ratas envenenadas. Rebuscó en los cajones y no encontró nada. Coño, ni siquiera media bolita de nuez moscada para drogarse. Ni una grajea para dormir, ni barbitúricos, ni un trago de aquel jarabe que produce somnolencia. Se bebió un pedacito de aspirina, no, lo masticó. Desde varios días atrás, tenía tres gallinas amarradas bajo el mostrador, en espera del distribuidor. Se detuvo con desaliento frente al altar de sus antepasados, mas no se atrevió a acercarse porque no estaba arreglado de forma correcta para la ocasión.

En el centro de los retratos se destacaba el rostro de Sang-tua, despejado, sedado por esa droga perpetua que es la muerte. Padre y maestro, le había enseñado lo necesario para salir adelante en aquella ciudad. Como pretendía mantener a su primogénito alejado y a salvo de aquellos ciudadanos, todo se lo enseñó con simulaciones, por realidad virtual. Por ejemplo, le enseñó la ciudad a través de un mapa en el que le indicaba dónde quedaban las calles o los edificios públicos, pero raras veces le permitió salir a la avenida. Le explicaba, en teoría, los ritos sociales que afuera se celebraban, sin dejar que asistiera a ninguno. Decía que los 27 de Febrero conmemoraban una independencia ficticia, pues aquel país vivía dominado por otros bárbaros extranjeros; sobre el carnaval opinaba que era un ritual mediante el cual pretendían borrarse con máscaras los defectos y la fealdad; al hablar sobre las fiestas patronales, afirmaba que eran una celebración en la que se repartían con desvergüenza el vicio y la virtud, ya que mientras unos se iban a rezar a los templos, otros se embriagaban por las calles, conviviendo en incomprensible armonía.

Sang-tua lo había instruido acerca de aquella ciudad como se adiestra hoy a cualquier estudiante sobre la vida en la antigüedad: siempre de lejos. El hijo —discípulo aplicado—, la conoció así sin vivirla, por fotos y comentarios, aunque la tenía disponible al otro lado de la ventana. Quizá por eso se le dificultaba tanto comprender la cotidianidad, adecuarse al movimiento de los hombres y las cosas, y se sentía extraño, porque ser parte de una ciudad no es sólo estar en ella, sino armonizar con el ritmo que la mueve.

De hecho, sólo aprendió la lengua española muchos años después de su llegada, cuando los signos de la naturaleza señalaban que su padre pisaba los territorios de la muerte. Sang-tua lo introdujo en ese lenguaje tan rústico, lleno de sílabas áridas y escaso de diptongos, que fluía desordenado y sin fin. Le enseñó el alfabeto y le entregó un diccionario, para que conociera por sí mismo cuantas palabras pudiera, y tuvo el especial cuidado de apartarlo de los libros de caligrafía. No le fue difícil estudiar la lengua de los bárbaros, al parecerle que se basaba en un sistema bastante primitivo que tenía mucho que ver con los arreglos del azar.

Una mañana, en medio de la amargura y la incesante tos, Sang-tua guardó bajo llave el diccionario. Acto seguido anunció que era el momento de mostrarle la parte más necesaria y viva de esa lengua. Con una regla en la mano, le reveló el vocabulario funcional, el de la calle, palabra por palabra. Con impaciencia magisterial le enseñó que, en el auténtico español, en el del barrio, vagina se decía "toto"; pene, "güebo"; fornicar, "singar"; ramera, "cuero"; burdel, "maipiolería"; destruir o desmembrar, "descojonar"; y le advirtió que tuviera especial cuidado con el término "tíguere" porque podía significar sinvergüenza, habilidoso o persona, dependiendo del tono y del entorno. Y esa misma tarde lo bajó al salón de la primera planta para que empezara a acostumbrarse a los tejemanejes y triquiñuelas del negocio.

Días después lo sentó en una butaca para participarle que dentro de dos o tres semanas vendría desde la China una joven de buena familia, encantadora en el cuidado de la casa. Se llamaba Lù-shi y sería su esposa. Changsán, quien a la sazón recién había descubierto la deliciosa maña de la masturbación, tuvo una idea de lo que esas palabras significaban, muy vaga por cierto, pero más o menos exacta. Al mes siguiente, vio a la joven en la terraza de la azotea por primera vez, cuando la trajeron para celebrar los rituales del matrimonio. Lù-shi llegó de madrugada —para guardar la discreción—, transportada en un palanquín floreado, acompañada por un grupo de invitados que venían desde la capital. En la terraza, el resonar de pífanos y tambores anunció el comienzo de los ritos. Cuando las cortinas del palanquín fueron abiertas y los desposados estuvieron frente a frente, el joven no sintió la emoción esperada. La novia era graciosita, sí, de brillantes ojos azabachados, pero... qué se yo. El asunto es que, conforme a la costumbre, se casaron. Como diría Aristóteles: de alguna manera hay que joderse.

Changsán se apartó del altar. Percibió que una descarga de agonía, nauseabunda, le mariposeaba en el estómago. Consideró que se trataba de la peste. Pronto advirtió que la sensación era más compleja e inconfundible. Rebuscó en rincones y gavetas, tiró trapos y vasijas en su desesperación. La nada. Salió al pasillo, descojonado por la cotidianidad, bufando, con deseos de inhalar, de jalar fuerte, de meter por boca, vena y nariz cocaína, ácido, mariguana, opio, cemento Petronio... lo que sea y todo de una vez. Se detuvo en el rellano de la escalera y vio una voz, o escuchó una figura que, señalando hacia abajo —al salón caluroso, la gente, las deudas, el vacío, las ratas pestilentes—, gruñía desde el cielo y el infierno: "¿No querías meterte algo fuerte? ¡Drógate con esto!"

VI, 5 / ROYAL PALACE. Concierto de violín

El violinista merodeó por los alrededores de la catedral antes de decidirse a entrar al cabaré. El salón estaba casi vacío. Las únicas personas que se encontraban eran Tora, que se abanicaba con la boina en un rincón mientras contemplaba distraído el viejo cuadro colgado de la pared, y Mónica, amargada junto a la vellonera. Se sentó a una de las mesas del fondo y pidió una botella de whisky. Estaba pensando qué estrategia se debería utilizar para cambiar la imagen del Royal.

Mónica se acercó, por cortesía, para servirle el trago y retornó a su lugar junto a la vellonera. Una voz femenina, desgarrada, de amargachopa, se filtraba por la bocina de la vellonera. *Él me mintió, él me dijo que me amaba y no era verdad.* Mentira, coño, todo era mentira, porque el Señor nunca la había amado. Y ella, tremenda estúpida, engatusada, le entregaba besitos furtivos a espaldas de la doña y se dejaba manosear las teticas arrinconada contra el refrigerador. *Señor, Tú que estás en los cielos, Tú que eres tan bueno, que no quede huella en mi piel de sus dedos.* Una tarde, cuando ella cumplía los quince años, el Señor, aprovechando que la doña había salido a una reunión de caridad, se acercó de remolón y le dijo: "Vamos allí, a comernos un helado". La quinceañera, que estrenaba el pantalón de poliéster, se subió al carro de lo más contenta. Vio que el Señor pasó por el parque y no se detuvo en la heladería, sino que subió por la Restauración y tomó la autopista. Después dobló a mano izquierda, hacia un portal que tenía en el dintel un letrero grande, fosforescente: "Moteles Vega Real". El carro se detuvo en la marquesina de una cabaña. Sin decir aún ni media palabra, el Señor se bajó, cerró el portón y le indicó que entraran. La quinceañera, sin comprender mucho la situación, lo siguió silenciosa hasta un salón amueblado con un sofá y una cama. Cuando él se desabotonaba la camisa, ella acotó con voz inocente: "Ay, pero usted dijo que íbamos a comernos un helado". Entonces el Señor la recriminó con severidad paternal: "Mire, carajo, no se me haga ahora la sonsa, que usted debió saber a lo que veníamos. ¿O usted cree que un hombre de mi edad está para comer helados?" Entonces le pidió que se acercara y, con caricias propias para su tierna edad, le fue borrando la sorpresa del rostro. La ablandó con las manos, la humedeció con saliva, la amoldó con un abrazo. Y se lo metió. Así, sin mucho preámbulo, apenas bajándole hasta los muslos el pantalón nuevo, que incluso se manchó de sangre. Después que se vino, le pasó una pelota de papel de baño y le dijo: "Séquese esa sangre y vámonos, que la doña debe estar por llegar". Y ella se miró la rosa de su pasión echa líquido, con sus pétalos de sangre desaguados en el mar de las sábanas estrujadas. El Señor hizo un guiño y, señalando la rosa ahogada, canturreó satisfecho el *Happy Birthday to You*. "Hijo de la gran puta, abusador, hubiera sido bueno metérselo a él", refunfuñaría ella tiempo después. *De todo el amor que juraba, jamás hubo nada, yo fui simplemente una más que lo amaba.*

Desde esa tarde, cada vez que la doña salía para la reunión de caridad, el Señor la llevaba a comerse un helado a la heladería del motel. Dejó de ser cariñoso, con la excusa de evitar sospechas. *Mentira todo era mentira,* Mónica sabía que lo que pasaba era que, como ya se podía comer el helado entero, no tenía necesidad de lamer gotitas por los rincones. Y cambió mucho con ella. La borró de la clase de mecanografía y archivo, se atrasaba con el pago de la quincena y estableció un sistema inquebrantable, impersonal, que consistía en que si, por casualidad, se topaban en la calle, ella debía hacerse la que no lo conocía. *Era sólo un juego cruel de su vanidad.* Pero una tarde, cuando entraron a la cabaña, ella se negó a desvestirse y le informó que no estaba dispuesta a darle ni un cachito del toto si no la mudaba en un apartamento. El Señor, estupefacto, trató de convencerla de que eso era imposible, pero no logró que se encuerara. Nadita de nada. Así que regresaron silenciosos a la casa. El Señor no volvió a dirigirle la palabra, hasta que una tarde le comunicó: "Recoja sus bártulos, que hoy es la mudanza de la reina", y la llevó a una casa solitaria, donde fueron recibidos por una señora con cara de tía jamona y lentes de rezadora. La tía los condujo a un cuarto que quedaba en el patio. Una vez a solas, el Señor le explicó que la iba a mudar ahí mientras tanto, en lo que conseguía algo mejor, que aquel era un sitio tranquilo y decente donde podía vivir como una reina. Mónica sonrió complacida, dominadora, y desde esa tarde le reabrió de par en par la ventana de sus piernas. Sería cinco meses más tarde, después de aquella noche en que la drogaran y la vendieran a una maipiolería de las afueras, cuando se enteraría de que aquel "sitio tranquilo y decente" era una de las casas de citas más famosas de la ciudad.

—¡Él me mintió, él me dijo que me amaba y no era verdad! ¡Coño! ¡Él me mintió! ¡Era un juego y nada más! ¡Era sólo un juego cruel de su vanidad! —desgañitábase Mónica, dolorida, saboteando el ritmo de la canción—. ¡Señor, Tú que estás en los cielos, Tú que eres tan bueno, que no quede huella en mi piel de sus dedooos!

Y se tiró a sollozar desconsolada sobre la mole bruñida de la vellonera. El violinista se acercó preocupado. Le preguntó si sucedía algún problema; no recibió respuesta. Le propuso un trago, el cual ella rechazó. Se ofreció a brindarle un helado y la mujer lo miró enrarecida, como desde la plataforma brumosa de un puerto. Ella musitó, mirando hacia la mesa en que Tora se amargaba entre el tufo de rata muerta y el calor: "Y así quieren que una singue con gusto". El violinista le acarició con fraternidad el hombro. Le propuso:

—¿Quieres que te toque el violín?

Mónica se restableció del amargor tras tomarse un trago de whisky. Al verla repuesta, el joven le ofreció galante el brazo y se internó con ella escaleras arriba. Entraron al cuarto que él tenía alquilado desde hacía un par de semanas. Mientras se planchaba con las manos el frac, la mujer se desvistió y se recostó. El violinista sacó del armario el estuche del violín. Se sentó al pie de la cama, con cuidado para no estrujar el traje.

Mónica abrió el concierto con un solo de manos, tocándose los senos. Empezó con sonrisa tímida, un allegro presto, fugaz, que pronto se transformó casi en adagio, largo e pianissimo sempre, y, en la medida en que las cuerdas de los pezones se tensaban, se volvió danza pastorale, florida y luminosa.

Luego deslizó su mano por el puente del cuerpo y la colocó sobre las cuerdas erizadas del pubis, frotando el entorno con el arco de los dedos, allegro non molto, brisa cálida que soplaba por la piel, la arrullaba. En ese punto, el violinista abrió de par en par el estuche. En medio del suave allegro, la mujer vibró brevemente con la vibrante caja de vibradores. El intérprete hizo zumbar un vibrador de diez pulgadas, fálico zunzún de alas subterráneas, y tocó con su corteza tremulante el arpa que la mujer sostenía entre sus piernas. Adagio, presto, el instrumento acariciaba las cuerdas apenas. Pausa. El intérprete extrajo del estuche un vibrador transparente, güebo musical teñido por el viento, presto, consolador que se sumerge en el fondo líquido del arpa, que se hunde en las frescas aguas estivales y acelera atropellando en armonía contra el tiempo. La primera venida del polvo extiende el verano hacia lo infinito.

El viento arrastra las hojas. Tiempo fresco para jugar. El intérprete recoge el collar de perlas encantado, movimiento que desliza el aceite mudo entre los dedos. Lúdico allegro, las perlas penetrando como notas por el oído del anus, una tras otra, en armonía siempre, acto seguido salen en staccato, melodiosas, y disparan frotes placenteros en las cuerdas circulares. Se vienen las hojas, suavemente aceleradas, acumúlanse de un golpe con el eco dado por el arco. Dulce letargo, descanso. Adagio molto, un vibrador pequeño, colibrí, aletea en el viento húmedo para que se enrede entre los senos. Casi silencio. En seguida un güebo afinado, frotado por la vaselina, cimbreante, toca la primera cuerda del anus, sigue hacia adentro, fresco, bronco, muy risueño, penetra siempre un poco más, otro poco, hasta donde le dicen Cirilo, hasta acabarse, y entra y sale melodioso mientras otro vibrador toca el arpa húmeda de las piernas abiertas, ambos gráciles instrumentos en virtuoso legato, acompasados, descompasados, se trata de un juego, de un movimiento libre y lúdico que arrastra la última hoja del otoño.

La muerte se oye entre las ramas vacías, merodea por los árboles ahumados y silenciosos que arden bulliciosos por dentro. Atentos el collar de perlas, los güebos de ala vibrante, las manos también, todo en silencio. La varilla marca y despierta un allegro non molto, que inicia sigiloso, sostenido, casi solo, y acelera hasta borrar la estación con un golpe de polvo. Largo, tiempo cabalgado con herraduras diminutas sobre la escarcha del invierno, grave, peligroso, que afilado acelera las cuerdas, ¿violín?, violoncelo, tocado sólo con las manos de la mujer, sus yemas rasgueando la cuerda única del clítoris, sus nudillos que pellizcan los pezones hasta venirse silenciosa. Avanzada final. Listos los instrumentos: allegro luctuoso ma felice: perlas, güebos, notas tremulantes que entran por el anus, por el totus, que se pasean por los senos: uno a la vez, para morder la piel un poquito, luego se mezclan en asalto, a un tiempo, y llenan de salvajes y fantasmales melodías el deseo, atropéllanse armoniosas, empujan acariciantes hacia abajo y meten el cuerpo de mujer para lo hondo, preguntando, respondiendo irónicas, antes de acelerar en conjunto y forzar el polvo lujurioso que desvanece a la muerte y al dolor en el último estallido del deseo.

Tras el último orgasmo, Mónica permaneció inmóvil, con la mirada borrada de los ojos. Luego recuperó el aire y volteó el rostro hacia donde el violinista, con su traje de frac, limpiaba los juguetes eróticos, muy aplicado, y los guardaba dentro del estuche. Ella pensó exhausta que si aquella caja en realidad contuviera un violín, sería más aburrida que un ataúd. Dulcemente devastada por las ráfagas del placer, se puso el vestido y, al girar el picaporte, le dio las gracias con una sonrisa. El violinista, complacido, se cruzó las manos en el pecho e inclinó la cabeza.

VI, 6 / CATEDRAL. *Mené, Teqel, Uparsin*: La marca de Sodoma

El Indio entró a la catedral en busca del padre Cándido. Subió a la planta alta y lo encontró con el *Flos Sanctorum* entre las piernas y un rosario de plata enredado en la mano,

meditabundo y paladeando ensimismado un trocito de chocolate. El padre Cándido era un hombre respetado, un sacerdote con fama de santidad. De haber vivido en los primeros
años de la cristiandad, ya lo habrían consagrado como confe-
sor, o quién sabe si como santo viviente. A otros, por menos,
los han canonizado. La vejez lo hacía sentir como testimonio
vivo del sacramento sacerdotal. Por eso no se deshacían de él
en la mansedumbre mortal de un asilo de ancianos. De hecho, era muy útil para impartir ejercicios espirituales a aquellos sacerdotes que parecían extraviar el rumbo trazado por la
mano poderosa del Señor, al poseer la calma y el grado de ingenuidad pastoral que para tales casos se necesita.

—Bendición, padre —interrumpió el Indio, con una
genuflexión.

El anciano fue expulsado del fondo de la meditación.
Miró de reojo al intruso y le lanzó una cruz de aire hecha con
los dedos, casi de mala gana, como si conjurara a un espíritu
maligno. Por supuesto, sería pecaminoso pensar que lo hizo
mientras pensaba: *Vade retro*.

—¿Qué pasa ahora con ese aparato? —interrogó, al
señalar el megáfono desarmado que el recién llegado traía en
las manos.

—Hemos tenido que desarmar este aparato, padre. Se
volvió a desconchabar —justificó y le explicó algunos detalles
técnicos—. Vengo porque hacen falta veinte pesos para comprar estaño, pero en la oficina dicen que no me pueden entregar el dinero si usted no lo autoriza.

El sacerdote no le respondió. Necesitaba un tiempo
prudente para meditar sobre el particular. Se le dificultaba
mucho reflexionar acerca de asuntos terrenales. Entre la materialidad el pensamiento se le tornaba intransitable, lentísimo, a diferencia del espacio celestial, en el que no existían
elementos que detuvieran el flujo absoluto del espíritu. Miró
por la ventana hacia la glorieta y empezó a sentir que el parque y todos los edificios que lo circundaban temblaban, me-

jor dicho palpitaban acompasados.

El Indio lo vio abstraerse, así que esperó inmóvil, silencioso. El Indio no era indio, sino un dominicano de a pie, común y corriente, con el pelo duro, la piel tostada por el sol y el negro mal escondido tras la oreja. El padre le había aclarado la tarde anterior que su desacierto racial nació en los viejos años del Generalísimo, donde a los negros de piel no tan acentuada se les llamó sencillamente "indios", y como la raza indígena había desaparecido de la isla hacía siglos, ser indio equivalía a ser un muerto o un cero a la izquierda. "Por eso no sois en verdad ningún indio", concluyó el anciano con rudeza didáctica, "sino un hombre con la negritud suspendida".

El padre Cándido levantó el rostro.

—Indio —le dijo, con una leve mortificación—, ¿pensáis que yo he sido un hombre malo?

El hombre se arrodilló fulminado por aquellas palabras.

—No, padre —negó determinante—. Usted es un santo andante.

El anciano respiró menos angustiado.

—¿Perseveraríais en esa opinión aun después de mi muerte?

—Como que dos y dos son cuatro, padre —confirmó contrito.

El padre Cándido alegró el semblante con una dulce expresión de bienestar. En seguida lo sobrecogió la inquietud. Su mirada se había ido por la ventana hacia los muros adornados del Royal, específicamente hacia dos rameras de horripilante carnosidad que aireaban sus cuerpos mal vestidos reclinadas contra una pared del burdel. Una era rolliza y la otra esquelética. El Indio se dio cuenta del malestar del santo.

—Ese sitio sigue ahí, abierto de par en par —desaprobó, con la voz desabrida.

—¿Qué tiempo tiene esa casa de perdición? ¿Veinte,

treinta años? Más tiempo duró Sodoma y ya os conté lo que acaeció. El Señor la hará caer en unos cuantos segundos —comentó despreocupado el anciano. Antes de hundirse en una página del *Flos Sanctorum,* señaló hacia una pared del muladar, escribió algo en el aire vaporoso y ceniciento de la tarde y finalizó su discurso con el mismo tono que setenta años atrás usara en las clases de catecismo—. Un siglo de los hombres es un segundo de Dios.

VI, 7 / ROYAL PALACE. Escenas del renacimiento

Frente al edificio de tres plantas ocupado por el Royal, dos mujeres de belleza muy disminuida detenían a los parroquianos que pasaban por la acera. Una era rolliza, ya entrada en años, llamada Mamota Cajebola, y la otra espigada y esquelética, que tenía por nombre la Canquiña. Ambas eran incapaces de provocar el apetito carnal, por lo que sus esfuerzos por atrapar transeúntes eran infructuosos. Vieron que el violinista, con disimulo, se detuvo en el parque. Ellas le hicieron una seña para que aguardara; luego, tras mirar alrededor, cubrieron la retaguardia y le informaron que ya no había cristianos en la costa, que podía entrar sin cuidado al cabaré.

El violinista entró al salón escoltado por Mamota Cajebola y la Canquiña. Un vapor de horno ondeaba entre las paredes, sumado a la peste de rata podrida que se filtraba quién sabe por dónde. Se arregló la corbata y se sentó junto a una ventana. Ordenó una botella de ron, dos sodas de fresa y mucho hielo. Los cueros improvisaron abanicos de cartón para refrescarlo. Abanicaban en coreografía, armonizadas. Ambas se habían acostumbrado a obrar juntas desde la época de oro de la maipiolería de Fefa Calampín. Andaban juntas, comían juntas, iban juntas al baño. Incluso las dos se habían metido a evangélicas al mismo tiempo y al mismo tiempo habían abandonado el evangelio. Parecían un caso raro de siamesas. Solícitas, genuinas cortesanas reencarnadas, agitaban el cartón de manera que atrajera el aire y apartara la pestilencia. El joven las gratificó con veinte pesos. Los dos cueros sonrieron reticentes.

—Que nosotras lo que queremos es que un día nos vuelva a tocar el violín —comentó con picardía Mamota Cajebola o la Canquiña.

El violinista se llevó complacido las manos al pecho.

—Les voy a tocar la *Patética* de Tchaikovsky, queridas damiselas —prometió y se llevó el pulgar a los labios para jurar—. Pero mañana al atardecer. Ahora tengo que plantearle un negocio al patrón.

Cuando trajeron la bebida a la mesa, las mujeres se ofrecieron para prepararle un trago. Le hicieron el temible "Refajo" —alquimia elemental de hielo, refresco rojo y ron—, del cual no se ha investigado aún por qué golpea tan fuerte en el cerebro. Después de consumir el primer vaso, el joven volvió a sentarse, tranquilo, sin sentir nada raro.

Las demás mujeres que a esa hora se encontraban desocupadas en el burdel se arremolinaron en la mesa del violinista. Todas le tenían un cariño especial, desinteresado, casi parecido a la veneración, debido a que él las trataba con la debida decencia y era el único que realmente las sabía tocar. Changsán también se acercó para cobrarle el alquiler del cuarto. El joven pagó la semana y le pidió que se sentara un momento para platicarle algo sobre el Royal. Entendiendo que necesitaría una ayuda superior a la del ábaco, el chino convocó a Lù-shi. En frente de la concurrencia, el violinista contó la historia romántica del Royal Palace, conforme a los datos que reuniera en los días anteriores. Los cueros suspiraban al escuchar como el edificio brotaba de la niebla del tiempo, resplandeciente y perfumado, con sus damas encopetadas ataviadas de seda y brocados y sus galanes vestidos con chaquetas de lino y cuellos almidonados. Imaginaban soñolientas las leontinas de oro, las pamelas rosadas, los coches señoriales, los pañuelos bordados. Recrearon en su mente los carnavales de salón, el derroche de colores en forma de arco iris bajo las bombillas, la champaña chorreando diminutas estrellas hacia el techo, los valses que se llevaban entre sus suaves ondas los cuerpos danzantes. Reconstruyeron en la imaginación al Royal oloroso a nuevo, sus cordeles dorados y sus balcones límpidos, los mosaicos con sus flores frescas, no pisoteadas por el repetido pasar de cueros y borrachos. Al escuchar las viejas historias, las mujeres comprendieron, en su interior, que se encontraban en el sitio equivocado... o en el sitio correcto, sólo que con una distancia de setenta años.

—La estrategia es esta: lavarle la cara al Royal —repitió emocionado el violinista—. Guardar las apariencias, para que la gente deje de pensar que este palacio es inmoral y peligroso. Después se podrán hasta poner algunas reglas. Por eso propongo organizar un carnaval de salón, una mascarada en grande, como las de antes, con prensa y todo, para que el Royal renazca.

Changsán no mostró mucho entusiasmo, hasta que La Maura, que parecía conocer más del porvenir que del pasado, tras beberse un trago de un vaso ajeno, lo inquietó con las siguientes palabras:

—Ello habrá que hacer algo; si no, a este sitio le van a dar para abajo.

—¿Pero usted cree que la flor y nata va a querer venir aquí a una fiesta de carnaval? —preguntó con escepticismo y fantasía Delia, que era la más joven del grupo.

—Ni muertos vendrían —determinó el violinista—. Pero no importa, el asunto es que se haga una fiesta de altura, como en algunas discotecas, para mostrarle a la gente que este es un sitio sano de esparcimiento y solaz.

Los cueros estaban conmocionados por la idea del carnaval. Atropellándose con una cháchara desenfrenada, describieron los disfraces que pensaban exhibir. Nombraron trajes, fantasías y máscaras inverosímiles, con falta de sensatez y exceso de locura, conforme al buen espíritu carnavalesco. Lù-shi tradujo:

—Que en esa fiesta se gastaría mucho dinero, que habría que pintar y hacer algunos arreglos.

El violinista terminó otro vaso de Refajo. Las ideas le fluían con claridad, a la velocidad de la música. Consideró que ese trago embriagaba menos que el agua edulcorada. Changsán, al borde del colapso, sacaba infinitas cuentas en el ábaco. Las bolitas subían y bajaban por las cuerdas para acumular decenas, centenas, miles de pesos.

—Sólo falta un asunto por resolver —advirtió el violinista—. ¿Cómo haremos para que la gente venga disfrazada a la fiesta?

La Maura dijo: "Ello lo que hay que hacer es organizarla un domingo desde la tardecita, para que vengan con los mismos disfraces que usaron en el parque". Mónica destacó: "La gente vendría más fácil si viera la invitación en el periódico". Delia propuso: "Puede avisarse que se dará un premio a los mejores disfraces y que yo voy a bailar desnuda". Mamota Cajebola o la Canquiña opinó: "Si se le regala la primera botella de ron a todo el que llega y se anuncia que será rifada una mujer, aquí no cabrá un alma". Sumadas estas y otras propuestas semejantes, tuvieron la certeza de que la mascarada sería todo un acontecimiento.

Mientras los cueros hablaban libremente por sus bocas —palabras de aire que al aire van—, el patrón hacía las correspondientes conversiones monetarias en el ábaco. La última bolita cayó en la línea de las centenas. El chino escribió una cifra sobre la mesa y se dirigió a la reunión en cantonés.

—Que eso es demasiado dinero —tradujo su consorte, ante la expectación muda de los demás—. Que el carnaval no va.

Silencio. Cubeta de agua fría. Puñalada por la espalda, en la sombra. Los cueros permanecieron con la boca abierta, como acabadas de despertar. Bueno, no era nada, sólo sueño. Un simple caer de golpe más, esta vez desde las nubes. Ayer se marchó una tarde con sus gritos adolescentes. Roma llegó a ser muy grande y mira. Hay cosas que son demasiado para uno. A veces somos menores de edad para ciertas cosas. El sueño sólo existe un instante, la realidad es cruenta y del sueño no se vive... Una ráfaga de aire caliente, infestada por el tufo tibio de una rata podrida, resopló dentro del salón. El violinista, dispuesto a defender el renacimiento y la permanencia del burdel, releyó la cifra, se tomó un trago y determinó:

—Yo financiaré el proyecto. Si la fiesta deja buenos dividendos, usted me devuelve mi parte.

Ante un ofrecimiento tan afortunado, Changsán no se podía negar. Los cueros aplaudieron en medio de la algarabía. Restauradas en su espacio de sueño, contemplaron admiradas al héroe. Pensaban que, si se pudiera, fueran ellas quienes en concierto orgiástico le tocarían los violines a él. El violinista permaneció otro rato sacando cuentas. Tras finiquitar, sorbió un último trago y se puso de pie. Y he aquí que, de repente, sintió que sus ojos se apagaron, que las extremidades se le desconectaban y... ¡cataplum!, cayó como una guanábana. El Refajo lo descojonó.

LIBRO SÉPTIMO

EL ÁNGEL DE LA DESTRUCCIÓN

VII, 1 / CATEDRAL. La anunciación

El padre Cándido oraba ante la laminita del Beato, en acción de gracias porque se le había anunciado que en los próximos días el padre Ponciano, ahijado y muy querido suyo, se establecería por algunas semanas en la diócesis. El padre Ponciano era su obra capital, su ofrenda mayor al Señor, el testimonio más sólido de su apostolado. Prácticamente lo había recogido de la calle, ya que sus padres se ocupaban poco de cuidarlo. Bajo su tutela material y espiritual el muchacho se hizo monaguillo, sacristán y, cuando tuvo la edad de emprender estudios superiores, fue inscrito en el Seminario Menor, de donde lo remitieron después a Roma gracias a costosas diligencias. Allá fue ordenado sacerdote siete años atrás. Y esta mañana le había telefoneado para informarle —a título de confidencia— que la semana siguiente viajaría hasta la diócesis para realizar ciertas tareas de su apostolado.

Luego de culminar la comunicación con el Beato, guardó la laminita y se preparó para entregarse a las meditaciones espirituales. Miró con discreción a su alrededor, no fuera a ser que algún curioso lo estuviera observando. Tan a solas como san Pacomio en el desierto, sacose del bolsillo una tabla de chocolate, le partió un pedacito con la caja de dientes y dejó que su paladar se embadurnara con el inocente placer de la dulzura mundanal. En verdad, el chocolate le recordaba el proceso de la purga espiritual: al principio, el cacao es amarguísimo; luego, gracias al correcto labrar, alcanza el punto azucarado que lo hace exquisito. Asimismo el hombre, malo y amargo en su origen, puede alcanzar mediante la entrega a la oración la dulzura que lo hace predilecto en la mesa del Señor. Conviene que hagamos honda meditación con estas palabras del santo Archimandrita: "Si te aguijonea una pasión: amor por el dinero, envidia, odio y otras pasiones, vela sobre ti, ten un corazón de león, un corazón valiente, combate las pasiones, destrúyelas". En este punto, cabe recordar a Gregorio Theologo, para considerar que los pecados capitales son siete y no ocho, pues la vanagloria y la soberbia son fin y cabo de una sola pasión, y que cuando nos flagelamos...

—¡Padre Cándido!

El anciano levantó la cabeza sobresaltado. Su meditación había sido cortada por un pito seguido de una voz eléctrica que parecía venir del mismo infierno. Miró hacia la entrada y descubrió que se trataba del Indio, quien traía la boca pegada al megáfono.

—¡Arreglamos este aparato, padre! —anunciole por el micrófono del altoparlante—. ¡Óigalo! ¡Suena más duro que la sirena de los bomberos! ¡Tuuu!

El Indio se acercaba vociferando por el aparato. Su palabra rebotaba en las paredes grises del cuarto, amortiguaba en el piso, saltaba hasta el techo, retumbaba en los oídos del viejo clérigo. Su rostro se veía alumbrado por una felicidad mundanal.

—¡Apagad ese aparato del diablo! —le ordenó, furibundo, a riesgo de ser arrastrado por la ira, que es el cuarto pecado capital.

El intruso manipuló solícito el panel de control y apagó el megáfono. Sentía que los ojos del santo le ardían en el alma. Contrito, suplicó, tras hacer una genuflexión:

—Perdone, padre. Como lo vi sentado ahí, pensando, creí que no estaba haciendo nada.

—¿Nada? ¿Y desde cuando pensar es hacer nada? ¿No os han enseñado que al que está pensando se le deja en paz?

¿Cómo puede ganarse la tierra o el cielo si no es con el arma del pensamiento? ¡Vosotros, adoradores del pecado, acostumbrados al estertor de la brutalidad y a la música licenciosa, os sentís atónitos ante el silencio, el recogimiento que desarma, porque el infierno es ruido, ruido y más ruido!

El Indio bajó la cabeza, atemorizado.

—No se descomponga así por mi culpa, padre, que usted es un santo. Lo que pasa es que yo mandé a arreglar este aparato, usando mi propio peculio... —al hacer esta referencia al megáfono, vio que el semblante del santo se tornaba más rojo, así que prefirió obviarla—. Yo sólo soy un animalito del Señor, una bestia que necesita aprender. Usted lo sabe, porque fue quien bajó mi alma del limbo de la perdición.

El padre Cándido apenas lo escuchaba, ensordecido por las llamas de la furia. Quizá pensaba que en ocasiones sería mejor dejar que ciertos pecadores siguieran el vasto camino de la ruina, que se perdieran lejos de la santidad, muy lejos, para que dejaran en paz a los hombres de buena voluntad. En este orden, a lo mejor convendría iniciar una meditación sobre por qué Nuestro Señor jamás intentó traer a Satanás hacia el buen rebaño. Quién sabe si en los caminos de Dios, siempre tan misteriosos, está estipulado que ciertos pecadores se mantengan alejados de la grey. A lo mejor por eso se ha decretado que el diablo —quien por ser la más abominable de las ovejas debería ser la más amada— sea la criatura que se debe odiar con saña, el No-prójimo, el único límite del amor de Dios. En este punto de la meditación, el anciano se sintió inquieto.

—Id, arrodillaos a rezar siete veces siete padrenuestros ante el altar, once veces la oración al Beato, y no pequéis más —prescribió. Antes de verlo salir, hizo una última encomienda—. Todo en silencio.

Una vez a solas, vagó en la silla de ruedas por el cuarto. Un profundo y discreto malestar lo embargaba. La mortificación le impedía retomar el vuelo espiritual para ir tras la búsqueda del arrobamiento. Sucede que a veces el demonio se mete en la cabeza y piensa por uno. Eso fue lo que a Orígenes le pasó. Atribulado, abrió la Biblia en cualquier página, como instruyera setenta años atrás en las clases de catecismo, y sus ojos se internaron en un versículo. Jeremías 50, 25. Tras una leve reflexión, recordó que estaba hecho a imagen y semejanza del Señor, y su corazón fue inflado por cierto sentimiento de complicidad.

Recuperado el estado de gracia, mordió una borona de chocolate y se desplazó en la silla de ruedas hacia el cristal de la ventana. El sol apuntaba su potente bombilla sobre la ciudad. Una lluvia tibia, como pasada por baño de María, empezó a repicar sobre las cosas. Gozoso ante aquel detalle de la Creación, el padre abrió de par en par la ventana. El viento arrojó sobre él un suave chubasco de aquella agua bendita. La gente del siglo, ante tales espectáculos naturales, suele exclamar que llueve con el sol afuera porque "se está casando una bruja", con cortedad de espíritu, por no saber que en tales momentos la Mano Creadora juega a mezclar el agua y la luz, que fueron los ingredientes con que se dio principio a la Creación. "En verdad —rememoró, de la carta segunda de san Antonio del Desierto—, está próximo el tiempo en que aparezcan a plena luz las obras de cada uno". Empezaba a elevarse a partir de la economía de estas palabras, cuando un golpe de la puerta lo arrojó fuera de sus cavilaciones.

—¡Ave María Purísima! —exclamó una monja, al descubrir que el padre estaba apostado en la ventana abierta, empapado por la lluvia—. ¡Le va a dar una pulmonía!

Se precipitó hacia el sacerdote sollozando con amargura. Sin darle tiempo a proferir ni una sola palabra, cerró la ventana y apartó la silla de ruedas. El anciano estaba sorprendido. La mujer tomó un paño de cualquier parte y le secó la cabeza. Sobre la tela blanca quedó grabada una mancha, indescriptible, de una abstracción que sugería lo demoníaco. Le quitó de las manos el libro empapado de agua y, sin lograr detener los sollozos, procedió a desabotonarle la camisa. Ante tal desvalijamiento, el anciano trató de espantarla con las manos y de proferir algún vade retro. Pero cuando separó los labios, su garganta quedó varada en la primera vocal, que casualmente era una a, y abriendo la boca de forma desmesurada, se deshizo en un fuerte estornudo.

VII, 2 / CIUDAD INTRAMUROS. Ni el tiempo puede borrarte

El inspector se pasó la mañana dirigiendo una cruzada contra los hoteles, restaurantes y cantinas de baja ralea. Asediado por la inclemencia del calor, flanqueado por los dos policías, visitaba aquellos locales que violaban las leyes de sanidad. En la mayoría de los casos acordaba no clausurarlos, siempre que los dueños dieran testimonio de que los repararían y lograran probar su buena fe con un jugoso soborno. En realidad, no se trataba de un operativo especial, sino de esa campaña de macuteo que cada cierto tiempo la oficina sanitaria realizaba.

Pero obraría con precipitación y liviandad quien pensare que el inspector era un sobornador inescrupuloso. Este funcionario tenía un sentido del límite. Para ilustrar, diose el caso de un pequeño lupanar levantado en las afueras de la ciudad, llamado "Hotel Flor de Palma", donde el servicio sexual era facilitado por negras robustas. Por más que el chulo que administraba el muladar intentaba, no lograba sobornar al inspector. Le ofrecía dinero, semanas de consumo gratuito, una muchacha virgen que guardaban sin estrenar; pero el funcionario se abanicaba con el formulario, desinteresado, incluso medio ofendido por aquel chantaje. No hay hombre más insobornable que un sobornador que se niega a ser sobornado. Le pasó el cartel a los policías, quienes, estupefactos, sacaron clavo y martillo y penetraron al humilde burdel.

Nadie sabía que la actitud del inspector había sido provocada por una mulata que peló con desvergüenza una naranja e, imitando a Eva cuando ofrece a Adán la manzana en las representaciones del paraíso, partió el fruto en dos y le ofreció a él la parte más grande. "¿Quieres darle lengua a la mitad de esta china?", intentó seducir la mujer, semejante a la serpiente. El hombre contempló la mano negra, sobre la cual se balanceaba, amarillenta y jugosa, la media naranja. Y de su concavidad almibarada brotó la imagen de Lù-shi.

Se tuvo que sentar a la sombra de un árbol para no ser embestido por el recuerdo. Recogió el control remoto de la videocasetera de la memoria. *Play*. Desde unos días para acá, la escena de Lù-shi había sido retocada, mezclada con otras posibilidades. Ahora la mujer se abrazaba a sus hombros. *Pause*. El *close-up* revelaba un rostro de ojos tristes, que le susurraba "¡sálvame!, ¡sálvame!", bajo la vibración de truenos y relámpagos lejanos, devastadoramente humano, como en las películas de David Lynch. *Play*. Cámara lenta. Hay el detalle de la mano de la mujer recorriéndole la nuca, un poco más adelante... ¡ahí! *Stop*. Uno de los policías se metió bajo la sombra calurosa del árbol e interrumpió la imagen; "el estúpido que siempre pasa frente al televisor o que nos tapa la visión en el cine para ir al baño, justo en el momento que proyectan nuestra toma predilecta", rumió el inspector. El sargento, subiéndose y bajándose mecánicamente la bragueta, guiñó y dijo: "Está pensando, ¿eh?" ¡Vaya!, el pariguayo inoportuno que descubre la fórmula del agua tibia o América; como si hubiera forma de estar callados sin pensar. "Inspector, estas son gentes buenas y tenemos que darles un chance", sugirió, mejor dicho, determinó el policía con una falsa sonrisa, a la vez que le devolvía el cartel. El funcionario encogió desganado los hombros. Cuando se apartaba del árbol, el sargento, que se manoseaba aún la bragueta y se limpiaba los dientes con un palillo, reconoció: "La muchachita era virgen, sí".

Como en esas salas de cine que repiten sin fin la misma película, en su memoria la escena de Lù-shi se sucedía infinita. Todavía al atardecer, cuando llegó a su casa solitaria y recién comida por las sombras del crepúsculo, la imagen de la indefensa mujer reinaba en su reminiscencia. Se veía natural, tan humana, como si no supiera actuar.

Entró al baño para darse una ducha. Tenía el cuerpo embadurnado por tres capas de sudor, cristalizadas las primeras dos. Cuando le dio vuelta a la llave, de la cañería escapó un estertor seco, de serpiente, que le hizo "haaa", y no salió ni una gota de agua. En fin, son las costumbres. No se sabe por qué en ciudades como esta la gente conserva la inútil manía de abrir la llave antes de bañarse. Condenado a las limitaciones, tomó un jarro y se agachó para coger agua del cubo. "¡La semilla!", maldijo contrariado. El cubo estaba vacío. Había olvidado ir temprano a llenarlo de la cisterna de la vecina. "¡Requetesemilla!"

Cubierto ahora por una cuarta capa de sudor, se volvió a poner la ropa. El residuo de una vieja canción lo asaltó frente al espejo. *¿Acaso piensas tú en mí igual que yo en ti sueño?* Con sumo cuidado se untó la crema para blanquear el cutis. Después de todo no se veía tan mal, pensó, mientras contenía la respiración para aplanarse la barriguita y se sacaba los destemplados músculos del tórax. El único problemita seguía siendo la carencia de cabello: esta odiosa calva que dejaba el cuero cabelludo al descubierto. Claro, debido a que era un experto en ocultársela, nadie se daba cuenta de la carencia de pelo, pensó, a la vez que se pasaba el peine. Desde la sien derecha hasta casi la oreja izquierda, no tenía un solo pelo; mas casi desde dicha oreja brotaba una melena de cabello bueno, esmeradamente cuidada, que él utilizaba para tapar la calva, tras lo cual se la lambía con saliva y se la planchaba con vaselina. Mientras obraba de esta manera, se entretuvo rememorando su caprichosa teoría del peine y la peineta. Según esta teoría —basada en el hecho de que para sus compueblanos peine era lo que decía la Academia, mientras que peineta era una especie de horquilla idónea para peinarse el afro o tocar la güira—, los hombres se dividen en dos: los que se peinan con peine y los que se peinan con peineta. Los que se peinan con peine es porque tienen el pelo bueno, y si lo tienen bueno, es porque sus padres lo tuvieron bueno, los cuales lo heredaron de sus abuelos, y estos de sus abuelos, y así hasta llegar a un ancestro de pura raza española, misma que trajo a la isla el pelo bueno. Al descender de europeos de noble estirpe, los hombres que se peinan con peine poseen una sangre noble. En cambio, los que se peinan con peineta es porque tienen el pelo malo, y si lo tienen malo, es porque sus padres lo tuvieron malo, los cuales lo heredaron de sus abuelos, y estos de sus abuelos, y así, hasta llegar a un ancestro de raza africana, misma que trajo a la isla el pelo malo. Al descender, pues, de africanos de salvaje estirpe, los hombres que se peinan con peineta poseen una sangre salvaje, innoble, propia de negros incivilizados.

Al terminar de acicalarse el pelo, se guardó orgulloso el peine. En seguida contempló su obra. Se veía bien, hasta estaba bueno, consideró, mientras proyectaba en el espejo la reminiscencia de Lù-shi.

Encendió el televisor, el material, para darse un golpe de Estado en el recuerdo. No hay amargura que se resista a una tanda de *El bolero de Raquel*. Cantinflas haciendo de las suyas en Chapultepec, burlándose de los policías, chapoteando en las aguas de Acapulco. Empero, a mitad de la película, el inspector descubrió mortificado que no se había reído una sola vez y que el otro filme —el de la chica que parecía ir a la deriva en una balsa sobre el mar—, era interrumpido por el televisor material.

—¡Fua!... el apagón —anunció una voz perdida entre la lejanía y el golpe repentino de la obscuridad.

La casa se llenó de sombras. Hay que advertir a los

asiduos consultores de diccionarios que el verdadero apagón no es "extinción pasajera y accidental del alumbramiento eléctrico", sino "extinción constante y perversa de la maldita luz". Dando tumbos, el hombre encontró los fósforos, luego la vela. No la encendió de una vez, solamente se quedó mirando el televisor. La imagen lo tenía jodido, invadido por todos los flancos. Sin dudas el hombre dará un gran paso moral el día que descubra una manera automática de borrarse los sucesos de la memoria. *Play. Rewind. Close-up.* Cámara lenta. Superlento. *Pause.* Cuando encendió la vela eran las doce de la noche. El calor aumentaba con el zumbido de los mosquitos que, ayudados por el silencio sepulcral del barrio, usurpaban el espacio que en otro tiempo correspondería a los grillos o a las hojas de los árboles arrastradas por el viento. Desesperado por la sofocación y el recuerdo, se sentó a escribir una carta.

Doctora Corazón:
    Soy un asiduo lector de su columna. El problema es el que sigue. Hace unas semanas yo estaba en cierto lugar, que se llenó de ratas. Una mujer de nacionalidad china, que estaba a mi lado, se subió a la mesa en que yo estaba y se puso a patalear asustada e indefensa. El asunto no pasó de ahí. Pero desde ese día, no sé por qué, donde quiera que me encuentro, ese recuerdo me sale. Me sale en la calle, en los formularios, en la madrugada calurosa, en los boleros, en el fondo de un vaso de cerveza... ¡Creo que voy a ponerme loco! Dígame, Doctora, qué recomienda para que se me borre este recuerdo de la memoria.

    El Desesperado

VII, 3 / ROYAL PALACE. *El Cuarto Poder*

    Los vapores calurosos y pestilentes fluctuaban por los salones y pasillos del burdel. Desde los rincones más inaccesibles, las ratas envenenadas soplaban su tufo nauseabundo, su genuino aroma de la muerte. Porque estos roedores son maestros en el arte de guardar sus cadáveres. No se mueren en medio de salones, en plena vía pública, como la gente, más bien se ocultan en pasajes escabrosos para esparcir en secreto la vaharada. Por lo cual el célebre naturalista Darwin afirmaba que no se sabe cuándo es más perniciosa una rata, si cuando está viva o cuando está muerta.

Para empeorar el ambiente, esta tarde, tras las campanadas del ángelus, los salones del Royal se llenaron con un zumbido sordo. Se trató de un susurro lejano, sostenido, que subía de volumen afinadamente, in crescendo. Primero era semejante a una llovizna en la duermevela; luego, al acelerar, parecía un salvaje aleteo de langostas. Finalmente, al ver a sus intérpretes merodear por el salón, todos comprendieron que se trataba de una miríada de moscas que venían atraídas por la peste de las ratas. De entrada, atiborraron el aire al tejer un velo negruzco por los pasillos y salones, sin molestar más de lo debido, en formación militar, muy civilizadas, en vuelo de reconocimiento, sobrevolando sin rozar sobre narices y orejas. Aunque fueron atacadas por una armada de periódicos doblados y matamoscas, no se rebelaron. Se replegaron hacia las paredes y los techos, dejando algunas bajas en la retirada. Así irrumpió en el burdel la segunda de las pestes, que fue de moscas fastidiosas.

La irrupción de las moscas coincidió con la llegada del periodista. Rechoncho, de mediana estatura, ataviado con una guayabera y sombrerito de chivato, el hombre fue recibido por la alquimia de vapores que flotaba en el burdel. Tan pronto se detuvo en el umbral, descubrió el cadáver tendido en el centro del salón principal. Los cueros que se abanicaban alrededor del violinista, lánguidos por el mal tiempo, apenas voltearon el rostro para ver al recién llegado. El periodista se quitó el sombrerito sin solemnidad y con sus alas arrugadas se cubrió la nariz.

—No le tenga asco a la muerte, hombre, porque al fin se le harán más difíciles las cosas —articuló con sonrisa macabra el violinista.

En ese momento La Maura voló hasta el centro del salón, tomó la rata muerta con la mano y la tiró para la calle. Cuando retornaba a la mesa, descubrió que el recién llegado era de edad madura. Lo escoltó aleteando los brazos, comiéndoselo con la mirada, deseosa de volárselo.

—¿Cómo se puede estar en esta pestilencia? —quejose el periodista, a la vez que se echaba fresco con el sombrerito.

—Quédese un rato y verá cómo —comentó el violinista, mientras sacaba caballeroso una silla para que se sentara—. El olfato que se acostumbra al fino perfume, también termina por adaptarse a la fetidez. La naturaleza es así de generosa.

La Maura se sentó al lado del periodista y alargó el brazo por el espaldar de la silla, a manera de abrazo. Sintió la respiración caliente, calculada, de la mujer. Movió su silla a un lado; notó que la silla que ocupaba La Maura se movió al mismo tiempo. Ella le contemplaba con deshonesto deleite las canas incipientes, la piel arrugada, las mejillas que comenzaban a tirar hacia abajo por el peso de los años.

—Si los inspectores de Sanidad pasan por aquí... —advirtió, con la sola intención de joder a la mujer que tenía al lado.

—¿Qué deseas tomar?

—Nosotros bebemos lo que sea —respondió con solicitud, así mismo: "nosotros bebemos...", porque era de los del número que, por un extraño concepto de la modestia o por inseguridad, siempre hablan con la primera persona del plural.

El violinista, con una zurrapa de reticencia, le pidió a Mamota Cajebola y la Canquiña que prepararan un trago para el recién llegado.

—Vamos a prepararle un "Submarino" —propusieron ambas.

Los dos hombres procedieron a tratar el asunto convenido. El tema de la agenda era el siguiente. El periodista sacaría en su periódico, que era de circulación semanal, una nota de prensa para invitar a la fiesta de carnaval que se celebraría en el Royal. No hubo mucho que considerar, sobre todo porque el violinista tuvo la delicadeza de, al inicio de la conversación, entregarle un sobre con setecientos pesos. Era suficiente dinero para comprar maíz. Así que el visitante, para esperar el trago, se puso a esbozar la nota con la ayuda de los demás. Hicieron una pausa para ver a la Patria, que se había detenido junto a la mesa. Esperaron hasta que se embicara un trago de una chata de ron, se guardara la botella en el bolsillo trasero y saliera a la calle. Después se concentraron en la nota.

Mamota Cajebola y la Canquiña regresaron de la barra con una bandeja. Distribuyeron los ingredientes por la mesa, ordenadamente, como se hace en los laboratorios de química. Acto seguido vaciaron una botella de cerveza hasta la mitad y la volvieron a llenar con ron dorado. Se la entregaron al invitado.

—¡No hay mujeres feas, sino poco ron! —exclamó animado el hombre, mirando de reojo a La Maura, y tomó un vaso vacío.

—Ello tiene que bebérselo a pico de botella, para que funcione —advirtió Mamota Cajebola o la Canquiña.

El periodista levantó la botella y sorbió un largo trago. Sintió que, garganta abajo, el líquido tibio formó un chorro luminoso que ascendió volcánico por su espina dorsal y arrancó chispas al chocar con la corteza del cerebro. Aquel trago le produjo un efecto de mansedumbre.

—Esta es una buena bebida, porque cae suave —juzgó y apuró otro sorbo. De inmediato adquirió un gesto intelectualoide—. Hace un tiempo nosotros escribimos en el semanario un artículo, en el que hacíamos una escala con las bebidas principales a partir del hecho de que cada una produce actitudes diferentes en el hombre. En el primer escalón pusimos el vino. Cuando la gente bebe vino, ¿qué le pasa?, se pone juiciosa, pensativa, calmada; el vino es una bebida noble, por eso los dioses del Olimpo lo escanciaban en sus pingües banquetes. Después le seguía el whisky, el cual provoca alegría mesurada; los europeos, que son de raza civilizada, lo consumen bastante. Más abajo caía la cerveza, bebida que te da una felicidad efímera y soñolienta. En el último escalafón, muy abajo, colocamos el ron, nuestro licor nacional, que es bebida de bárbaros. Fíjense que cuando una persona se embriaga de ron, más que alegría se le mete un calentón, una urgencia nómada de desplazarse, ansias de engañar la amargura, ya sea bailando o haciendo escándalo, y muchas veces un deseo de pelear. Terminábamos el artículo diciendo: "Dime qué bebes y te diré qué clase de hombre eres".

Tan pronto coronó su discurso, una mosca se le enredó en la oreja. Al voltear el rostro para espantarla, vio el celaje de una mano seca, de ave de rapiña, que rápidamente se asió a la botella, la levantó de la mesa y la volvió a colocar en su puesto. Observó a La Maura, quien con el pico untado de espuma miraba al techo disimuladamente.

—¿Y en qué escalón pondrías el Submarino? —inquirió divertido el violinista.

El hombre de la prensa se echó un trago. Lo paladeó juicioso, a la manera de un fino catador. Hizo un gesto de aprobación.

—Estamos en presencia de una mezcla sencilla, discreto aroma, textura espumosa e indefinido sabor, que produce lúcida paz —enjuició con profesionalidad. Sorbió otro trago y dio su calificación—. Al ser una bebida tan noble y ligera, nosotros le daríamos dos y medio, justo debajo del whisky.

Mostró su rostro benigno a las dos mujeres. Mamota Cajebola y la Canquiña sonrieron orgullosas mientras pensaban divertidas *te veré caer*. El periodista sacó una hoja de papel y procedió a escribir la nota de prensa. En una levantó el lapicero, pensativo. Su mirada se encontró con la imagen de La Maura, sus ojillos perdidos en el fondo de los pómulos, los labios que evocaban un pico de ave y sus brazos velludos, casi emplumados. Recordó que, al llegar, la había visto tomar con la mano una rata podrida. Tuvo que voltear el rostro, vencido por la náusea. Terminó de preparar la nota. Acordó además que, por mil pesos, publicaría una crónica sobre la fiesta de carnaval. Una vez terminados los negocios recogió el sombrerito. No notaba que desde hacía rato había olvidado el mal olor. Se despidió y dio tres pasos en busca de la salida. El día se le volvió repentinamente gris. "¿Qué hora es?", preguntó sorprendido por la fugacidad del tiempo. "Las dos de la tarde", respondió cualquiera, "hace un sol del diablazo".

En ese instante se sintió el cuerpo pesado, en cámara lenta, como si el mundo se hubiese inundado de agua. Recordó que tenía que comprar libra y media de maíz. Cuando avanzaba a la deriva, escuchó una voz o un canto de ave que gorjeaba: "¡El que vuela conmigo pita o bota el fondo!" En seguida una mano de mujer o garra de pájaro lo agarró por el hombro y se elevó con él, presa sin escapatoria, escaleras arriba. El ave rapaz lo dejó caer sobre un camastro. Y vio que La Maura, semejante al ave fantástica de una visión, se le subió encima, desplegó unas alas enormes y se lo llevó en vuelo vertiginoso por el cielo.

VII, 4 / CIUDAD INTRAMUROS. A veces llegan cartas

Mi querido "Desesperado":
Gracias por ser asiduo lector de esta columna. Por el furor con que escribe su carta, se advierte que usted está en los escalones de la adolescencia, que es la mejor edad para tolerar los embates de la pasión. Me pide consejo para apartar de su lado

ese recuerdo que lo asedia. Yo, por el contrario, lo aleccionaría para que se trate de empatar con dicho recuerdo. Piense que el amor, si se le sabe extirpar la parte amarga, puede ser una fruta muy dulce. Piense además que una de las fantasías de muchos hombres, por estos lares, es conquistar a una china, las cuales por su figura exótica han hecho soñar a más de uno. Amigo mío, usted está enfermo de amores y de esta enfermedad no lo salva ni el médico chino. Así que le aconsejo que se deje llevar y que aproveche esa china jugosa que el destino le ha puesto, pelada y todo, entre las manos.

La Doctora Corazón

VII, 5 / CATEDRAL. El ángel de la destrucción

El padre Cándido fue colocado frente a la ventana para que recibiera su baño de sol matutino. Lo habían despachado de la clínica el día anterior, donde durara casi una semana interno debido a diversas afecciones. Lo habían llevado al médico aquejado de una simple fiebre. Tras diversos análisis se encontró que el anciano tenía varios quebrantos, que empezaban por astigmatismo y seguían cuerpo abajo: deficiencias pulmonares, dolencias renales, inflamación de la próstata y, para no hacer más largo el cuadro clínico, desembocaba en un inicio de reumatismo. Así que el anciano, quien hasta el momento de la gripe lucía más fuerte que un trinquete, vio desmoronar su salud de forma abrupta. Ahora sí reflejaba los noventa y dos años que tenía. Su pelo se había tornado completamente cano de la noche a la mañana, el promontorio de la nariz empalideció, las manos se le volvieron temblorosas, el rostro se le hizo mustio, la expresión de los ojos se le puso furibunda, los hombros se le encorvaron un poco, presionados por la carga de cosas vetustas que trae la vejez.

Empero su alma seguía igual de robusta. Su atletismo

espiritual se había desarrollado hasta el punto de que podía meditar un día entero, sin descanso. Comía poco, ayunaba con frecuencia y si probaba bocado era para no oír la cantaleta de la monja que velaba por su salud. A veces empezaba un ejercicio espiritual a las seis de la mañana y ni lo suspendía cuando lo recostaban en la cama; en tales casos, lo que hacía era continuar en silencio, haciéndose el dormido. Gracias a una recomendación del médico, quien había hablado por orden de los ángeles del Señor, le aderezaban una cama dura, la cual le servía de poco ya que el anciano —para confundir al enemigo— sólo cerraba los ojos. No dormía más de tres horas por día. Porque se afirma que esta propiedad tiene el demonio, que siempre vela para perder poco a poco a los que no velan. Eso último refiérelo Severo Sulpicio.

Las horas que no pasaba meditando, las ocupaba en la lectura de obras religiosas y vidas de santos. Tan en buena forma espiritual se encontraba que, dos noches atrás, luego de concluir el libro tercero de los *Diálogos* de san Gregorio, salió de su arrobo para retar al diablo. Su estratagema era que, al enfrentarlo, el Enemigo Malo perdiera tiempo de tentar a otras almas cristianas de fortaleza menor. Pero el demonio, que suele convertirse en un chivito harto de jobo frente a la embestida de la oración, acobardose y no había tenido el valor de visitarlo.

—Tiene visita —anunció desde la puerta sor Esperanza.

El anciano se estremeció. Aquella voz lo había hecho resbalar del escalón diecinueve de *La escala espiritual* de san Juan Clímaco. Con el alma abollada, alzó la voz y preguntó despreciativo:

—¿Quién?

—El padre Ponciano.

La monja se apartó del vano. En su lugar apareció un clérigo. Su mirada denunciaba un carácter presto a la severidad.

—Pax —saludó imperativamente, aunque con una

expresión benigna.

El anciano bajó humilde la cabeza y, regocijado por los quinientos días de gracia que este saludo le permitiría ganar, respondió:

—In aeternum.

Acto seguido el visitante cerró la puerta y el tono de la escena mudó de forma radical, a juzgar por el movimiento que a continuación se pone. El padre Ponciano cayó de rodillas en el piso, como si le hubieran descargado un garrote o un rayo, y dijo con sumisión: "Bendición padrino", y el padre Cándido, haciendo una cruz en el aire, replicó con señoría: "Dios te bendiga". Después se dieron la mano y conversaron largo rato con familiaridad. En realidad, quien más hablaba era el anciano, mientras el ahijado se limitaba a hacer vagos comentarios sobre su pasada estadía en Europa, a reseñar sus últimos meses en la capital o a quejarse del calor que se paseaba inclemente por esos días previos a la cuaresma.

—¿Cómo sigue la salud, padrino?

—Más íntegra que nunca, las gracias a Dios sean dadas —afirmó, en referencia a la salud espiritual. Y a continuación hizo una revelación interesada—. Estoy batallando fuerte en el bando de la santidad.

—Pero si usted es un santo varón —expresó el padre Ponciano.

—¿Perseveraríais en esa opinión aun después de mi muerte? —inquirió el anciano con recatada ansiedad.

—Lo que es en vida, equivale en la muerte —contestó escasamente.

El anciano sonrió, al parecer, despistado.

—¿Y dónde os estáis quedando?

—En una casa —mencionó.

—¿Y qué habéis venido a hacer en esta diócesis?

—Una misión apostólica —respondió. Cuando su padrino trató de indagar sobre dicha encomienda, lo evadió con decorosa frialdad—. Una misión apostólica.

El padre Cándido no quedó conforme con esta respuesta. Sin embargo, prefirió soslayar el asunto de momento. Estaba emocionado por la presencia de su ahijado. Lo tenía enfrente, investido con la aurora de la castidad, provisto de la autoridad del cielo para pastorear los rebaños del Señor. Quién le hubiera dicho que ese niño devorado por los parásitos, ese enclenque abatido por la alferecía y el muermo, ese adefesio moldeado por las torpes manos de la miseria terminaría elevado a la máxima potencia humana mediante el sacramento del sacerdocio. El anciano suspiró con serenidad mientras lo contemplaba. No era para menos su complacencia: en aquella criatura que estaba allí de pie, levantada para gloria de la eternidad, había ejercitado doce de las catorce obras espirituales y corporales de misericordia. Y toda esta virtud heroica debía valer algo.

LIBRO OCTAVO

LOS JUEGOS FLORALES

VIII, 1 / CIUDAD INTRAMUROS. La rosa hecha crecer en el poema

El último de los clientes ordenó dos fotocopias de algún documento sin importancia y se retiró del local. Tras confirmar que no había moros en la costa, o sea, escritorzuelos que se la pasan espiando los textos de los demás para hacer los suyos a semejanza, vampiros síquicos adiestrados para saquear la invención ajena, versificadores de poca monta que no pueden garabatear una sola página sin antes mirar la escritura del otro, el preclaro bardo Edoy Montenégodo, seudónimo de Rafael Collado, alias el Poeta de la Carpeta Amarilla, salió de uno de los rincones y se apoyó en el mostrador.

—Yo quiero que me le haga unas copias a la buena poesía, si tal osadía es posible —pidió, tranquilo, y abrió la carpeta amarilla.

La encargada de sacar las fotocopias lo miró fastidiada. Recién había desconectado la máquina, puesto que su horario de trabajo acababa de cumplirse. Se quedó en Babia, de perro humor.

—¿No puedes volver mañana? —preguntole, con cortesía burocrática.

—¡Imposible! Esta misma noche se vence el plazo para participar en el concurso literario del carnaval —declaró y, mientras le pasaba el manojo de papeles, hizo un guiño—. Estos son los poemas que van a ganar.

La mujer sonrió con sonrisa de hielo. Se agachó cansadamente y volvió a encender la maldita fotocopiadora. Hay clientes que tienen esta propiedad, que se aparecen a dar lata justo a la hora de cerrar.

—¿Cuántas copias de cada hoja?

—¡Cuatro! —respondió ansioso el poeta, sin advertir el malhumor de la encargada—. Dígame algo, ¿qué se siente tener en las manos lo más decantado de la poesía nacional? ¿Verdad que es un privilegio único?

La mujer metió la primera hoja en la máquina y pulsó el botón, sin decir ni pío. Las hojeó, desganada, para confirmar que eran sesenta páginas. Nunca había tenido tanto deseo de que viniera un apagón. El panel iba y venía con rusticidad musical, incesante, caliente y luminoso, en medio del atardecer sofocante que replegaba sus vapores en aquel estrecho salón. A Edoy Montenégodo pareciole que la fémina estaba algo tensa. Decidió entrar en conversación para hacerle menos tediosa la tarea. Le miró el abdomen abultado y calculó que tendría unos tres o cuatro meses de embarazo.

—¿Quieres que sea niño o niña? O sea, musa o poeta... —comentó con frescura de tono. La mujer no respondió. Entonces él aderezó el comentario—. El papá debe estar loco por esa barriga tan hermosa.

La mujer respiró corto pero hondo. Tuvo aún la rabia suficiente para no decirle ni púdrete. No estaba embarazada. Era jamona. En la menopausia. Y virgen, para más joderse. Eso sí, le tiró una mirada fugaz y dura, de dos piedras, de esas que serían capaces de tumbar cocos.

—¡Maldita vaina! —exclamó con doble sentido cuando el papel de la máquina se acabó.

Se dobló bajo el mostrador y sacó una resma. Resollando, tomó un paquete de papel, lo hojeó como si fuera un manojo de barajas y lo dejó caer en la bandeja de la máquina. El poeta pensó que era el momento de aliviarle la vida con el recurso del poema. Rebuscó en la carpeta los versos adecuados y, tomando a la mujer por sorpresa, le llenó el estrecho espacio de infinita poesía. Ella escuchaba en silencio aquella voz fervorosa entre el calor de la tarde y el rumor de la fotocopiadora. Sus oídos fueron visitados por citas de los griegos y términos como ser, no ser, nada, otredad, agua, luz, muerte, sangre y otros vocablos de similar especie que conforman el diccionario de cabecera de los poetas de cierta generación. El aeda, emocionado, armado con la palabra, se sobreponía a los embates del calor de febrero. La mujer se acercó lentamente al mostrador.

—Son ciento veintiún pesos con cincuenta centavos —informó a secas, y dejó caer el pesado manojo de fotocopias sobre el mostrador.

El poeta cerró la boca con dramatismo, como hacen los cantantes de ópera al terminar una interpretación. Desazonado se llevó las manos al bolsillo y sacó una manilla de pesos estrujados. La mujer los contó, meticulosa, y los cerró con llave en un cajón.

—Has salido gananciosa: dinero y buena poesía.

La mujer esperó a que alcanzara la salida y le dijo desabridamente, pletórica de sinceridad y de venganza:

—Me gustan más los poemas sentimentales del Indio Duarte.

El aeda Edoy Montenégodo cruzó apresurado la explanada del parque. Levantó a su paso bandadas de palomas. Llegó a la biblioteca media hora antes de cerrar. Entregó los poemas para el certamen y esperó por el recibo. Mientras aguardaba, arregló la ventura que se topara con el historiador municipal. Este encuentro no dejaba de ser interesante, porque dicho erudito era director vitalicio de la biblioteca y presidente del jurado. Al verlo con el recibo, el distinguido munícipe ensalzolo en este tenor: "¡Albricias! O sea que este año participará el nec plus ultram de las letras provinciales", y el poeta, en un elevado gesto de humildad, inclinó la cabeza. Él no necesitaba del favor del jurado para llevarse la flor de oro en aquellas justas poéticas. Pero una manita de los dioses nunca está de más.

VIII, 2 / ROYAL PALACE. La primera desaparición

Changsán lo vio detenerse en la puerta y le hizo una señal desde el mostrador para que entrara. Ansioso, con tres gallinas vivas agarradas por las patas, lo condujo hasta el almacén. El visitante se abrió paso entre los vapores pestilentes y el manto tupido de las moscas y, tras apartar una cortina de cuentas de vidrio, emitió una especie de gruñido. Entre las columnas huecas de cajas vacías, los dos se saludaron con desconfianza. El visitante era de complexión peculiar, una de esas criaturas difíciles de describir pero que, vistas al menos una vez, son imposibles de olvidar. Se trataba de un ser metido en un cuerpo y en un rostro que no le cuadraban, mal tallados o ridículos, a mil luces perverso, quizá un poco fantasioso o anormal, que recibía el apelativo de Chupacabra.

El Chupacabra se levantó el sombrero y sacó de su copa hojas secas, barbitúricos, bolsas de polvo, nuez moscada, hongos, jeringas, ampolletas y otras mercancías necesarias para que sus clientes se reinventaran la existencia. Receloso, distribuyó las sustancias sobre una mesita. En un movimiento dejó relucir bajo la camisa —supuestamente sin intención— la cacha dorada de un revólver.

Changsán contempló boquiabierto la exhibición de mercancía. Cada sustancia le traía a la mente imágenes de antiguas notas y sicodélicos pases. Todo lo palpó encantado, con las manos temblorosas, de la misma manera que haría cualquier hombre si en algún momento le permitieran tocar los objetos del paraíso. Cuando preguntaba por el precio o la naturaleza de alguna droga, el Chupacabra le respondía con un gruñido. El chino se decidió por cinco ampolletas y unas flores de opio. El vendedor le regaló unos cubitos de azúcar —cortesía de la casa— para que los probara. Recibió el pago en dinero y gallinas vivas, conforme a su costumbre mercantil. Se puso el sombrero y se retiró con un bufido. Changsán recordó que no había visto al tíguere recoger la mercancía antes de salir; mas no se lo advirtió. Cuando lo vio desaparecer tras la cortina de cuentas de vidrio, se abalanzó sobre la mesita. Pero no encontró ni rastro de los alucinógenos. Todavía alcanzó a ver que, al salir por la puerta del burdel, el Chupacabra atrapó en pleno vuelo una paloma blanca y la hizo desaparecer en la copa del sombrero.

El chino echó un vistazo al salón. Dos o tres clientes desperdigados por las mesas, que intentaban desterrar con abanicos de mano el vapor pestilente. Apostadas junto a la entrada, Mamota Cajebola y la Canquiña escuchaban en un radio de pilas la novela de Kazán el Cazador, junto a los limpiabotas que se soleaban en la acera. Mónica se amargaba a orillas de la vellonera. Lù-shi iba de un lado a otro con un paño para limpiar sillas y cachivaches. Convencido de que su presencia no era imprescindible en ese momento, Changsán subió las escaleras.

Se encerró en el apartamento. Se decidió por una de las ampolletas. Guardó las flores de opio y los cubitos de azúcar. Abrió una de las gavetas en busca de jeringas. En medio del temblor y la agitación, logró reunir la claridad mental suficiente para darse cuenta de que algo había desaparecido de la gaveta. Encontró la jeringa, luego una aguja casi nueva. No se inyectó de una vez. Con el alma en un filo, rebuscó ansioso entre los demás cajones. Nada. Alguien se había robado el dinero que guardaba de forma secreta en una media zurcida. Y la única persona que también sabía de la media era Lù-shi.

Con la mente más turbia, quebró la cabecita de la ampolleta e hizo que la jeringa sorbiera hasta la última gota. Se apoyó el brazo contra el costado, en busca de una vena, y después se vomitó el líquido ardiente en la sangre. El celaje de un auto, la cuchilla de viento, un hilo de relámpago. El hombre relinchó al sentir en la cabeza el golpe de la sangre.

Aprovechando el lapso de intensa lucidez recién adquirido, regresó al salón. Vio a Lù-shi que bruñía con trementina las cuentas de vidrio de la cortina. La recordó cuando entregaba a La Maura un billete de cinco pesos. La interpeló desde el mostrador. Vacilante, ambiguo, sin haber preseleccionado las palabras, le refirió en cantonés la desaparición de cierta prenda. Cuando la mujer encogió los hombros para indicar que no comprendía nada, el hombre echó a un lado las buenas costumbres. Destructor y autodestructivo, con vana palabrería y gestos afectados usados a propósito, la acusó del robo. Lù-shi afirmó arrodillada que no había tocado la media. Changsán imprecaba, hacía uso de vocablos indecorosos e indignos de su propia escolaridad, para que ella buscara el dinero. Notó que, por más que le voceaba, su esposa lo único que hacía era tocarse la frente con el piso. Así que la levantó por el pelo y la arrastró hasta la cantina. La mujer se dejó arrastrar entre lágrimas, aunque sin emitir fuertes gemidos que fueran a aumentar la rabia de su consorte. Le estrujó la cara con la mierda que las gallinas dejaran bajo el mostrador. La abofeteó. Luego la zarandeó por los hombros mientras contaba hasta seis; si al terminar la cuenta el dinero no aparecía, juraba que la iba a matar o a devolverla humillada a su familia. Al llegar al número final, la tiró al piso y levantó el ábaco para descargarle un golpe en la cabeza.

—¡Déjala, maricón! —ordenó la China, tras sacarse de los senos una navajita oxidada, desechada.

—¡Ven, danos a nosotras! —retó Mamota Cajebola o la Canquiña, botella vacía en manos.

—¡Si le pones otra mano encima, te mocho el güebo! —amenazó Delia a la vez que sacaba una cuchilla.

Ante esta avanzada femenina, Changsán se sintió desarmado. "Papa", balbuceó al comprender en todas sus consecuencias las palabras con que Sang-tua le definiera a las hembras de los bárbaros: "Son mujeres de guerra, soberbias, capaces de alzarle la voz y hasta la mano a un hombre". Con el corazón mordido por la cobardía, colocó el ábaco sobre la caja registradora y salió de la cantina. Los cueros rodearon a Lù-shi, a manera de escudo humano. El chino siguió voceando malas palabras mientras subía por la escalera y no se calló ni siquiera cuando estuvo encerrado en el apartamento. Es difícil de comprender, pero él se sentía muy mal por todo lo acaecido. El cuerpo se le volvió plomizo y los sentidos se le llenaron de pesadumbre. Recogió del suelo la jeringa. Había perdido el dinero, las mujeres lo habían tratado como a un inferior. Tomó una ampolleta. Lo peor había sido que, en su arranque destructivo, arrojó al aire su conocimiento de las costumbres para entregarse al ejercicio de la mala lengua, como si no fuera distinto a los bárbaros. Se clavó ensañado la aguja en el antebrazo, junto al pinchazo anterior. Confucio ha dicho: "Odio las malas lenguas, que sólo sirven para destruir la familia y el reino".

VIII, 3 / ROYAL PALACE. La peña de los poetas

— ¡Hoy fiesta y mañana gallos! —decretó hilarante Edoy Montenégodo.

En medio de su felicidad envió una botella de ron a cada mesa. Se ubicó bajo un abanico, rodeado por varios cueros. Algunos clientes se aproximaron también, porque siempre conviene estar próximos al cuerno de la abundancia o, lo que es lo mismo, ponernos donde el capitán nos vea.

—No hay sublimidad más vital que la del verso y la filosofía —mintió Ángel el ángel al momento de motivar un brindis—. ¡Salud y larga vida al poeta laureado!

El poeta chocó los vasos plásticos, emocionado. Pidió que se apagara por un momento la vellonera. En seguida se puso de pie y procedió a dar carpeta con sus poemas. Leyó una oda a la otredad, dos haikús neumáticos y un poema a la esencia del ser.

—Son muy profundos... ¿los sacaste de tu propia cabeza? —gorjeó La Maura, para distraerlo y beber de su vaso.

—¡Jia, jia, jia! Eso está bien. Ya todo está bien —comentó Tora con resignación y amargura.

Esta lectura produjo seguidilla. Uno que recibía el apelativo de Mazamorra se levantó. Ceremonioso, con la vista lejana e inspirada, enhestó el brazo derecho y procedió a declamar un poema titulado "El beso", imitando los gestos y la voz del Indio Duarte. Arrebatadas por el dramatismo, las mujeres aplaudieron histéricas. Sin preámbulo, la China empezó a recitar, con voz infantil: *¿Por qué te asustas, ave sencilla? / ¿Por qué tus ojos fijas en mí? / Yo no pretendo, pobre avecilla, / llevar tu nido lejos de aquí*, etcétera, que es un poema de Salomé Ureña, y al final recibió una calurosa ovación de La Maura. Impulsado por la felicidad de los tragos, el violinista, divirtiose dramatizando aquel clásico poema, que no se sabe si lo escribió Borges o Virgilio, que inicia: *Era de noche y sin embargo llovía, y el sol resplandecía, un ciego leía un periódico sin letras bajo la luz de un farol apagado...*, tras lo cual mereció alegres aplausos. Mamota Cajebola y la Canquiña declamaron a dúo, entusiasmadas, un "Homenaje a mi madre querida" memorizado en los años de la escuela, de autor imposible de rastrear, el cual distribuyó dulces lágrimas entre los ojos de las mujeres. Hasta Tora el Pez Tigre Balón cedió al arrebato de la poesía.

—De la pluma de un bardo de mi pueblo, el poema "La república" —anunció con voz impostada. Se cuadró ladeado, brazos entreabiertos y piernas corvadas—. *¡Qué buena leche / la que da esta vaca! / Con tan buenas tetas / y siempre tan flaca.*

Hizo la venia para recibir la divertida hurra. El poeta coronó la velada con una cátedra sobre lo que en verdad era la poesía. Tomó como ejemplo de malos versos todo lo que se había recitado, excepto lo de la carpeta. Ante la desaprobación silenciosa, citó textos de Apollinaire y de Mallarmé que esparcieron un aire de sepulcro por el salón. Evocó de memoria a estetas y filósofos, con propiedad y familiaridad, como si los hubiese conocido o no hubiera leído de ellos más que algunos fragmentos. En ese instante, Ángel el ángel pensó darle cuerda, guiarlo hasta el extremo de la desesperación, pero consideró más apropiado hacerlo en otro momento.

Los tertulianos se fueron dispersando. La vellonera retomó el control del salón. Changsán, ábaco en mano, se acercó a la mesa del aeda. Grande fue su sorpresa cuando este, al ver el alto monto de la cuenta, sacó despreocupado un lapicero y firmó la factura.

—Lo pagaré el sábado por la noche —manifestó confiado.

Al chino se le aguaron los ojos. Le debía veintiuna botellas de ron y nueve de cerveza, dos bolsas de hielo, cinco latas de jugo de tomate, doce cajetillas de cigarrillo y un condón. Impotente y rabioso, hizo una señal a dos lambones que siempre estaban arrinconados en el burdel —especie de chulos a destajo, en edad madura, plagios groseros de sí mismos en los años juveniles o de un par de matones de *Blue Velvet*— para que cerraran la transacción. Los dos se aproximaban remangándose la camisa. La circunstancia parecía idónea para dar una golpiza espectacular, de las buenas, de aquellas que propinaban en las maipiolerías de Fefa Calampín o de Carrancho cuando el tiempo les era mejor. Y más que el poeta no debía ser bueno con los puños y además andaba desarmado. Cuando le pidieron con seca cordialidad que se pusiera de pie para no tener que golpearlo sentado, una voz les amargó la fiesta:

—No hay problema: yo le serviré de garante.

El violinista había empeñado su palabra. Changsán recogió la factura de la mesa y se la pasó para que también la firmara. No tendría problema si contaba con un fiador tan responsable, que incluso esa misma tarde le había adelantado una parte del dinero para la fiesta de carnaval. De manera que cada uno quedó tan feliz como una lombriz: el poeta en su festejo, el violinista en su bondad, el chino con su factura garantizada. Los únicos que quedaron frustrados fueron los dos chulos, porque el corte súbito de la golpiza les quitó el chance de evocar los buenos años de la juventud.

La China confirmó que esa noche tendría que fiarle el cuerpo al poeta. No se mortificó. Calculó que era mejor un buen polvo a crédito que un mal singar al contado. Edoy Montenégodo acarició la carpeta de poemas.

—¿Yo nunca te he contado cuál es mi fantasía erótica? —preguntó fascinado. La mujer dijo que no—. Alquilar un carro Chevrolet, de esos grandotes, aparcarlo frente al cabaré. Bajar un poco el vidrio, llamar una a una a las mujeres que aquí trabajan: "Hey, morena, ¿cuál es tu especialidad, el cunnilinguis?, ven, entra, lava mi cabeza roja con tu boca; ¿y tú, india, la fellatio?, abre y siéntateme en el güebo; ¿y la tuya, negra, hacer el 69?, métete en el carro, ábreme tu libro de contabilidad", y así encerrarme con todas en el Chevrolet y armar una orgía al ritmo de los muelles...

La China sonrió divertida. El poeta le preguntó si ella tenía alguna fantasía y ella afirmó con la cabeza. Cuando quiso indagar en qué consistía su sueño erótico, ella lo miró ruborizada.

—Eso no se puede decir —advirtió, con las mejillas rojas de vergüenza.

—Yo te conté la mía —chantajeó, falsamente ofendido—. Ahora tienes que confiarme la tuya.

La mujer lo miró sonrojada.

—Okey. Sólo tú lo vas a saber —accedió. Se tomó un trago—. Pero no te la voy a contar. Mejor la vamos a hacer. Eso sí, tienes que atenerte a las consecuencias...

—Conmigo no hay problema, mi cuerpo está a tu entera disposición... ¿Y qué me vas a hacer? ¿Cortarme en pedacitos con los dientes o ahogarme por boca y nariz con tu vagina?

La China inclinó el rostro, ronroneando.

—Más o menos —respondió vagamente, con intrincada picardía. Levantó los ojos en busca de una media luna que se reflejaba sobre su vaso de ron. La halló estancada en la ventana. Volvió a bajar los ojos, porque le atrajo más verla ahogada en el licor—. Oye, ¿y cuándo vas a pagarle la cuenta al chino?

—Tendré todo ese dinero el sábado.

—¿Y por qué el sábado? —interrogó intrigada.

Edoy Montenégodo recogió la carpeta y afirmó confiado:

—Porque ese día darán los resultados del concurso literario.

VIII, 4 / CATEDRAL. Las primicias de la ciudad

La silla de ruedas producía chirridos suaves, acompasados, al desplazarse sobre las losas de granito que solaban el parque. El padre Cándido, empujado por su ahijado, trataba de filtrar del ambiente contaminado las bocanadas de aire fresco que el cielo enviaba hacia este lugar remoto de la tierra. A su alrededor se extendía un paisaje monocromático compuesto por los muros sólidos de la catedral, el piso y los bancos de cemento. Todo de gris. El trinar de las avecillas se perdía entre el ronroneo de los autos. Cuando llegaron junto a la glorieta, el anciano hizo una señal para que se detuvieran. Movió las ruedas de tal forma que sus ojos pudieran observar la ciudad en un ángulo de ciento treinta y cinco grados. Vio pasar a la Patria, que se desplazaba con amargura.

—Estamos en el centro de la raíz de América: aquí tuvo su nacimiento el Mundus Novis —anunció ceremonioso el padre Cándido tras deshacer la carraspera de su garganta—.

Al ver por primera vez la vegetación paradisiaca que cubría esta tierra, el Almirante tembló de emoción y exclamó: "Tierra más fermosa no había visto" —citó, con el índice enhiesto, como si fuera una estatua de Colón en silla de ruedas. El padre Ponciano lo observó admirado, aunque pensaba con ironía que el Almirante decía la misma pendejada en todas partes. Su padrino recobró el aliento y prosiguió el discurso—. Eran estos parajes, a la sazón, escondrijos del demonio en los que cohabitaban indios y otras bestias salvajes. Pero la mano poderosa del Señor irradió la gracia en esta villa para salvar las almas de sus moradores. En esta ciudad, que llegó a ser considerada capital idónea del imperio español en América, fueron bautizados los primeros aborígenes, se instaló el primer convento, se ofició la primera misa cantada, se predicó el primer sermón en defensa de los indios... ¡Oh casta ciudad donde Dios erigió el faro de su casa para alumbrar las tierras del nuevo continente! —exclamó, mientras sacaba tembloroso un pañuelo. El ahijado lo contempló con rostro exaltado, recordando que había olvidado nombrar que en esta ciudad, muy probablemente, también se inauguró el primer cabaré de América. El anciano guardó el pañuelo y, más sobrio, señaló hacia diversos puntos de la ciudad—. Desde aquí podemos rastrear aún el triángulo original del imperio. Este lugar donde nos encontramos ahora era la plaza de armas. En aquel edificio, se encontraba la alcaldía. Más hacia la derecha estaba la fortaleza. Y justo allí, maciza y apuntando con severidad y gracia al cielo, se levantaba la catedral. Alrededor de esta plaza de armas se edifican los tres grandes poderes: el del cielo, el de los reyes y el de los militares, agrupados para el empuje glorioso del Señor —En ese momento volteó el rostro y, con la mirada indignada, señaló hacia otro punto—. ¿Qué es eso que arroja sombra sobre el triángulo luminoso de Dios? ¿Qué casa es esa, que alberga la perdición frente a la santa catedral? ¿Qué licencia se ha tomado el diablo para vender carne pecaminosa junto al templo?

El padre Ponciano siguió la trayectoria del dedo y sus ojos se encontraron con un edificio de reminiscencia victoriana, cuya estructura oscilaba con gracia entre el derroche y el comedimiento, naranja y muy europeo, con balcones de preciosa herrería, que daba albergue al lupanar del Royal Palace. Luego de admirarse de que una edificación tan elegante se encontrara perdida en aquella ciudad, pasó a considerar que en verdad era ofensivo que las autoridades permitieran las operaciones de un burdel en pleno casco urbano y, más aún, frente a una catedral. Empero, se resignó al confirmar para sí que aquella era una de las características propias de los pueblos bárbaros.

—Más grande fue la casa de Sodoma —comentó para salir del paso.

De inmediato comprendió que había cometido un error al proferir esas palabras. Con ellas despertaba el discurso combativo del anciano.

—¿Y qué vamos a hacer? —preguntó, con el tono de las antiguas clases de catecismo—. ¿Esperar a que el Señor tenga que enviar a sus ángeles para que sean humillados por esa gente perdida?

El padre Ponciano conocía muy bien al anciano. Sabía que tanto su cultura como su mentalidad estaban repletas de actitudes medievales. Recordó aquella remota mañana de Navidad en que le había preguntado cómo vino al mundo, y el padrino, tras explicarle que él no tenía padres, observó determinante: "Nacistéis de cabello enterrado". Ante la incomprensión del niño, citó con autoridad: "Tomad cabellos de una mujer, ponedlos bajo tierra sazonada donde haya habido un estercolero durante el invierno, y al principio de la primavera o del estío, cuando el cabello se haya calentado por el calor del sol, engendrará serpientes que seguidamente darán nacimiento a otras de la misma especie. Dícelo san Alberto el Grande en *De animalibus*". Así que durante la niñez él tuvo la idea mágica de haber nacido de la inmundicia, según estableciera Avicena, y cuando adquirió edad suficiente para darse cuenta de que aquella explicación carecía de fundamento, se le había hecho un poco tarde para rastrear el origen de sus progenitores. En suma, prefirió cambiar de conversación para evitar que el anciano divagara en su mundo vetusto y severo.

—El hombre debe marchar contra sí mismo si desea alcanzar la santidad —comentó.

El padre Cándido confirmó con un movimiento de cabeza. Sacó del bolsillo la laminita del Beato. Y dijo:

—Yo lo conocí en vida.

El joven sacerdote comprendió que esa mañana sería difícil entablar una conversación desinteresada con su padrino. Se dijo en el pensamiento: *¿Tú ves, Ponciano?, en el fondo de aquellas palabras lo que él pretende es vanagloriarse de que ha ido de la mano con los santos, que ha estado en vida con ellos, para después...* Decidió retornarlo a la casa curial y aplicarse a los asuntos de su ministerio.

—El Beato nos conoce a todos desde el cielo —pontificó antes de sugerir la despedida—. Hoy tengo muchas diligencias que hacer.

—¿Qué diligencias son esas? —inquirió el anciano con autoridad paternal.

El ahijado sonrió parcamente, cuando en verdad deseaba suspirar fastidiado. Desde su llegada, rehuía comentarle los propósitos de su visita a la diócesis. Esa información sólo competía a los superiores de su prelatura.

—Es una misión apostólica —le respondió.

En ese momento un extraño se acercó al padre Cándido y, con una voz escasa y mal modulada, como sacada de un radio de pilas gastadas, le susurró veladamente: "Arrepiéntete: Cristo te ama", disimulado, muy cauteloso, cual si estuviera pasando una información subversiva.

—¡Vade retro, evangélico del demonio! —reaccionó el anciano—. ¡Acercaos, enviado de Satán! ¡No huyáis, que es un solo siervo del Señor quien os acomete!

Tarasqueó la silla de ruedas. El extraño se alejó sin dar la cara y se confundió en la masa anónima de los transeúntes. El joven sacerdote aprovechó la circunstancia para llevarlo de regreso. De repente un sujeto se aproximó.

—¡Padre Ponciano! —exclamó, impostada la voz—. El padre Cándido se la pasa hablando requetebién de usted. Mucho gusto.

Sin darle tiempo a reaccionar, el sujeto le tomó una de las manos y la estrechó. Una mano áspera, sudada, llena de microbios, que sabrá Dios en qué lugar inmundo había hurgado antes de aferrarse a la suya. El padre Ponciano, con la angustia disimulada, logró zafarla.

—Ya, Indio, ya —corrigió impaciente el anciano—. Ni tan...

—Ni tan cerca que queme al santo, ni tan lejos que no lo alumbre —interrumpió ansioso el Indio. Se dirigió al joven sacerdote—. Perdone la efusión, pero es que daba la vida por conocerlo. El padre habla maravillas de usted. Dice que él fue quien lo recogió de la calle y lo crió... Su padrino es un santo.

El padre Cándido sintió un profundo bienestar al escuchar esta última expresión. Contempló con recatada humildad a su ahijado. *¿Observaste, Ponciano?* —se dijo para sí el joven sacerdote, mientras sentía los microbios expandirse por su mano recién saludada—, *esa es una mirada de falsa humildad, soberbia, de un hombre empeñado en hacer correr la fama de su generosidad. Ser hombre es vivir en el pecado, ¿no es verdad?* Correspondió con su sonrisa de simulada santidad. Aprovechó el momento para despedirse de los dos hombres.

—No hay problema, padre —confirmó el Indio, tras ofrecerse a empujar la silla de ruedas—. Estoy por entero a sus órdenes. Aunque lamento no poder colaborar mucho. Soy una persona que no me he caído muerto porque no he tenido en qué. Sí, soy un hombre muy humilde...

El cura anciano dio un manotazo en la silla, para hacerlo callar.

—¡No pequéis de vanagloria, siervo del hombre! —advirtió—. ¿Qué le hace pensar a los desarrapados que el simple hecho de vivir en la miseria otorga la cara virtud de la humildad? La humildad es una presa que sólo se gana con altos vuelos espirituales. Humilde fue Nuestro Señor... Toda esta gente cree que por no tener qué vestir ni qué comer, ya están catapultados a la más alta de las virtudes. ¡Cuidaos de la vanagloria!

El Indio se persignó contrito.

—Lo que quise decir es que soy un pobre miserable —aclaró, desconcertado—. Su padrino tiene razón, padre Ponciano... Déjeme no entretenerlo más.

Y le tendió la mano. Pero esta vez el padre Ponciano estaba al acecho y logró evadir con disimulo la despedida. Cuando los dos hombres se alejaron, se detuvo ansioso bajo la sombra del tamarindo. Apurado, entró la mano limpia en el bolsillo y sacó un frasquito de plástico que contenía alcohol isopropílico. Dejó caer un pocillo en el centro de la palma infectada de microbios, guardó el pequeño envase y se estregó las manos. Aliviado con la desinfección, suspiró tranquilo y abandonó el parque.

El padre Cándido frenó la silla de ruedas. Notó que el Indio quedó perplejo por la brusca parada. Señalando calle abajo, por donde se veía alejar la figura de su ahijado, ordenó:

—Indio, caedle atrás. Seguidlo por todo el pueblo sin que él se dé cuenta. Y luego venidme a contar.

VIII, 5 / ROYAL PALACE. Lágrimas de jaspe

El cadáver de Lù-shi yacía en el piso. El vaso de agua con residuos de Trespasitos permanecía sobre la flor de un mosaico. En la mano yerta de la mujer descansaba, entreabierta, la cajita de jaspe. La luz del sol entraba por el balcón y tendíase en vano sobre su cuerpo frío. Changsán se detuvo en el rellano. Parece mentira, pero después de tantos milenios la muerte sigue siendo lo más increíble de la tierra. Se quitó las gafas negras. No se las había quitado —ni siquiera para bañarse ni dormir— desde que un año atrás cediera a la vocación de sombra que exige la mariguana. La tocó suavemente, llamándola desde el otro lado de la vida. Al ver que no despertaba, utilizó un recurso del alma: "No puedes irte sin escuchar que te amo", le rogó en cantonés. Pero ella seguía rígida, perdida en la sinrazón, detenida por los hielos de la eternidad, amordazada por el lenguaje mudo de la muerte. El hombre lloró con furia abrazado al cadáver. Levantó los ojos anegados de lágrimas y maldijo al Dios de la Muerte. Juró por el amor eterno que sentía por Lù-shi que, si no le restablecía la vida antes del atardecer, derribaría los portales del cielo, destronaría al Tribunal del Reino de las Tinieblas e inscribiría en el Libro del Destino el nombre de los diez Jueces de la Muerte. Dícese que inspirado en esta dolorosa escena fue que se dio escritura al sonetillo que inicia *Ay, que se la llevaron,* que aparece en la coda de la presente obra y que ha sido atribuido con ligereza al Mecedora.

En ese instante, un solo de sirena y un acorde de campanas llenaron el espacio y rescataron a Lù-shi de sus profundas cavilaciones. Emocionada por las imágenes de sus anhelos, miró la salita de estar y los pasillos solitarios. No había nadie a su lado, ni en el rellano, sólo el sol que ponía un lienzo de luz sobre su cuerpo. Continuó sentada en el rincón, en posición fetal, sintiendo las lágrimas por sus mejillas. Abría y cerraba la cajita de jaspe a la vez que contemplaba lejana el vaso de agua. Poco le importaban ahora la vaharada de las ratas podridas, el calor sofocante, las moscas que embarraban el cuerpo con su sonso zumbar, el trajinar de un lado a otro por el burdel, las humillaciones de su señor, quien la acusaba de robar el dinero, y los objetos que seguían desapareciendo del aposento. Estaba sumida en su pensamiento, donde la vida solía replegarse y golpearla. Eso le dolía más.

Deslizó los pies desnudos por las flores de los mosaicos. Sintió la caricia vegetal, el roce suave de los pétalos. Una flor extendió los filamentos, depositó en sus dedos los dorados estambres y los espolvoreó con polen perfumado. Los şépalos se abrieron cual sombrillas de arco iris para cubrirle las piernas con una sombra colorida que protegiera su piel de los monótonos rayos luminosos. En un punto lejano creció un girasol inmenso, de oro, semejante a esos soles que se dibujan en los cuadernos de la infancia. Lù-shi se abrió camino entre la vegetación que cerraba los pasillos. A su paso cortaba gardenias, lirios, rosas, cayenas, tulipanes. Y escuchó bajo el canto de las grullas, traída por el viento que deshojaba con dulzura los pétalos, la voz de su madre: "Durante el reinado de Shi Cong, en el Jardín del Valle de Oro vivía una hermosa muchacha. Una tarde, mientras contemplaba la hierba desde la cima del pabellón, apareció un poderoso señor que solicitaba sus amores. La muchacha recordó que un momento antes, en el que quedara dormida, había soñado que un señor la tomaba por la fuerza y destruía el jardín. Así que al ver que se aproximaba, prefirió la muerte y se lanzó desde lo alto del pabellón. Por eso dice el poema de Du Mu: *A la bella que se arrojó del pabellón, evoca la caída de la flores*".

Lù-shi logró apartar unos rosales y se encontró frente al girasol. Cuando extendió la mano —no para arrancarlo, sólo para que se le iluminara con el perfumado resplandor—, una voz rompió el conjuro. Desde la planta baja del Royal, su marido había emitido un grito en cantonés, llamándola. Así que, apurada, se puso de pie, guardó la cajita de jaspe en el delantal, tiró el agua del vaso y corrió escaleras abajo.

VIII, 6 / CIUDAD INTRAMUROS. *Saturday Night Fever*

El inspector caminaba acompasadamente, con el porte y los zapatos reflejados en las vidrieras de las tiendas. Era sábado, poco antes del atardecer. En su mente vibraban las cuerdas electrizantes de la música disco. La Doctora Corazón lo había convencido: no tenía caso cerrar la puerta a los embates del amor, es mejor hacerla girar despacio sobre sus goznes, con obediencia, antes de que la emoción la derribe por la fuerza. Porque el amor hace uso de estas dos propiedades: la ternura, para ganar sus presas por las buenas, y la pasión, para darles alcance por las malas. Es manso y, al mismo tiempo, de batalla. No por otra razón los antiguos lo representaban como un niño armado hasta los dientes.

El inspector llegó a su casa. Encendió un bombillo para borrar las sucias luces del atardecer que empezaban a acumularse en los rincones. Sacó de la bolsa el elepé que le habían prestado y lo dejó girar en el tocadiscos. Bee Gees, *Staying Alive*. Apartó los muebles de la sala para dar unos pasos de música disco. La imaginación lo transportó a los buenos tiempos, cuando era el rey de la pista en la discoteca La Galaxia. Las luces hacían pestañear sus ojos de colores, la gente embelesada al ver sus movimientos, el promotor borracho que le prometió llevarlo a Nueva York para que trabajara en una película con John Travolta. Pronto cayó en los tibios brazos del sudor y la sofocación. Pensó que con unas cuantas horas de práctica se pondría de nuevo en forma.

Fue a la cisterna de la vecina y trajo dos cubetas de agua para darse una ducha. Mientras se echaba sobre el cuerpo desnudo los cántaros de agua helada, engrifada la piel, encendió el televisor de la memoria. *Play*. Sólo para adultos. En los últimos retoques de laboratorio, la imagen de Lù-shi pataleando sobre la mesa había experimentado cambios significativos, de alto contenido sensual. Veamos una escena. *Interior.*

Salón del Royal. Día. Todos abandonan el salón invadido por las ratas y cierran las puertas. Acto seguido, Lù-shi contempla al inspector, vencida de pasión, y se levanta el vestido hasta las caderas; se desliza de la mesa hasta sentarse en sus rodillas y le aplica el abrazo de leche con agua. Stop. Las películas de sexo no finalizan cuando los personajes experimentan la transportación orgásmica, sino cuando el espectador termina de masturbarse. Al momento de venirse, el inspector sentía que su amor por Lù-shi le golpeaba el corazón. Hay una escena haciendo el 69 y otra para *el auparishtaka* o, como se dice vulgarmente, de mamadera; pero ambas no tienen razón de ser una vez saciada la naturaleza inferior del hombre. El inspector salió del baño envuelto en una toalla; traía consigo aún el recuerdo sensible de Lù-shi. Vatsyayana era de la opinión de que cuando sacudimos con la masturbación la imagen de un objeto deseado, si, una vez saciados, dicho objeto persiste en nuestra mente, significa que estamos enamorados.

El inspector se apostó frente al espejo. Colocose de perfil, sumió la barriguita, tensó los bíceps, inventó una mueca, constató su mirada conquistadora, arqueó las cejas, en fin, realizó todas esas ridiculeces que los hombres solemos hacer ante los espejos. Consideró que no estaba tan viejo. Salvo la calva, que lograba disimular con un ingenioso peinado, y la barriguita, que se podría aplanar con una faja, juzgó que todo permanecía igual. Hay seres así, en los que el tiempo generosamente se detiene.

Subió el volumen del tocadiscos. Tarareaba *Staying Alive* e improvisaba unos pasitos de música disco mientras se ataviaba a lo Travolta en *Grease*. Travolta... nombre mágico del ídolo que, en los años juveniles, lo enseñó a embutirse en pantalones ajustados, camisetas sin mangas y chaqueta de cuello levantado a lo Drácula; a caminar con pasos simiescos; a ponerse el cigarrillo en la comisura de los labios, estilo Humphrey Bogart; a peinarse por completo hacia atrás.

Terminó de vestirse y retornó al espejo. Le tocaba la

parte más compleja: peinarse. Aquí afloraba una complicación peculiar. Cuando se tiene el cabello crecido sólo en el lado de la sien izquierda, la calvicie se tapa peinando el pelo hacia la derecha. Sin embargo, esta vez necesitaba que el cabello fuese desde la frente hacia atrás. Reflexionando y poniendo en práctica el método de prueba y error, duró cerca de una hora con la vaselina y el peine, sin perder la paciencia, considerando que quien quiere moño bonito tiene que aguantar jalones. Al final logró domeñar el pelo en la forma requerida. Una vez terminada la jornada decidió darse un vistazo de cuerpo entero. Puso el espejo de la coqueta en una silla y se apartó tres pasos, mientras pensaba regocijado *qué suerte que no se ha ido la luz*. Al girar para extasiarse con su imagen en el azogue, se escuchó aquella voz desde la lejanía: "¡Fua!", y todo se obscureció.

VIII, 7 / ROYAL PALACE. Los rostros raros del amor

La vellonera repartía su música lacrimosa entre los pocos parroquianos que visitaban el burdel a esa hora. Una luna fea, desfigurada por terrosas nubes, mostraba su rostro tembloroso por la ventana. Tora la contemplaba amargado. Le dolía en el corazón el hueco dejado por la Princesa de Jade. Desde el encuentro de aquella noche, jamás ni nunca había vuelto a saber de ella. Por más que indagaba entre los cueros, no lograba averiguar de dónde había venido aquella mujer que se le perdía entre los muelles desaceitados de la cotidianidad y el ensoñado encanto de una noche de amor. Ni siquiera el chino le daba noticias de su extraña amada.

Una tarde La Maura, mientras se rascaba apaciblemente los oídos con una pluma, le gorjeó que aquella mujer sólo era una imagen que volaba con las alas de las alucinaciones. Tora dudó de esa noticia, porque su encuentro con la Princesa de Jade había sido, aunque decantado y mágico, muy real. Y si bien él no era muy ducho en el consumo de drogas, las había probado lo suficiente como para no confundir entre una experiencia sobria y una imagen caprichosa y fugaz brotada de la alucinación. Muchas veces llamaba a Lù-shi y suplicaba que le trajera un té similar al de aquella noche, tras lo cual la mujer iba a la cocina y regresaba con una infusión amarga, que no hacía crecer las flores de los mosaicos ni llenaba de hiedra silvestre la escalera.

Desde ese encuentro amoroso, Tora adquirió la costumbre de ocupar una mesa próxima al cuadro antiguo y amarillento, estilo näif, casi dorado, protegido por un vidrio empañado que cubría un jardín extenso, en el que aparecían todas las escenas que viviera en la búsqueda de la amada, junto a otras desconocidas. Contemplar este cuadro era su único punto de contacto material con la Princesa de Jade, porque sus trazos imperfectos semejaban un mapa de sus recuerdos. Sólo tras aquel nublado cristal y en la memoria podía encontrarla. Tenía la intuición y la triste certeza de que, por más que la convocara, no la encontraría nunca en la vigilia y tampoco en el sueño.

Fue al baño. Bajo el tufo de la carne putrefacta, abrió el sobrecito y se dio el pase de cocaína. La inhaló de un corto tirón y paró la respiración de súbito, grave el rostro, como se hace cuando acabamos de descubrir que alguien se ha tirado un pedo. Tan pronto sintió la mágica lucidez, retornó al salón en busca de la princesa. El ambiente se veía claro, más apacible, pero las flores seguían repujadas en los mosaicos. Las paredes permanecían sólidas, cubiertas en lo alto por el manto sucio de las moscas dormidas. Subió por la escalera de concreto acariciando la rústica barandilla de madera. Deambuló por los pasillos. Lo único que le llamó la atención fue un ruido metálico, acompasado e incesante, que se filtraba desde el interior de un cuarto. Miró hacia adentro sigiloso. Un chino joven, al que no había visto nunca antes, tecleaba en una vieja máquina de escribir. Al verlo, el joven se detuvo y lo miró sorprendido; con una reverencia le indicó que saliera del cuarto.

Tora regresó al pasillo. Escuchó a lo lejos un sonido gutural, semejante a un maullido o a un violín imitado por la garganta humana. Subió a la tercera planta. En un techo lejano, bajo el neón de un farol, un gato copulaba con Yara ante la vista de otros felinos. El macho —a sabiendas de que la felina era como dice el refrán de la gata Flora, que si se lo meten grita y si se lo sacan llora— la retenía con fuerza con las patas delanteras, mientras la hembra llenaba la noche de notas desgarradas. La estaba clavando en cuatro, fiel al canon primitivo, ya que los cuadrúpedos no han desarrollado aún la perversidad para singar de otra manera. Cuando el macho se vino y desenvainó su espada de espinas, Yara emitió un maullido desaforado, profundo... Y he aquí que una vez acabada la cópula, en lugar de huir desbandada como suelen hacer las gatas, se quedó sentada relamiéndose el sexo. Acto seguido — y ante el desconcierto de Tora—, un gato flaco se acercó a la felina, ronroneando y, tras una breve refriega, también se lo metió. Y todos los felinos la clavaron uno por uno en un ritual sin pausas bajo la ceniza brillante de la luna.

Tora regresó al salón. Ordenó una cerveza para ver si borraba la desazón que la escena gatuna había dejado en su garganta. Intentó una vez más sacarle alguna información a Ángel el ángel. Se acercó a la mesa en que este paladeaba una jarra de cerveza con hielo.

—¿Me va a decir ahora? —pidió sin mucha esperanza.

Ángel el ángel suspiró fastidiado.

—Usted da asco, hombre —censuró, sádico, con la voz apagada—. Siempre preguntando por lo mismo. Mire, en el mundo hay más mujeres que hombres, o sea... Mejor consígase uno de esos cueros o métaselo a una burra, que están más a la mano.

Tora no se inmutó. Sacó una silla y se sentó con el mentón apoyado en el espaldar. Lo miró directo a los ojos. Y dijo:

—Usted estaba ahí... Yo sé que fue usted quien me llevó.

El otro escupió en el piso, despacio, para que la saliva describiera una trayectoria lenta hacia los mosaicos. Susurró con timbre mortecino: "Además, ¿qué es lo que tanto jode? Usted nunca me mandó una postal". Tora se quitó la boina para echarse fresco y le reiteró la petición.

—Mi hermano —protestó aburrido Ángel el ángel—, si no puedo saber cuándo o por qué soy metido en un sueño ajeno, ¿cómo voy a saber que estuve en las alucinaciones de alguien?

—No fue un sueño, ni una alucinación, fue real —advirtió Tora.

—Todo eso es lo mismo —corrigió Ángel el ángel, cortante, sin importarle que el otro no entendiera sus palabras—. El espacio es uno solo y el tiempo también.

VIII, 8 / ROYAL PALACE. Fiebre del sábado por la noche

Travolta apareció en el salón. Pocos lo reconocieron, hacía tantos años que no veían a un ejemplar de esa especie. Muchos hasta habían llegado a pensar que se habían extinguido tras el cierre de La Galaxia. Los sobrevivientes de aquella generación vieron al recién llegado como en las películas ven a esos héroes tardíos que regresan de Vietnam, mientras que los más jóvenes pensaron que se trataba de alguien que había confundido la fecha de la fiesta de carnaval.

—¡Qué hay, Travolta! —saludó una voz anónima desde el fondo.

El recién llegado no correspondió al saludo. Echó una ojeada sensual alrededor, se quitó el cigarrillo de la comisura de los labios y avanzó con ritmo simiesco. La entrada le salió tan llamativa que provocó expresiones de sorpresa. Nadie sospecharía que traía la barriguita aplanada por una faja o que había hecho milagros para peinarse hacia atrás. La concurrencia estaba emocionada, como en los buenos tiempos. Con una buena mezcla de luces y unos discos de los Bee Gees, el ambiente sería perfecto. Se apostó en la barra. Una chica se le acercó.

—Hola, polluelo — gorjeó ella, coqueta.

Travolta sonrió halagado al advertir que la tíguera se había dirigido a él como a un jovenzuelo. No se hubiese regocijado por aquel piropo de haber sabido que La Maura era de la siguiente naturaleza: prefería a los hombres de carne mustia, maduros, a punto de caer del árbol de la vida y volverse una mierda en el polvo. Altanero, pidió una cerveza.

Changsán sonrió nervioso al encontrarlo en el mostrador. El inspector le pagó la cerveza —por mantener el estilo, no porque se creyera en deuda— y se retiró a una mesa. Vio de lejos a Delia, esa india de piernas como torres de marfil y rostro lavado por la hermosura, buena hembra, útil para el arte de la fornicación. Le hizo una seña y la vio venir, en cámara lenta, como en *Grease*. Negociaron la noche. Dos cervezas más y otro vaso. En una, el inspector la soltó, que se diera una vuelta por la vellonera a ver si aparecía algo en inglés, algo de sus buenos tiempos. Delia fue y regresó con la estela de un rock. *If you're looking for trouble*, tarán, tarán, *you came to the right place,* tarán, tarán, *if you're looking for trouble,* tarán, tarán, *just look right in my face,* tarán, tarán... retaba una voz embriagadora y varonil por el salón. "¡Mierda!, eso es de Elvis Presley", susurró desconcertado el inspector.

—Ese fue un disco que se le quedó aquí a una americana que entró un día al baño, antes de irse a casar... —comentó Delia.

Antes de que contara la historia, el hombre la recogió en un abrazo y le calló la boca con un besito. El inspector hizo tal movimiento porque, justo en ese momento, apareció por primera vez en el salón Lù-shi, la actriz que trabajaba en la televisión de su memoria. Ella se acercaba a la mesa, indecisa.

—Que si va a querer algo más —tradujo con la voz fatigada.

El cliente permaneció en silencio. El corazón dio un salto y se le aceleró de repente. Miró a la mujer de reojo. Era extraño que sintiera aquella sensación, si ella no se veía tan bella y erótica como en el televisor. Vista en vivo, no despertaba tanta admiración, cual suele suceder con las divas de la pantalla. Su rostro lucía cansado, sin cosméticos, marcado por huellas de patas de gallina. Además llevaba el vestido ajado, casi harapiento. Indiscutiblemente, en la imaginación se veía mejor. Sin embargo, con todo y su desarreglo, conservaba la propiedad de golpear dentro del pecho.

—¡Dile al chino que se vaya a la mierda! —le dijo con desprecio. Al ver que la mujer permanecía inmóvil como si fuera un animal que espera un cambio de ánimo en el amo, fue más ofensivo—. ¡Vete, maldita china! ¡Déjame en paz!

Lù-shi encogió los hombros y, sin mostrar ninguna otra expresión en su rostro apagado, retornó a la barra. La miró con saña lavar vasos y tirar puñados de maíz bajo el mostrador. Y pasó toda la noche de esta manera: mandándola a buscar para zaherirla con malapalabras cargadas de un odio profundo, muy profundo. Le exigía que se ocupara de aplacar la pestilencia de las ratas o de barrer esas moscas del techo. No obstante estos desahogos, seguía padeciendo una incomprensible angustia ante la mujer. Porque desconocía que hace tiempo Kierkegaard lo había desenmascarado al afirmar que "el odio es un amor que se ha convertido en su propia antítesis, es un amor en escombros".

—Hace unos meses, una americana entró corriendo a hacer pipí a la maipiolería —contó Delia, por decir algo; empezaba a aburrirse en compañía de aquel cliente que le parecía pedante y estúpido—. Más atrás vino un americano seguido por dos guardaespaldas, blanco como un papel, con un sombrerito y gafas de cochero. Dijeron algo en inglés y se largaron. Después los vimos por el periódico. ¿A que no sabes quiénes eran?

—Michael Jackson y la hija de Elvis Presley —respondió desabrido, harto o aburrido de escuchar la historia de que esos artistas, sorpresivamente, habían venido a casarse a la ciudad—. Total, si hubieran sido John Travolta y Olivia Newton-John —comentó despectivo mientras se ponía de pie para ir al baño.

Ella lo vio mariposear bajo las nubes densas de los cigarrillos. Él se detuvo, apoyose de lado en una columna y encendió un cigarrillo que le colgaba de la comisura de los labios. Tomó el peine con la diestra y fingió, muy elegante, que se peinaba hacia atrás. Delia lo vio retocarse las cejas en el cristal del cuadro que colgaba de la pared y contemplarse de perfil, de frente, como creyéndose que estaba muy bueno. El hombre volteose y guiñó al saberse observado, sin sospechar que justo en ese instante ella pensaba que no hay ser más terrible, criatura más detestable, que un viejo verde. Y esto rumiolo el cuero con humildad intelectual, sin aspiraciones filosóficas, sin saber que con este enunciado glosaba cierta máxima que Kant esbozara dos siglos atrás. Inclusive, el filósofo de Königsberg fue más lengua sucia y lejos que el cuero de marras, al aseverar que "un viejo verde es la más despreciable criatura de la creación". Y en verdad, un viejo que se las ingenia para parecer joven se pone en una situación tan lastimosa como esos jóvenes que parecen viejos. Lo mejor sería permitir que el tiempo hiciera sin interferencias su trabajo, dejar de dar tumbos por la desatinada ruta de la fuente de la juventud, auspiciar la quiebra de la industria cosmética, ejecutar sistemáticamente a los cirujanos plásticos, beber con plácido estoicismo la cicuta de la vejez, para ver si al fin nos separamos de esta corporalidad imperfecta que nunca termina por entallarnos, pudo haber dicho en este caso Arthur Schopenhauer, quien convidaba a renunciar de la apariencia y, ¡oh paradoja!, no se dejó morir sino hasta los ochenta y dos años.

El inspector se encerró en el baño. Suspiró aliviado al desabrocharse la faja que desde hacía rato le dificultaba la respiración. Logró reflejarse en los pocos rastros de azogue que quedaban en el espejo de la pared. El pelo continuaba aplanchado con fidelidad sobre la calva. Las mejillas permanecían blanquecinas. Sobre todo, advirtió que su mirada conservaba el encanto de los buenos años. Esta última apreciación era objetiva, dado que en el ser humano lo único que nunca envejece son los ojos.

Se apartó del nublado espejo. Los orines y la pestilencia de las ratas le ofendieron la nariz. Con la respiración detenida, se apostó ante el inodoro. Meó formando cruces con el orín, según acostumbraba. Sería interesante desarrollar una filosofía sobre la forma en que los hombres dejan caer los orines. A diferencia de la mujer, quien está casi condenada a proyectar el chorro en línea recta, hay hombres que —en virtud del movimiento multidireccional que el güebo permite— se entretienen haciendo circulitos, o espirales, o cruces, o plagiando a Jackson Pollock. Quizá el talante lúdico del *homus orinante* explique el deseo de silbar que se siente durante dicho acto. Tendría esta filosofía del futuro varias tareas por resolver: en el plano estético, explicar por qué el *homus orinante* suele levantar un poco la cabeza y dejar que la mirada se pierda nostálgica en lo infinito, así como establecer por qué a menudo flexiona las rodillas al momento de subirse la bragueta; en el de la historia natural, llamar la atención sobre el hecho de que el hombre es el único ser que posee la propiedad de orinar en una botella, y clasificar a esa rara especie que siente predilección por mear caminando; en el neumático, describir ese movimiento de libertad súbita, de liberación espiritual, que acaece desde el momento de sacar el güebo para mear; finalmente, en el plano metafísico, reflexionar sobre por qué una vez concluido el acto, el *homus orinante* —a menos que no lo necesite para el análisis clínico— siempre termina por desentenderse de ese líquido cuyo desplazamiento le ha producido tan profundo bienestar.

El inspector hizo la última cruz en el inodoro. Sus orines formaron un pocillo amarillento en el que boyaron numerosas moscas ahogadas. Bajó con insistencia la palanca y no sucedió nada. En el lavamanos tampoco había agua. Se ajustó la faja y abandonó el baño tocado por una leve pesadumbre. Se detuvo junto a una columna para encender un cigarrillo. En ese momento, Tora el Pez Tigre Balón frunció las cejas. Travolta le impedía contemplar el cuadro del Jardín de Oro. Le miró el porte y pensó que ese monigote tardío era de los que gastaban los días practicando poses y pasitos de baile para irse de fantoches a las discotecas mientras la policía causaba estragos en las calles y en el campus universitario. En otro tiempo Tora lo hubiese interpelado con un fogoso discurso; mas últimamente, luego de su encuentro con la Princesa de Jade, en su alma no quedaban fuerzas para otra cosa que no fuera soñar con el amor. Por eso se limitó a hacerle un bisbiseo y pedirle que se apartara.

Travolta se desplazó hacia el centro del salón. Vislumbró a Lù-shi, quien se encontraba tras el mostrador cumpliendo, atenta, alguna orden de su esposo. El inspector apagó el fósforo y avanzó hasta la cantina. Abrió con soberbia el refrigerador, cogió tres cervezas. Regresó a la mesa y se las tomó apurado, casi sin prestarle atención a Delia. El calor se zarandeaba de un lado a otro del burdel, montado sobre el carro esperpéntico de las ratas envenenadas. La luna mostraba por la ventana un rostro de muchacha fea. El inspector sacó un lapicero y avanzó decidido hacia la barra. Ángel el ángel le leyó el pensamiento y siguió la escena con sus ojos aburridos. Vio que el viejo verde, con singular pedantería, extorsionaba a Changsán. Vio que el patrón sacaba de mala gana un puñado de billetes, cuando en verdad hubiera deseado sacar una pistola. Y vio más, el inspector no hacía aquello por simple maña de oficio, sino porque pretendía impresionar a Lù-shi. Le leyó también el libro del corazón y descubrió que, bajo una sucia costra de odio, brillaba el fuego del amor. Sin embargo, notó que por encima de su corazón había una capa fresca, puesta recién, de otro sentimiento inflamable que pretendía ocultar los ardores del querer. "El amor inmediato, diría Søren, puede también variar en sí mismo de otro modo: mediante el recalentamiento puede convertirse en celos". O sea que la situación del amante era patética, pues no en vano reza el antiguo dicho que quien cela es porque quiere. Changsán, echando chispas, dejó caer en la mano del inspector el fajo de billetes.

—¡La casa paga y se ríe! —vociferó sarcástico Ángel el ángel.

El inspector le sugirió a Lù-shi que fregara el inodoro y regara naftalina para disimular la vaharada. Luego cogió dos cervezas y regresó a la mesa. Se sintió cansado. Calculó que dentro de poco debería encaramar al cuero a uno de los cuartos y dar por concluida la noche. Los viejos verdes se delatan porque no aguantan mucho en las fiestas; pronto se les agota el tiempo porque precisamente tiempo es lo que menos les queda. Sin embargo, Travolta no podía vaticinar que no terminaría la noche con Delia, sino con La Maura. Esta, en un momento en que aquella iría al baño, pasaría en vuelo rasante para rapiñarse al cliente borracho y desplumarlo en los palomares de la segunda planta. Delia llenó los vasos con la última cerveza, sin prever su destino inmediato. Al reparar en la saña con que los ojos de su cliente buscaban a Lù-shi, recitó desprevenida, por decir algo gracioso:

—Del odio nace el amor... —y se levantó para ir al baño.

El inspector apuró de un trago el vaso de cerveza. La Maura observó desde el pie de la escalera a su presa y se alistó para volársela. Él miró por última vez hacia ese estropajo de mujer que era Lù-shi y suspiró tranquilo, seguro de que sería fácil borrarse del recuerdo a una persona tan insignificante. Suerte que nunca en su vida había escuchado el nombre de un tal Søren Kierkegaard, y que tampoco había leído nada escrito por él, porque de ser así, a lo mejor, tras oír la última frase de Delia, le hubiese llegado esta cláusula a la memoria: "Allá abajo, entre los escombros, el amor continúa ardiendo, pero su llama es la del odio; y ésta solamente se apagará cuando el amor se consuma del todo", y probablemente hubiese caído en la desesperación.

VIII, 9 / ROYAL PALACE. La flor deshecha en el poema

El parroquiano Edoy Montenégodo, seudónimo de Rafael Collado, alias el Poeta de la Carpeta Amarilla, dejó que sus pasos vencidos lo arrastraran hacia el interior del Royal. Las rodillas se flexionaron y depositaron las nalgas en la superficie dura de una silla. Luego las manos colocaron la carpeta sobre la mesa y la cabeza, para no quedarse atrás, descendió en un movimiento curvilíneo y enterró la barbilla en el pecho. No había sido laureado en el certamen literario. La China, que se sentó a su lado, no pudo sacarle una sola palabra; apenas una mirada dolorosa, de perro apaleado, que la sobrecogió.

Los dos chulos a destajo se acercaron. Bravucones, recogiéndose las mangas, le recordaron que era sábado y que debía pagar cierta deuda. En primer plano, se les veía felices, excitados, crueles en exceso. La deuda no era con ellos; pero ambos estaban deseosos de meterle el puño a alguien, de sazonar la fiesta con una de esas golpizas que solían propinar en su tiempo mejor. Aunque la semana anterior habían golpeado hasta con el cubo del agua a Ángel el ángel, aquello fue diferente, nada profesional. Lo atacaron porque este los acusó de ser tígueres frustrados que procuraban esconder a puñetazos el tiempo ido; además terminaron por llorar y reconocer que esas acusaciones eran verdaderas. Por pertenecer a la vieja guardia, a ellos les resultaban insoportables aquellas noches de maipiolería, tan afeminadas, en las que a nadie se le partía la madre. En su visión, el concepto de burdel giraba en torno a cuatro ángulos: ron, música, mujeres y cuchillo; los tres primeros estaban presentes esa noche, pero faltaba uno, el fundamental, y ellos —canónicos y fieles a la tradición— estaban dispuestos a lamberse al poeta a navaja pura. Como vieron que el interpelado no decía ni púdrete ante sus exigencias, se miraron con los ojos turbios, menos furiosos que regocijados, y lo levantaron por el cuello de la camisa.

En ese momento Changsán silbó desde el mostrador para que lo dejaran en paz. Desalentados y sin comprender la situación, soltaron el cuerpo del bardo, que cayó sin resistencia en la silla, despatarrado, un saco de basura. El chino intervino porque días atrás había acogido la recomendación del violinista, de no permitir riñas que empañaran la imagen del negocio. Además no le preocupaba tanto la deuda en virtud de la persona que de ella se había hecho garante. Los dos chulos a destajo se replegaron a un rincón mientras maldecían por lo bajo hasta a la mama del diablo. Pero el asunto no quedaría ahí. Ángel el ángel había descubierto el estado anímico del aeda y no desaprovechó el momento para ponerse manos a la obra.

No le sería difícil molestar al poeta. Para empezar a darle la cuerda, aprovechó que la China preguntaba intrigada la razón por la que su cliente se encontraba en tal estado de ánimo. Agarró su jarra de cerveza con hielo y arrastró una silla de cuero de chivo hasta un lado de la mesa del vate.

—Es una verdadera pena —comentó, con un sinsabor mal fingido que dejaba filtrar el cinismo en cada expresión—. Esta noche acaban de emitir el veredicto sobre el certamen literario y nuestro pequeño dios de la poesía fue injustamente despojado del laurel.

Edoy Montenégodo levantó un poco la cabeza. Pensó intrigado cómo diablos se la hacía ese chismoso para estar enterado de todo lo que sucedía en la ciudad. Al escuchar la noticia, la China se llevó las manos a la cabeza.

—¡Ay, Jesús! —exclamó apenada—. No le dieron nada...

—Asina es, mi querida musa titulada —confirmó con abuso de patetismo el informante. El aeda lo cortó con una mala mirada—. Y lo peor del caso es que otorgaron tres premios y veintitrés menciones honoríficas, y a nuestro destacado poeta no le dieron nada.

—¡Ay, ombe! —suspiró la mujer mientras miraba a su cliente como si él fuera la fotografía ajada de alguien que se ha ido para siempre.

Ángel el ángel percibió que el ánimo del aeda debía ser zarandeado un poquito más. Había que hacerlo entrar en cólera. Entre exhalaciones aciagas masticó un poco de hielo.

—¿Y a que ustedes no saben quién fue laureado con el segundo lugar? —preguntó mordaz, con énfasis en la palabra "ustedes", para involucrar y dar vela en ese entierro a los demás. Levantó la voz al momento de proferir el nombre del historiador municipal, confiado en que dicha frase obraría como un encantamiento—. Eso es incomprensible, porque ese historiador municipal es director de la biblioteca y presidente del jurado del certamen. ¿Cómo es posible que obtuviera el premio? —protestó con fingida indignación—. Ahora, debemos reconocer que el historiador municipal posee un extraño concepto de la honestidad; siendo director y jurado pudo haberse adjudicado el primer lugar y sólo recibió el segundo... Eso significa que a lo mejor en el certamen hubo un cuidadoso acierto en la selección. ¿Qué opinan ustedes?

—Bueno... —contestó indeciso alguien desde otra mesa.

Tenía listo al poeta. Lo advirtió en esa mirada punzante, de culebra venenosa, que este acababa de lanzarle. Se veía furibundo, tragándose en silencio los bufidos, tan rígidamente enconado que si lo pincharan no botaría sangre. Sin embargo, permanecía inmóvil. Ángel el ángel comprendió que era menester darle una ayudita, mover aunque sea un dedo para que acabara de prenderse en candela. En efecto, extendió el dedo índice y lo llevó hasta la mesa.

—Porque, para que ustedes tengan una idea de la magna obra que el jurado acaba de ignorar, permítanme alcanzarles este poema que... —y trató de atraer con el dedo la carpeta amarilla.

Suficiente. El poeta encontrábase hasta la coronilla. Le dio un puñetazo en el dedo transgresor. Se puso de pie y lo tomó por el cuello. Changsán saltó sobre el mostrador y correteó de un lado a otro, mientras pedía que detuvieran la pelea. Hizo una señal a los dos chulos a destajo para que intervinieran. Ellos le dieron la espalda, murmurando: "Linda gracia, no quiere que uno pelee y, encima de eso, nos ruega que paremos el pleito. ¿Él se cree que estamos en una iglesia? Esto es una maipiolería: un sitio de ron, música, mujeres, cuchillo... ¿En qué etapa de su vida estará viviendo ese hijo de la gran puta?"

El atacante lanzó a Ángel el ángel sobre mesas que —las gracias a Dios sean dadas— no se rompieron. Lo pateó vehemente, inclusive en la parte de su hombría; lo descojonó a botellazos y trompadas; le partió el epiplón al dejarlo caer sentado en la taza del inodoro. Al fin, cuando la rabia y la imaginación flaquearon y se convirtieron en una borra desangelada, torva e indolente, Edoy Montenégodo reclinose agotado contra una columna. Entonces estalló en llanto: que es más, sí, él era un comemierda, porque quién le había hecho pensar a él que de un municipio insignificante, más extraviado que el monte en que se perdió Cucurulo, en un rincón hundido entre montañas y extraviado en el culo del mundo, desde donde el diablo dio las tres voces, podía salir un poeta de fama universal; que quién le dijo a él que de un país anónimo carente de gestas notables, podía levantarse un Homero o un Walt Whitman; que quién le hizo a él no llevarse de las críticas que le hacían en su casa, deja esa vaina, muchacho, que te vas a poner loco leyendo esas pendejadas, mira que con poemitas no se paga en la pulpería. Y fue gritando expresiones como esas entre sollozos. Bajo el silencio de los parroquianos y la vellonera, el poeta, menos rabioso que desengañado, lloró su suerte hasta que las lágrimas se le secaron y el dolor le apagó la voz. Una vez finalizado el espectáculo de su caída, un parroquiano deshizo el silencio al reactivar la vellonera. La luna, redonda y brillante como una moneda de plata, quedó atrabancada en una ventana del burdel.

LIBRO NONO

MORIR POR LA PRINCESA DE JADE

IX, 1 / ROYAL PALACE. La mirada del sol

El poeta Edoy Montenégodo contemplaba el vaso con la amargura de quien tiene que beberse un purgante de jalapa o la cicuta. El violinista, en un gesto solidario que lindaba con la conmiseración, le había regalado una botella de ron. Precisamente a él, caramba, quien se suponía que a estas horas debería estar bañado de gloria, atiborrado de moneda. La noche se desparramaba calurosa y fétida por el salón, embadurnada por el caldo de las esperanzas idas. El aeda se encontraba solo en la mesa, esas noches de soledad que coronan a las grandes caídas, pues la China se encontraba desde temprano con Mazamorra, el tíguere que tenía fama de ladrón.

Decaído, desplomados los hombros, la mirada por el suelo, pesado el caminar, vuelto una morisqueta penosa por causa del desgano y la amargura, el poeta se desplazaba hacia el baño. Aspiró con actitud suicida el aire pestilente que daba tumbos encerrado en el pequeño cuarto. Fiel a la clásica usanza, se sacó de la braqueta esa especie de serpiente presta al pecado y anormal, encadenada por la cola, que en el hombre constituye la parte de vergüenza. Mientras oía la sinfonía baja y menor que al caer descomponen los orines, levantó el rostro y dejó que la mirada se le perdiera en lo infinito. Orinamos igual que nuestros padres, que nuestros tatarabuelos, orinamos igual que ese primer mono que desencadenó esta vaina de ser humano. Los animales todo lo hacemos así, siempre como el anterior, y no tenemos verdadera originalidad ni siquiera para mear. Quizá repetirse sin cesar sea el único sentido de la existencia. En estas y otras bajas reflexiones se empleaba el aeda, cuando descubrió sobrecogido una mirada dorada, inquietante como el oro o el fuego, que lo contemplaba desde una brecha del techo. Guiado por su instinto de supervivencia, se guardó la hombría, mojándose la bragueta en su precipitación. Al levantar de nuevo los ojos, la mirada dorada se había desvanecido.

IX, 2 / LIMBUM. Dulce paz la de los sueños

La alfombra verde, de enternecidas esmeraldas, refleja la sombra cromada de los dragones, de los cuerpos multicolores labrados en el cielo y del fénix que casi se pierde porque su plumaje de oro se confunde con el fondo dorado del firmamento. Un vapor de azúcares brota por los poros negrísimos del suelo, mientras las nubes surten una lluvia perfumada que sólo se detiene para no empapar el cuerpo o la hierba. La luna crea charcos de plata en la tierra y va construyendo flores encantadoras y nuevas que por primera vez aparecen en el universo. Y el mundo de repente se ha vuelto así: un cúmulo de criaturas construidas con la masa de los arco iris. Nada es irreal, sino sueño, y la ensoñación es la realidad elevada a su potencia máxima. En esta estación, si un hombre apareciese súbitamente, sería una criatura mágica más.

En uno de sus vaivenes, esa sustancia imprecisa que pretende ser el tiempo ondea hacia atrás y extrae del polvo luminoso al primer hombre. Se acerca a la portezuela azul, trasera, de los sentidos, y distribuye sobre el césped una serie de conchas de tortuga, las cuales va agujereando en silencio con una aguja ardiente. Graba secretos vaticinios alrededor de los orificios y las exhibe bajo un rayo puro de luz de luna.

—La Mordedura Tajante muerde a través de la carne

blanda, hasta el punto de esfumarle la nariz... —glosa y contempla callado los contornos que el mundo recién inventara—. En el reino perfectísimo de Chu no se creaban figuras en el humo. ¿Cómo pretendes avanzar si marchas contrario a las sendas de los antiguos? Ah, si tu padre te viera...

Changsán levanta su mano, recién recortada del arco iris, y al pasarla sobre la imagen del recién llegado, lo desvanece. Entre las flores se levanta un cerezo. De la punta de una de sus ramas brota un puntito de marfil que crece, crece, y se forma flor. La flor se envuelve poco a poco, se cierra, bajo la incesante lluvia y el cambio de los días, hasta convertirse en el punto verde de una cereza. La diminuta fruta va ensanchándose y alcanza su tamaño mayor. Después, con los pacientes días de la estación, muestra una manchita amarilla, luego rosada, roja al fin, que crece con lentitud hasta teñir la fruta entera. Cuando la cereza ha alcanzado la justa madurez y ya sólo le falta caer de la rama, Changsán extiende el brazo bajo el arbusto, para sentir el golpecillo suave de la fruta en la palma de la mano. Una vez concluido el festín vegetal, aparta un fajo de mullidas nubes y, a través del cielo encendido por el oro, echa un vistazo al Palacio del Cielo.

IX, 3 / ROYAL PALACE. Encuentro cercano del último tipo

El poeta retornó al salón. Observó el ambiente de parroquianos vencidos que esa noche, a diferencia suya, tenían al menos el coraje de fingir la felicidad. Al detenerse frente a la ventana, se formó una especie de collage de hombre y luna. La China le pasó por el lado.

—Echemos un polvo, que se me va la vida —le suplicó con la voz borrada por el desgano—. Aunque sea por caridad...

La China suspiró un poco fastidiada.

—El problema no es de dinero, campeón. Es que estoy con ese cliente desde temprano —explicó mientras le daba palmaditas en el rostro.

El poeta bajó la cabeza. Le dolió la indiferencia y la desenvoltura con que lo había llamado "campeón". Apoyó la nuca contra la luna.

—Se agradece la condescendencia —correspondiole desganado.

La China se encogió de hombros. Pero no tuvo fuerzas para retirarse y dejarlo sufrir. Así que, ronzando, diciéndose a sí misma ¡coño, coño, maldito corazón!, le pidió que esperara un momento. Se apartó a conversar con Delia, que en ese momento estaba desocupada. La otra le respondió que no estaba dispuesta a acostarse fiado ni de balde con ningún huevón, sobre todo esa noche, en que La Maura le había volado un cliente. La China buscó a La Maura, a ver si podía ayudarla con el poeta; le dijeron que se había marchado temprano para evitar que Delia la desplumara. Casi todas las demás estaban ocupadas... excepto Mamota Cajebola y la Canquiña. La China eligió de las dos a la menos horripilante y le ofreció veinte pesos para que se acostara con el hombre. La Canquiña miró a su compañera inseparable y puso por condición que lo hicieran entre las dos. Tras breves deliberaciones se repartieron los veinte pesos y siguieron a la contratante para ser reunidas con el poeta.

Edoy Montenégodo quedó perplejo. Quizá pensó en los precarios bienes con que muchas veces nos abastece la caridad. Las mujeres percibieron su sorpresa.

—Lo puedes hacer con las dos, si te apetece —ofreció deseosa Mamota Cajebola o la Canquiña.

—No es eso —respondió al fin el hombre, tras considerar que si las dos féminas fueran devueltas al taller de la creación, las desmembraran y luego seleccionaran los mejores miembros, no se formaría un solo cuerpo de mujer que valiera la pena. Pero como comprendía que aquella era una noche de derrotas, no le dio más vueltas al asunto—. Vamos...

Subió por la escalera seguido de ambas. Más que un macho de burdel que ascendía hacia la consumación del placer, parecía un condenado al que dos verdugos conducían por la escalerilla del cadalso. Al llegar al descanso, escucharon el teclear de una máquina de escribir; cuando se preguntaron de dónde provenía ese ruido, el silencio se tendió por los pasillos en penumbras. Entraron a un cuarto. Las mujeres esperaron indecisas junto al espejo de luna. El poeta descubrió con velado sobresalto que aquello era algo terrible. Las repelentes mujeres se habían multiplicado así por dos. Se sentó en la cama y se quitó la ropa despacio para ganar tiempo. Acordó decidirse por la flaca, siguiendo la máxima estética que dice que "las mujeres huesudas dan buen caldo". La otra se limitó a poner el mosquitero alrededor de los amantes. Cuando la mujer se quedó en pelota e inclinó su cuerpo en el lecho, el aeda fue invadido por la desilusión. Porque la Canquiña ni siquiera era flaca, antes bien descarnada y como llena de ceniza por adentro; desabrida, cosificada, semejaba una tabla de planchar tirada sobre el colchón. Sin importarle ser descortés, el poeta le pidió que, por favor, se levantara. Llamó a Mamota Cajebola, la rolliza, por aquello de que las gorditas traen con qué amasarlas. La vio meterse en cueros bajo el mosquitero. Terror. La perfecta antítesis de Cleopatra. El negativo de una odalisca de Botero. Flácido el güebo aún, le pidió a la esquelética que entrara, a ver si entre las dos desencadenaban el deseo. Rozó la espalda de una de las mujeres: el tiriquito lo engrifó. Misión abortada. El hombre, sin decir ni media palabra, se puso la ropa y salió del cuarto.

"Soy tan horrible", gimió la Canquiña. "No, tú eres encantadora —reprobó atribulada Mamota Cajebola—; eres la niña más hermosa del mundo... La fea soy yo. Él se desencantó al verme, no por ti. Perdóname por arruinarte la noche". "La horrible soy yo —corrigió la otra, observándola bajo la luz de luna que penetraba por la ventana abierta—; mírate esos ojos, tan hermosos". Y tras breves consideraciones semejantes, terminaron por contemplarse en silencio y se besaron tiernamente las mejillas.

Edoy Montenégodo retornó a su mesa.

—Cuéntamelo todo —pidiole curiosa la China, quien acababa de despedir a Mazamorra.

—¿La mancuerna de féminas? Bueno, no me fue tan mal como a Laoconte con las dos serpientes... —comentó sin entusiasmo— Al menos yo sobreviví.

Y cayó en un letargo. La China ordenó una cerveza para ver si le quitaba el decaimiento. El poeta sorbió un trago y reclinó la cabeza sobre la carpeta amarilla. Su mente estaba atiborrada de imágenes nostradámicas y dantescas: la voz del historiador municipal al abrir el sobre del primer lugar; los dos chulos a destajo al cobrarle la deuda; aquella mujer, pájaro de mal agüero, que le dijo prefería los versos patéticos del Indio Duarte; la gente de su casa exigiéndole que dejara de hacerse el poeta y se dedicara a buscar un trabajo mejor; los alumnos y camaradas del instituto de inglés, a los que había prometido un brindis con motivo del certamen que esa noche supuestamente iba a ganar. La China le acarició la cabeza para que se levantara. Le sintió la frente ardiendo, ya fuera por el excesivo calor o por una fiebre repentina. Edoy Montenégodo miró a su alrededor. Las sórdidas imágenes del salón flameaban y se intercalaban para formar una pintura apocalíptica. Pinceladas de Hyeronimus Bosch, de Brueghel d' Enfer, de Goya, de Doménikos Theotokópoulos, de Blake, de Dalí, de Kandinsky, armonizadas según el ritmo de las pesadillas. En medio del rompecabezas tenebroso que la cotidianidad le armaba, miró a Lù-shi, quien se acercaba, los pies desnudos sepultados bajo el ruedo del vestido, trayendo en bandeja de plata una taza de porcelana decorada con flores. El hombre bebió de la taza una infusión tibia, amarga, que lo sumió en un profundo sopor. Tras ver que Lù-shi se desvanecía en la humareda de los cigarrillos, el ardor del cuerpo amainó. Quedó adormecido.

IX, 4 / JARDÍN EXTRAMUROS. El santo del desierto

*There are things known
and there are things unknown,
and between are the doors.*
Jim Morrison

El papel que tapizaba los ahumados muros del burdel comenzó a desprenderse. Las flores pintadas caían y, al tomar cuerpo, producían un rumor amortiguado al deshojar sus pétalos sobre los mosaicos. El aire se nubló de dragones de brillantes escamas que entraban y salían en vuelo grácil por las ventanas. El espacio se llenó con el gorjeo de un fénix que agitaba sus auríferas alas. El poeta miró a la China, maravillado, y descubrió que ella lo llamaba preocupada como desde una pesadilla.

—¡Poeta, poeta! —escuchó la voz lejana de la mujer—. ¿Adónde vas?

A medida que lo llamaba, la figura de ella se alejaba, se alejaba, y acabó perdida tras un muro de humo. El poeta percibió que del techo descolgaban hiedras floridas y que donde antes hubo columnas de concreto, ahora crecían árboles de cedro. Los mosaicos produjeron un ruido vegetal y sus dibujos empezaron a moverse, a tomar vida, a crecer de súbito hasta atiborrar el espacio con sus pétalos triangulares y su aroma embriagador. Lo cautivó una imagen aparecida en el descanso de la escalera. Se trataba de una muchacha hermosa en extremo, de rasgos chinos, ataviada con una túnica azul bordada de lotos y crisantemos, el rostro aderezado tan encantadoramente que parecía de fina porcelana. Estaba parada bajo un ciruelo en flor, protegida de la luz con una sombrilla roja. Sus ojos eran dorados, dos soles diminutos cuya lumbre se desparramaba por las mejillas. Desde la sombra rosácea contempló al poeta. Luego su mirada reflejó una dulce y profunda angustia. Se retiró con la cabeza baja, apurada, y llevose consigo casi toda la iluminación, por lo que apenas quedó una sombra tenue, como de un remoto atardecer visto en una fotografía. El poeta avanzó hacia la escalera, pero al llegar al primer peldaño no encontró el rastro de la muchacha extraña. Al contrario, los escalones eran ahora una senda abierta en la montaña y las barandillas estaban convertidas en matorrales. Temeroso de olvidarla, tomó un pliego de papel y dibujó su rostro de porcelana, sus mejillas de luna, sus ojos de sol empañados por una mancha de angustia. Cuando guardaba el dibujo, Ángel el ángel lo llamó desde la cima de la senda florida.

—¡Apúrese! El puente va a desvanecerse...

El poeta siguió doblando el papel, sin prestarle atención.

—Más se perdió con el ciclón —le dijo, de mala gana.

Ángel el ángel le tendió la mano, mano que se ofrece decidida y temblorosa en medio de la tempestad.

—Siempre tan esmerado en hacerse el ridículo... —reprobó, apurado—. Si no se pone pronto en camino, esto se esfumará y no volverá a ver jamás ni nunca en la vida a la Princesa de Jade.

—¿Quién es la Princesa de Jade? —preguntó Edoy Montenégodo, porque sintió que las letras de aquel nombre le golpearon el corazón.

El otro suspiró un poco fastidiado.

—La muchacha de los ojos dorados, la que se detiene bajo la sombra rosada —explicó, tocado por un aire femenino—. ¡Apúrese, hombre! No tenemos toda la eternidad. Además, nadie me está pagando por hacer esto. ¡Apúrese!

El poeta lo siguió sin demora. Se apoyó en su mano y avanzó cuesta arriba por el camino florecido. Tan pronto llegaron a la cima, la luna se deshizo tras la cortina sucia de las nubes y una luz crepuscular disimuló el paisaje.

—¡Última parada! Aquí terminan los rieles del tren —le anunció el guía a sus espaldas—. No olvide mandarme una postal. Y siga siempre por la raya amarilla...

Cuando Edoy Montenégodo se volteó, Ángel el ángel no estaba. Sólo quedaba el eco de las últimas palabras. Una capa de arena se extendía desde sus pies y se perdía en el infinito crepuscular. Y a su alrededor se extendía una porción de arenilla húmeda semejante, accidentada, que se borraba siempre en la lejanía. El poeta consideró que daba lo mismo avanzar hacia cualquier lado, tan circulares a simple vista son los caminos del desierto. Recordando las palabras de su guía, pisó una línea amarillenta que estaba trazada en el suelo y caminó sobre ella durante mucho tiempo. En el desierto sólo existe el tiempo como un instante fugaz y esa materia informe, primigenia, de la que nos habla san Agustín. Nada hay delante suyo ni detrás, salvo la arena. Eso podría extraviar a ciertos espíritus crédulos y hacerlos caer en la herejía de pensar que en el principio Dios creó el desierto y de sus arenas moldeó las primitivas fuentes, las góticas montañas, los bosques barrocos... Reforzados hay que tener los cristales del alma para no perderse en las vaguedades de su soledad.

El poeta entreabrió los ojos y descubrió que desde hacía rato se había quedado dormido. Volvió a dormirse sosegado y soñó que dormitaba sobre la raya amarilla. Y que en aquel sueño soñaba que volvía a quedar dormido y soñaba que soñaba dormido sobre la arena. En el quinto sueño, soñó que le tocaban el hombro con un báculo.

—¡Despertad, hombre! —le dijeron desde afuera de este sueño, mientras lo encarnizaban con la punta del báculo—. No descuidéis la guardia, no permitáis que os atrapen dormido. ¡Despertad!

El poeta abrió los ojos. Distinguió una figura semiborrada por la luz crepuscular. Era un monje vestido de marrón, harapiento, con el rostro perdido bajo una barba descuidada.

Sus cejas anchas, canosas, daban la impresión de ser postizas, tomadas de un muñeco de ventrílocuo, y de su abultada nariz brotaban rudos pelos que casi pinchaban sus labios descoloridos. Traía consigo una pesada arca llena de lecturas religiosas y ejercicios espirituales de su autoría.

—¿Por qué me despierta? —inquirió el poeta, afectado por el mal humor—. ¿Pasa algún problema?

Del fondo del rostro del asceta brotaron unos ojillos suspicaces. Agitó los brazos en ademán de alarma. Luego se le quedó mirando.

—El demonio anda como león bramando por hacer daño a los que duermen y así a muchos ha sucedido bastante mal, durmiendo —advirtió. De inmediato cayó de rodillas y apoyó los labios sobre las manos enredadas, mascullando una jaculatoria. Suspiró aliviado, con hondo regocijo, relajado, como si acabara de darse una nota de cocaína—. Con dificultad resistirá al diablo quien con facilidad es vencido por el sueño. Mientras duerme el hombre, el demonio pasea la bellaquería a sus anchas y se sirve con la cuchara grande en el caldero de las almas cristianas.

—¿Y qué quiere? Tenía sueño —protestó hastiado el poeta.

El anacoreta se puso de rodillas, las manos estrujadas contra los labios mustios. Trazó sobre el espejo del alma una fina línea con polvo del que está hecho el hombre y se dio una nota de jaculatorias. Suspiró aliviado.

—¡Huid del sueño! Yo me acerqué atraído por vuestros ronquidos... Habéis de saber que roncar no es dormir religiosamente, porque, junto con el bostezo, constituye la ostentación del placer del sueño —Se detuvo alerta a olfatear el aire—. ¿Sentisteis ese olor?

El poeta cató el aire. Encogió los hombros. No olía a nada.

—Aquí no huele a nada.

—¿Que no sentisteis el olor del azufre? ¿El aroma ácido del fuego? ¿No os da el malísimo olor? —inquirió incrédulo el asceta. En seguida saltó sobre el arca y levantó el báculo, desafiante, aullando como una fiera—. ¡Venid y dad la asquerosa cara, demonio, que yo os reto en el Santo Nombre del Señor! —Se quedó inmóvil en espera de alguna respuesta. Al notar que nada sucedía, bajó a tierra—. ¿Visteis? El demonio se acobarda tan pronto uno invoca el Santo Nombre... ¡Oh, hijo mío! Tomad de mi ejemplo. Yo soy un monje mínimo, humanidad deleznable, basura humana, ciervo inmerecido de Cristo, carne sazonada por la vida para convertirme en carroña de gusanos. Sin embargo, me he refugiado en este yermo para seguir la regla del Señor, que es obligar esta carne sórdida a purificarse en el filtro de la santidad. Me mantengo vigilante y no reposo más de una hora. Mi cama es la arena húmeda, sobre la cual arrojo espinas y abrojos, para que este cuerpo mundano no halle placer alguno en el dormir. Si me siento tentado por pensamientos contra la castidad, cargo sobre mis hombros un costal de piedras y paséome con él por algunas horas, aunque suelo tener apagados los ardores de la lujuria con el frío de los ayunos. No ingiero más que el alimento necesario y, para no dar contento al demonio de la gula, mezclo las comidas con arena y el agua con vinagre, de tal forma que el estómago no encuentre placer en ellas.

—¿Y cómo puede vivir sin los hombres?

El místico chasqueó los dedos y respondió:

—A quien vive para Dios, no le es menester la presencia del hombre.

—Para que le coja con tirar piedras... —expresó encogido de hombros el poeta.

No vino a orejas del ermitaño esta expresión, porque rebuscaba ansioso entre los papeles del arca. Dio con un pergamino. Tras vacilar, desconfiado, lo abrió sobre la arena.

—Puedo ver por vuestra actitud que sois un hombre del siglo. Y como vais de corte en corte, os impondré un trabajo de economía espiritual —comentó. Tras sopesar en silencio lo que iba a comunicar, fue al grano, aunque sin borrar la sombra de la desconfianza—. En vuestra facultad de letrado, os confiero la santa misión de esparcir por las ciudades estos metros que he escrito. Buscaréis calígrafos que hagan copias deste manuscrito, ofertaréis las copias entre los hombres de virtud y luego me traeréis los dineros obtenidos.

Edoy Montenégodo se acercó al pergamino. Ante la mirada recelosa del otro, trató de deletrear lo que allí estaba escrito. No entendía el latín, pero conocía lo suficiente como para saber que no entendía aquellas palabras precisamente porque estaban escritas en latín. El anacoreta recogió el papel, con desconfianza. El poeta se sintió ofendido por esta actitud y por la propuesta.

—Óigame esto, padrecito. Este inquilino del mundo que le habla ahora a usted, con lo pecador que pueda ser, se basta y sobra como poeta y no tiene necesidad de copiar los versos mediocres de nadie. Además, yo he tirado para la izquierda mil veces más páginas que las de ese baúl —aseveró, satisfecho por la repentina perplejidad del monje—. Y sepa que yo, que he luchado en vano por publicar mis mejores manuscritos, no voy a mover ni un dedo para que se publiquen sus versos anticuados que, sin dudas, deben ser un plagio de Virgilio o de Agustín de Hipona. Cada cual que se arrasque con sus uñas —apuntó y, sin dejarse interrumpir, bajó la voz para dar la estocada final—. Además, cualquiera diría que usted peca de vanagloria al ostentar por escrito su experiencia interior.

El anacoreta levantó contrariado el rostro.

—Vos... —lo señaló— ¿Creíais que no iba a desenmascararos? ¡Sois el demonio en persona!

Le apuntó con el báculo mientras guardaba apurado el pergamino y cerraba el arca.

—¡Sí! —reveló con timbre tenebroso el poeta y fingió carcajadas diabólicas—. Y es más: yo soy la mama del diablo.

—¡Pues si tenéis licencia de Dios para herirme, herid-me! ¡Vade retro!

Dicho esto, el monje empezó a alejarse haciendo la se-ñal de la cruz con el báculo, a la vez que arrastraba el pesado baúl sobre la arena. De vez en cuando se detenía desafiante, aunque siempre desde la lejanía, más temerario que valiente, juzgará Dios si pecando de soberbia. Porque al demonio bas-ta resistirle; el que quiere acometerle y dispone la voluntad de enfrentarle, gana el peligro y la ocasión de pecar. Esto último refiérelo Alonso de Villegas en el *Flos Sanctorum*, discurso se-senta y nueve, que trata sobre resistir al demonio.

IX, 5 / JARDÍN EXTRAMUROS. El fugitivo

Soñó que despertaba de un sueño. A su lado, descu-brió a un monje que roncaba sobre la arena abrazado a un baúl. Púsose de pie y se alejó de aquel paraje, siguiendo la ra-ya amarilla que a veces parecía desvanecerse en la tenue lum-bre crepuscular. Erró bajo el frío seco y el calor vaporoso. En ningún momento vio desaparecer la mancha de atardecer que cubría al desierto. Por fin, sus pies pisaron sobre algo mulli-do, de textura vegetal. Era la hierba. Había salido de la vasta arena. Se internaba ahora por un monte en el que soplaba un aire soso, humedecido, y se escuchaba el lejano chirriar de las chicharras perdidas entre los árboles sombreados. De repente perdió el equilibrio. Descubrió estupefacto que ahora camina-ba sobre un puente tan fino como un hilo de seda, bajo el cual había un profundo abismo claveteado con estacas de piedra. Mientras trataba de no caer, incontables cuerpos idénticos al suyo se desprendían de él y daban en el fondo. Un desconoci-do lo empujó con un remo para que avanzara. Al fin logró lle-gar a tierra firme. El del remo había desaparecido. Sintiéndose muy liviano, quedó dormido.

Se sentó a descansar sobre un tronco. Quedó dormido

y soñó que se soñaba sacando del bolsillo el dibujo de la Princesa de Jade, pero la borra del crepúsculo no le permitía distinguir las líneas. De ese sueño lo despertó el ruido metálico de una cabalgadura. Cuando abrió los ojos, descubrió a un señor de bigote y sombrero montado sobre un caballo y mirándole atribulado. Los contornos de su cuerpo y de la bestia se fundían con las sombras del atardecer. Sin moverse de la silla de montar, el jinete le preguntó suplicante:

—¿Las mujeres paren?

Edoy Montenégodo no supo qué responder. Como el jinete permanecía inmóvil, a la espera de alguna respuesta, se paró enfadado y se internó en el monte renegrido por la sombra de los árboles. Mientras caminaba, escuchaba que la cabalgadura le seguía de cerca. Pero cuando se volteaba a ver, el jinete tiraba de la jáquima y se ocultaba entre los matorrales ennegrecidos. Y así pasó mucho tiempo. Al cruzar por un descampado, oyó el llorar de un infante, más bien los berridos dolorosos de un becerro. El niño se le acercó, bañado en lágrimas y con los brazos abiertos. "¡Ay, Dios mío, que me saquen a lo claro!", le rogó con patetismo sobrecogedor. Al poeta se le engrifaron los pelos. Se apartó presuroso. A partir de ese momento fue seguido tanto por el jinete como por los berridos del infante. Cansado de desplazarse sin rumbo, se sentó sobre una piedra. Pensando en los angustiados ojos de su hermosa china estaba, cuando lo sorprendió el ruido metálico de un barrilete que giró junto a su oído. Por la rabiza del ojo alcanzó a ver la silueta de una mano negra que le apuntaba a la sien con un revólver.

—¡Quién vive! —inquirió el dueño del arma y de la mano.

—Nadie... —respondió Edoy Montenégodo, goteando la voz.

La mano negra hizo una señal. Un muchacho malcomido se acercó al aeda y lo registró, con celo. Volvió a meterle en el bolsillo lo único que encontró: el papel con el dibujo. "Está desarmado —informó el mozalbete—. Mátalo".

La mano negra le acarició la sien con la punta del cañón.

—¿Me andas persiguiendo? —preguntó.

—No... —respondió el poeta, sin mejorar la calidad de la voz.

—Entonces no hay por qué matarlo —determinó el tipo de la mano—. Yo sólo mato al que me busca.

—Se agradece... —suspiró disparatadamente Edoy Montenégodo, menos mortificado.

Siempre dará alivio saber que alguien, sea quien fuere, no desea matarnos. El malcomido lo cortó con la mirada y se sentó frente a él mascullando. De los lóbregos breñales se filtraban los gritos desconsolados del infante. El poeta intentó sentarse en una posición más relajada. "¡No se mueva, coño! —ordenole el mozalbete—. Usted es un prisionero de guerra... ¿no son verdad?" La mano negra sonrió: risa agria, extraída de un aparato de cuerdas con una manivela. El muchacho jugó largo rato a trazar figuras sosas con un palito sobre la tierra. Dibujó algo parecido a un estetoscopio, que en realidad era la figura de un güebo; lo borró para delinear una tarántula peluda, que en verdad no era una tarántula; sin darse cuenta, dibujó desnuda a una señorita de Avignon. Mientras se ejercitaba en el ejercicio creador, levantaba los ojos para mirar al portador del arma y continuaba con su aburrida tarea. En una, la mano se apartó de la sien del prisionero, que siguió atento la trayectoria. "¡Ay, no, no vaya a hacer eso!", suplicó el malcomido, aunque con un ruego a mil leguas falso.

—No te desesperes, pendejo, que todavía no me voy a matar —advirtió con desagrado el de la mano—. Sólo estaba mirando cuántas balas me quedan.

El poeta iba a voltear la cara para ver al hombre de la mano negra.

"¡No se mueva!", advirtió furioso el mozalbete, a la vez que el revólver volvía a ponerse ante la sien. Miró al prisionero con gesto de autoridad, lo cual más que arrojado lo hacía ver muy mediocre. Volvió a inclinar la cabeza. Dibujaba pajaritos preñados en la tierra y, tras borrarlos con el pie descalzo, los trazaba otra vez. El poeta notó que pintaba horrible, que a lo sumo serviría para hacerse pasar por uno de esos "pintores abstractos" que descomponen la forma porque no tienen manera de componerla. Le satisfizo pensar que, en todo caso, el tíguere sería un artista frustrado. Los berridos del infante se escuchaban cada vez más cerca.

La mano negra mantenía firme la boca del cañón contra la sien del prisionero. Este pensó, más intrigado que temeroso, por qué diablos continúa apuntándonos quien ha decidido no matarnos. Pudo observar de reojo el revólver. Era un Smith & Wesson calibre 38, tan opaco como el atardecer, aunque el poeta no tenía manera de saberlo. Fue el muy grandísimo literato británico y premio Nobel de literatura, sir Winston Churchill, quien escribió que era una vergüenza dejarse matar por un arma de la que uno no conoce ni el calibre. El malcomido se aburría cada vez más. Miraba de soslayo al de la mano y volvía a bajar desalentado los ojos. Finalmente, hizo una de las pocas cosas que puede hacer una persona para no morir de aburrición en medio del monte: contar. "Han mandado toda la guardia para que lo atrapen, porque lo acusan de haber matado a algunos de ellos; pero nadie ha tenido bragueta para enfrentarlo —señaló con orgullo al hombre de la mano—. Tienen miedo de encontrarse con él porque saben que donde pone el ojo... Si un calié, o sea un asqueroso chivato, informa a los guardias que este fugitivo anda por el Norte, ellos salen a buscarlo por el Sur, para no toparse con él. Han regado un bando que ofrece un premio a quien lo mate y recupere el revólver. Pero nadie se ha aventurado a caerle atrás a ese premio". El tíguere de la mano no lo interrumpía. Apenas profería interjecciones ingenuas y emotivas, embullado con la historia, como si se hablara de otra persona. Incluso narró una parte, aprovechando que el contador hizo un silencio.

—Cuentan que encontrándose él de fiesta en una casa a la luz de la lámpara, un calié avisó a la guardia. Ellos rodearon en secreto el lugar y le avisaron a la gente que saliera con disimulo. Cuando dentro sólo quedó el fugitivo, abrieron fuego. Aquello fue tiro, tiro, tiro, que tiro, tiro y mucho tiro, tiro por aquí, ¡pa!, ¡pa!, tiro por allá... Se oyó la voz de un guardia en medio del tiroteo: "¿Que dónde está, que no lo veo?" Y al entrar a la casa, vieron que estaba vacía.

El poeta estaba atormentado porque, mientras contaba la parte de los disparos, la mano negra se agitaba emocionada junto a su sien. El muchacho corroboró la historia. Siguió contando las desventuras que el hombre de la mano pasaba en medio del monte. "Una noche, cansado y teniendo pena, se fue a acostar donde un compadre, allá en la Loma de Jamaguay. Pero el compadre lo traicionó: salió corriendo y al ejército buscó. Cuando llegaron, cincuenta eliminó. Y al compadre, por traición a su nobleza, le cobró con un tiro en la cabeza".

El poeta miró hacia los matojos y alcanzó a ver, ayudado por la miseria de la luz, la silueta del jinete que tiempo atrás lo interpelara. Escuchó además los berridos del infante. Comentó a sus captores, desabrido:

—Esos cuentos los han sacado ustedes de un merengue de Wilfrido Vargas.

—¿Y qué más cuentan? ¿Y qué más cuentan? —inquirió con insistencia infantil el fugitivo sin prestarle oídos al prisionero.

"Dicen que lo de la verbena y lo del compadre sucedieron el mismo día, a la misma hora. Y cuentan también que en ese mismo tiempo ocho brujos salieron a cazarlo, y cuando estaban en medio del monte obscuro, corrieron asustados, porque se contaron y hallaron que había un noveno brujo entre ellos". El fugitivo sonrió con su desabrida risa de maquinaria. "Pero todos esos cuentos son mentira —receló con inquina y envidia el muchacho—, porque ese día, a esa hora, nosotros estábamos aquí mismo, más aburridos que el diablo en misa".

Al escuchar esta parte, la mano negra arrastró un viejo macuto y lo colocó frente al muchacho y al prisionero. Sin mediar palabras, sacó de su interior dos resguardos hechos con crucifijos, varias oraciones, un pañuelo rojo y un pedazo de cabuya de siete pies que tenía siete nudos. Seguro de que había inquietado a los presentes, observó:

—Los misterios hacen que uno se vuelva invisible y se pueda convertir en cualquier animal —con tono quejumbroso para defender los dones de ubicuidad e invisibilidad que las rapsodias le atribuían.

"Es lo que quise decir —apresuró el malcomido, para disimular su incredulidad—, que el fugitivo tiene poderes que los vivos no pueden explicar". Y sonrió con falsa complacencia. La mano negra se apartó de la sien. El muchacho dejó de sonreír y lo contempló ansioso. Dijo: "Ay, no, no se mate", con un tono falso que en verdad quería decir: "¡Coño, mátese de una vez y acabemos con esta vaina!"

—Aguántese, aguántese —dijo con humor cruel el fugitivo—, que todavía no me ha llegado la hora —En ese momento se escuchó el cabalgar de una bestia. La mano negra encañonó hacia un punto del monte e inquirió decidido—: ¿Quién vive!

El jinete, sin inmutarse, detuvo la cabalgadura ante el prisionero y preguntó suplicante:

—¿Las mujeres paren?

El hombre de la mano negra le hizo una señal y el jinete se internó despacio entre los matorrales.

—Ese es Pedro el Cruel —puso al corriente el fugitivo, mientras volvía a apuntar a la sien del prisionero—. Cuentan que su hija se enamoró de un soldado haitiano y quedó preñada. Él, aunque la quería por ser sangre de su sangre, le abrió la barriga y la mató. Ese día le cayó esta maldición: vagaría hasta el final de los tiempos por los montes sombríos, para preguntar a todo el que encontrara: "¿Las mujeres paren?", y desaparecer cuando le respondan: "Paren y parirán". Dicen que el día que se encuentre con alguien en medio del monte y no le pregunte eso, es porque el mundo se va a acabar.

—¿Y qué pasaría si uno le responde ni paren ni parirán? —preguntó escéptico el prisionero.

El muchacho dejó de plagiar a Miró en la tierra y lo contempló azorado.

—Respóndale usted así —contestó, de mala fe, acezando, con la voz corrompida por la inquina—. No pasará nada.

El poeta no pudo interpretar la sombra que había en la mirada del muchacho. Quedó intrigado. En ese momento los berridos del infante se escucharon más de cerca.

—¿Quién vive! —gritó la mano negra, tras mover el cañón del revólver.

—¡No le tire! —advirtió el prisionero, con el cuello tieso—. Es un niño...

El niño se acercó, tembloroso, con los ojos comidos por el llanto. "Ay, Dios mío, que me saquen a lo claro", imploró que partía el alma. "¡Ya, Cucurulo, ya! —le dijo fastidiado el malcomido—. ¿A qué maldito claro quieres que te saquen? En todas partes es la misma obscuridad", le voceó, filosófico y, a la vez, mentiroso. El infante arreció los gemidos y se alejó entre los árboles sombreados, despacio, casi sin separar las piernas.

—¡Pobre Cucurulo! —suspiró con amargura el hombre de la mano negra mientras encañonaba de nuevo la sien del prisionero.

—¿Quién es Cucurulo? —preguntó el poeta, temeroso de que aquella expresión fuera una señal para ejecutarlo.

—¿Nunca ha oído el adagio: "Cucurulo se perdió en un monte obscuro"? —interrogó el fugitivo—. Es ese enclenque que anda ahí, partiéndose el alma de dolor, rogando que lo lleven a la luz. Dicen que la mamá lo dejó aquí abandonado, aposta, porque era blanca y lo parió tras aparearse con un negro. Este es su monte de perdición. Una bruja me anunció que ese infeliz sólo va a salir de aquí el día que la humanidad se olvide de mejorar la raza. El problema es la mamá, que ya se habrá muerto...

El prisionero no emitió ninguna opinión. Estaba hastiado de escuchar cuentos de camino mientras le apuntaban a la sien. *Se supone que la tarea de quien encañona es resolver rápido sus asuntos y no joder más*, pensó. Hubo un silencio de esos que sólo se dan antes de que el ataúd penetre en el sepulcro. El hombre de la mano negra parecía muy apagado, no se movía ni se le oía respirar.

—Oiga, ¿cuándo va a disparar? —inquirió el poeta, menos angustiado que fastidiado.

El muchacho levantó los ojos y el palito.

—No voy a dispararle —aclaró el fugitivo.

El prisionero, sin atreverse a mover el cuello, respondió:

—¿Y por qué entonces me apunta y no me deja ir?

—Ah, no sé... pensé que a lo mejor usted se sentía cómodo así —respondió con pésimo humor. Apartó el revólver de su sien—. Puede irse.

Edoy Montenégodo se puso de pie. El fugitivo lo vio caminar en línea recta, sin voltear jamás el rostro, y esfumarse entre la masa negra del breñal. Hizo girar el barrilete del revólver, ido de sí, con esa imborrable tristeza que vemos en los muertos. Y al verse cansado, llamó al muchacho y a su lado lo sentó, y le dijo:

—Esta vida no la quiero. Vete corriendo para el pueblo y di que me mataste, que un premio te darán.

El malcomido lo contempló no del todo crédulo. Aún así, esta vez prefirió no interferir con su "ay, no, no vaya a hacer eso", no fuera a ser que en esta ocasión el fugitivo estuviera hablando en serio. Con la mirada sucia e implacable, silencioso, lo vio llevarse el cañón del revólver a la sien.

Pasando iba Edoy Montenégodo por un descampado cuando el estruendo del revólver hizo levantar de los árboles la estampida sombría de las aves. Se quedó pasmado. Un momento después, el malcomido se acercó corriendo, con el revólver en las manos. Se detuvo al pasar. Miró con desconfianza al antiguo prisionero, luego sonrió nervioso. "Lo maté yo... ¡yo solito! —informó, amenazante, aplicando el viejo procedimiento de coacción que suele utilizarse para imponer la historia oficial. Cuando vio que el otro se encogía de hombros, siguió su marcha triunfal hacia el pueblo—. ¡Lo maté! ¡Lo maté!" El poeta avanzó en dirección contraria, mientras pensaba en lo mal que le entalla al hombre la fama que se persigue y acorrala. Los berridos lejanos del infante se mezclaban con el cantar de las chicharras. Al internarse en unos arbustos, el jinete volvió a acercársele.

—¿Las mujeres paren? —inquirió con su voz imprecatoria.

El poeta suspiró hastiado. Decidió responderle "ni paren ni parirán", para ver qué demonios pasaría. Tras vacilar un rato, le dijo:

—Paren y parirán —sin atreverse a contestar como había aprobado.

Y vio que el jinete y la bestia se diluyeron en los matorrales pantanosos.

IX, 6 / JARDÍN EXTRAMUROS. Liu Mengmei

La perpetua luz crepuscular permitía vislumbrar aún las azaleas amarillas que se levantaban de la tierra y se alineaban sobre un interminable parterre perfumado. Edoy Montenégodo siguió la línea de las flores, que daba en el claroscuro un brillo de oro sucio. Se encontraba cansado y hambriento.

Al llegar a la orilla de un lago, se reclinó sobre el césped y quedó dormido. Soñó que soñaba que soñaba que soñaba que despertó, se descuajaringó y se apoyó contra un sauce. De repente, resbaló y rodó hasta caer en las profundas aguas del lago. Sería ocioso fajarse a describir el pataleo desesperado, ese bracear hacia arriba —como si, en lugar de por el agua, la víctima pretendiera ir hacia las nubes— que hace quedar tan mal a los que se están ahogando. Es justo mencionar que el poeta, cuando se sentía desfallecer, vio que la angustia de su memoria se borraba para dar paso a la imagen decantada de su princesa, que lo miraba nostálgica bajo el ciruelo en flor. Y acto seguido arregló la ventura que una mano lo arrastrara desde el fondo de las aguas y lo sacara a la orilla.

Su salvador llevaba el nombre de Liu Mengmei. Era un estudiante que iba a la capital con la intención de tomar los exámenes imperiales. Tuvo suerte el poeta de que este aspirante a escolar, contrario a aquel de la anécdota —que censuraba al barquero porque no sabía de artes y ciencias, y al momento de hundirse la barca se ahogó ya que, a diferencia del ignorante barquero, no sabía nadar—, no sólo era avezado en los cuatro libros confucianos, sino también en el arte de la natación.

—¿Qué pasó? ¿No era suficiente el reflejo superior del agua y tuviste que bajar a espejearte en el fondo? —inquirió Liu, sin ironía, con un gesto simpático que recordaba a esos chistosos chinos que suelen aparecer en las películas de karate.

—Por poco me jodo, caramba —lamentó el poeta, sin dejar de toser—. La gente se muere así, tan fácil, sin desearlo. ¿No es un misterio?

—No es prudente angustiarnos por los misterios de la muerte, que está lejos, cuando aún no hemos comprendido los infinitos secretos de la vida, que anda de la mano con nosotros —observó el otro mientras le ofrecía una escudilla de frutas secas.

El poeta devoró su ración de frutas. Al terminar le angustió considerar que a lo mejor el dibujo de la Princesa de Jade se había arruinado con el agua. Lo sacó cuidadosamente del bolsillo. Para fortuna, la tinta no se había diluido. Liu encendió una fogata con maderos de rosa y tendió el papel sobre una piedra para que se secara.

—Su mirada tenía un dejo de angustia bajo el ciruelo en flor —comentó el poeta, tras haberle narrado su visión.

El estudiante volvió a contemplar el retrato. Era una figura dibujada a tinta, con trazos sencillos que más que reproducir el objeto posado, buscaban sugerir la imagen aprehendida. Entonces contó un sueño que había tenido tiempo atrás. "Un día soñé que entraba a un jardín y veía a una hermosa muchacha parada bajo un ciruelo florido. Ella se me acercó y dijo: 'Querido mío, yo te traeré amor y buena fortuna". Tras evocar sus adorables visiones, los hombres suspiraron de pasión, extasiados con los retratos de su memoria, candorosos, los ojos dulcemente amargados, femeninos... como hacemos todos los varones al menos una vez, sólo que ellos dos no lo hicieron a escondidas. Cuando el papel estuvo seco, Liu urgió al otro para que se pusieran en camino.

—Debes cosechar los melones para los Jueces de la Muerte —advirtió el estudiante—. Fueron cultivados en las afueras del Jardín de Oro, que queda a cien li de aquí, junto a la puerta sur del Reino de las Tinieblas. Debo llevarte allá antes de seguir mi camino. ¡Vamos!

El poeta se dejó llevar. Caminaron bajo el atardecer incesante durante varios días, si puede llamarse así a largos períodos de tiempo en que la luna y el sol no se suceden, en que los relojes y los calendarios colapsan. En una bifurcación del camino, el estudiante tomó otro sendero y se apartó.

—¿Adónde vas? —le preguntó extrañado.

—¿Cómo podría saberlo? Sólo sé que ahora pretendo caminar hacia Hangzhou para tomar los exámenes imperiales —le respondió Liu mientras agitaba la mano bajo el crepúsculo que casi lo borraba—. Mira hacia arriba y sigue la línea de los pájaros amarillos.

Edoy Montenégodo vio una gran ave del paraíso, que volaba seguida por otras de la misma especie, todas en una dorada línea inacabable. Caminó siguiendo el trazo de las aves. La línea se deshizo al llegar a una parcela de melones. Recordando las instrucciones del estudiante, arrancó cinco y los colocó en un viejo carretón.

"¿Qué lugar del mundo será este?", rumió en absoluto desorientado, pues se sentía más perdido que Cucurulo en el monte obscuro. Cansado, reclinose bajo un árbol y se durmió. Soñó que soñaba que paseaba por un bosquecillo y en ese sueño despertó. Se encontraba a la orilla del lago. Las sombras del crepúsculo empezaron a desvanecerse, a tremular bajo una lluvia de luz lunar que desgarraba el firmamento obscurecido. Las nubes al fin se replegaron hacia otro confín del universo y la joya de plata de la luna reinó en el cielo. El poeta descubrió maravillado que estaba en un jardín en el que toda la vegetación era de oro. Los árboles, las piedras, los insectos, los pájaros, la arenilla que descansaba en la profundidad del agua, brillaban con encanto bajo los limpios rayos de luz. De pronto descubrió que en la otra orilla había una muchacha oriental sentada sobre el césped esmeraldino. Ella acariciaba distraída un gato de color azabache y ambos contemplaban con nostalgia la alta luna. Cuando la muchacha bajó el rostro, cruzó con su mirada dorada el agua y lo miró a los ojos, el hombre supo que se trataba de la hermosa Princesa de Jade. En seguida encontró la sombra de angustia presente bajo sus párpados rosados. Pensó cruzar el lago para llegar a su lado. Como no había barca y no sabía nadar, se sintió frustrado. Desde la otra orilla llegaba un olor a flores silvestres que lo hechizaba. Entonces el poeta decidió dar un salto sobre la honda corriente; prefería perder la pasión tras una caída y no dejarla perdida por no intentar el vuelo. Le sorprendió advertir que tras el brinco —aunque el lago era bastante ancho—, su cuerpo cayó a salvo en el otro lado. Se acercó a la muchacha, que estaba de espaldas. El gato ronroneaba al roce de las suaves manos, como si fuera paloma. El poeta decidió juntarse con ella. Su corazón se hacía daño al saltar y dar de golpe contra las paredes del pecho. Cuando iba a tocarle el rostro, una voz torpe e inesperada llenó el jardín:

—¡Al fin os encuentro, ama! —dijo la voz y en seguida apareció en el paisaje dorado una criada—. Tenemos que regresar de inmediato, antes de que noten vuestra ausencia.

La hermosa muchacha se levantó apurada; sin haber advertido la presencia del extraño, desapareció entre los auríferos rosales. La criada recogió algunas pertenencias del césped y la siguió con prisa. Se trataba de una esclava de movimientos vivaces, que traía el rostro cubierto por un velo de seda. Él trató de abordarla y pedirle informaciones sobre su ama. Pero la sierva desapareció de aquel lugar sin darle tiempo a preguntar. En la fría soledad del oro, el hombre evocó con fuerza el recuerdo siempre fugaz de la muchacha. Luego, bajo el ciruelo florido, juró por la luna que no descansaría hasta verse en los brazos de la Princesa de Jade. Y acometió con tal pasión el llevar a buen puerto la empresa de sus deseos, que su historia se hizo célebre, hasta el punto de ser puesta en tablillas de bambú que circularon con autoría anónima en los primeros años de la dinastía Ming bajo el título: "Leyenda del poeta y la Princesa de Jade".

IX, 7 / EL JARDÍN DE ORO. Leyenda del poeta y la Princesa de Jade

Se escucha el llamado de las ocas salvajes.
¡Al alba, el día ha nacido!
El hombre va en busca de su mujer
aunque el hielo aún no se ha fundido.
Libro de los cantos, LIV

Durante el período Ching-Yu de la antigua dinastía Song, el prefecto de Nan'an convocó a todos los poetas del mundo a una justa. Era el Festival de la Primavera y el literato que más escalara con su lira, se llevaría por premio una corona de hibiscos y la mano de la hija del alto funcionario, la cual poseía hermosura deslumbrante y era llamada Princesa de Jade. La muchacha estaba emocionada con las justas poéticas, sobre todo porque albergaba la esperanza de que entre los participantes viniera un mancebo al que conoció durante un sueño de amor. Una tarde en que quedara dormida, ella había soñado que se encontraba bajo un ciruelo en flor desde cuya sombra intercambió miradas con un hermoso joven de rasgos extranjeros, y ambos hubieran consumado allí el amor de no ser porque en ese momento su madre la despertó. Tan impresionada quedó con el enamorado del ensueño, que al despertar dibujó en papel de seda un retrato para que su delicada imagen no se le borrara jamás de la memoria.

Sucedió que a la ciudad llegó un tal Edoy, cuyo primer nombre era Montenégodo, que en los dialectos del Norte significa "monte negro", y a quien llamaban Poeta de la Carpeta Amarilla. Difundía la noticia de que era el más venerado poeta del país de los bárbaros, por lo que estaba seguro de que vencería en aquellas justas de primavera. Mientras llegaba el día de la convocatoria, se hospedó en un pabellón inmenso, de tres plantas, que tenía hermosas flores pintadas en el piso y las paredes tapizadas con lotos y dragones, el cual daba albergue a un burdel.

Una mañana el solemne literato caminaba abstraído, contemplando un papel en el cual traía el retrato de su amada. De repente tropezó con una esclava que salía apurada de la carpintería. El papel se le deslizó de las manos y fue a caer junto a un curioso retrato, enmarcado en madera de rosa, que la mujer traía.

—¡El que está en ese retrato se parece a mí! —observó sorprendido.

La criada se llamaba Tu. Tras pedirle excusas por el tropezón, le contó que al mancebo del retrato su ama lo había visto dormida. Y le contó el sueño. Era una esclava de expresión vivaracha, con el rostro cubierto por un velo. Él la escuchaba maravillado. Después le narró lo que antaño había soñado. Al mostrarle el dibujo del papel, la esclava exclamó:

—¡Ah, esa es mi ama!

Entonces le reveló que ella era la hija del prefecto, la que sería dada en matrimonio a quien ganare las justas poéticas de la primavera. El poeta respiró tranquilo, estaba seguro de que saldría victorioso. Sin embargo, su corazón le decía que no debía esperar un instante más sin al menos comunicar a la Princesa de Jade su presencia. Le pidió a la criada que informara a su ama de que el hombre del sueño acababa de arribar al reino. Al ver que ella se resistía a cumplir con esta embajada, intentó tentarla con la siguiente oferta:

—Si me servís como mensajera, podría premiaros con un bien de valor inapreciable: uno de mis poemas.

La esclava pareció enmudecer con el ofrecimiento.

—Me temo que sería un abuso de mi parte aceptar tal recompensa por un favor sentimental —consideró la criada—. Así que sólo os ayudaré a cambio de un bien menor... digamos unas mil onzas de plata.

El hombre no tuvo otra alternativa que entregarle un bolsillo con la cantidad solicitada. Las flores de la estación se fueron abriendo poco a poco, como preámbulo de la competición. El insigne poeta, cuyo nombre era pronunciado "Eloy" por la gente de la nacionalidad han, contemplaba ansioso el pasar de las horas desde una ventana mientras tomaba copas de vino de arroz y esperaba el momento de coronarse con la gloria.

Las justas iniciaron una fresca mañana del séptimo mes. Los letrados fueron conducidos a un jardín interior. La Princesa de Jade marcó el inicio de la competencia desde la ci-

ma de una torre al acariciar las cuerdas de una pi-pa y cantar
esta dulce estrofa del *Che King:*

> *En la primavera, cuando los días se entibian,*
> *escuchad cómo canta la oropéndola.*
> *Las muchachas van con sus cestos*
> *al través de los breves senderos*
> *cogiendo las hojas tiernas de los morales.*
> *En primavera, cuando los días se alargan,*
> *recogen en grupos la artemisa.*
> *El corazón de las muchachas está inquieto:*
> *ha llegado la hora de ir con el joven señor.*

El prefecto, que era un hombre irónico y taciturno
que se la pasaba bebiendo furtivamente copitas de licor, hizo
llamar a los participantes. Los ávidos aedas tomaron su pi-pa
y entonaron por turno sus cantos en diferentes estilos. Unos
cantaban bellísimos poemas en metros octosílabos lüshi;
otros interpretaban historias de amor en antiguos tetrasílabos
jueju; y también hubo quienes osaron declamar versos perfec-
cionistas en estilo ci según la vieja costumbre de los escolares
de la Xikun. Aunque sus cantos arrancaban aplausos de emoción en los presentes, ninguno de los letrados lograba ganar
el favor de la Princesa de Jade. Ella escuchaba desde la elevada torre con una pelota bordada en las manos, que tiraría sobre aquel cuya lira tocara la música secreta de su corazón.
Quedaban sólo dos poetas por recitar. El primero era un joven rico de moderada belleza, pero eunuco; mientras que el
otro era el poeta extranjero que la joven deseaba desde la fantasía del ensueño. El eunuco posó la mano sobre las cuerdas
de la pi-pa y susurró, sin apartar la vista de la altura, donde
se apostaba la hermosa muchacha:

> *Flores en torno y un tazón de vino.*
> *Bebo aquí solo, sin ningún amigo.*

Alzando mi copa, invito a la luna;
Junto con mi sombra, somos ya tres seres.
Mas la luna, de bebida no entiende,
y de nada sirve que mi sombra me siga.
Honremos, sin embargo, a la sombra y a la luna;
en esta primavera gocemos de la vida.
Vagabundea la luna mientras canto;
danzo y entonces mi sombra titubea.
Desvelados, nos une la alegría;
ebrios, cada cual marcha por su lado...
Ya nos encontraremos en la Vía Láctea,
uniendo para siempre los lazos desatados.

Estos versos arrancaron dulces lágrimas de felicidad, a tal extremo que el público consideró que ya debía darse por terminada la competición y declarar ganador al compositor de tan sublime poema. Tiempo después se descubriría que los versos recitados por el eunuco fueron plagiados a un viejo poeta de la dinastía Tang, que Li Bai por nombre tenía; pero esa es una historia que fue puesta aparte, en otras tablillas de bambú, y por ende no vale la pena mezclarla con el presente idilio.

La Princesa de Jade insistió en que quería escuchar al último participante. Y el Poeta de la Carpeta Amarilla fue llamado. Tan pronto estuvo ante la concurrencia, apartó con desprecio la pi-pa y afirmó que la buena poesía iba acompañada de su propia melopea. Todos esperaron en silencio a que sacara de la carpeta un poema largo titulado "Discurrir de Laozí y Confucio sobre el no-ser". Leía con la voz apagada y los ojos emocionados y reflexivos. El público lo escuchaba impávido. Eran versos libres, en estilo guti, fabricados con esmerado preciosismo. Por lo que podían entender de aquella lectura, se daban cuenta de que el aeda no entendía ni un pepino sobre las doctrinas de Confucio y Laozí. Nótese que los versos de marras no fueron mandados a poner en este cuento, por temor a que los lectores se fastidiaran demasiado. La concurrencia, ante el escaso sentido común del letrado, quien seguía leyendo emocionado sin levantar la cabeza, bostezaba y se desperezaba aburrida. El prefecto lo contemplaba hastiado y bebía con nerviosismo furtivas copitas de licor, mientras rumiaba: "¡Repámpanos, qué mala poesía escriben los hombres del país de los bárbaros!" Si no lo despidió fue debido a que desde la alta torre su hija lo escuchaba embelesada. Porque las mujeres enamoradas suelen gustar de la mala poesía, siempre que sea su amado quien la escriba. Cuando remató con rimbombancia el verso final y levantó orgulloso la cabeza, Edoy Montenégodo quedó estupefacto al encontrarse con una multitud de rostros bostezando o dormidos. Entonces pensó que fingían, que ocultaban la emoción por envidia. Sin embargo, esta consideración no lo tranquilizó, y hubiese sido destronado por la desilusión si no fuera porque en ese preciso instante se escucharon unos aplausos solitarios desde la alta ventana. La aceptación de la Princesa de Jade lo salvaba. Los invitados despertaron desconcertados.

El prefecto se sorprendió con la respuesta de su hija. Tras haberla puesto varios años bajo la tutela de un prestigioso escolar para que estudiara los textos clásicos, incluido el *Libro de los cantos*, pensaba que al menos su hija debería saber distinguir entre el mamotreto y la poesía. Y no era tan sólo que el eunuco recitara un brillante poema, sino que también poseía una gran fortuna, lo cual lo convertía en el yerno ideal. Mortificado, apuró furtivo unas cuantas copitas de licor, pensando que un reino puede venirse abajo debido a la mala poesía. Cuando se dio cuenta de que su hija levantaba la pelota bordada y apuntaba hacia la cabeza del poeta bárbaro, le ordenó que la lanzara sobre el eunuco.

La pelota rebotó en medio del sombrero de gasa negra del eunuco. En seguida se oyó un gorjeo de flautas de caña y de la torre salió un comité de criadas para introducir al afortunado al salón de la corte del prefecto. El poeta derrotado miró con ojos tristes hacia la ventana, tan elevada que casi pinchaba el globo de la luna. La Princesa de Jade lo contempló un instante con profunda angustia y se retiró del alféizar. Los acordes de la celebración vagaban ajenos alrededor del amante vencido, como deben girar en torno a los ataúdes ciertas festividades que se hacen en los velorios.

El poeta vagó apesadumbrado. En el burdel le sirvieron vino caliente, que ni siquiera en altas dosis logró eliminar de su ánimo la melancolía. Ya no estaba afligido por el fracaso de su poema, sino por haber perdido la oportunidad de desposarse con la mujer de sus sueños. En medio de la modorra, su mente fue alumbrada por una luz repentina. Se le ocurrió que debía juntarse lo más pronto posible con la esclava Tu y convencerla de que inventara cualquier artilugio para que él hablara con la Princesa de Jade. Las nupcias estaban fijadas para el día siguiente. La criada lo escuchó en silencio. Al final, le respondió que podría ser trágico intentar una osadía semejante.

—Estoy dispuesto a correr cualquier peligro, con tal que ella no sea sometida a la tragedia de un amor infeliz —declaró determinante Edoy Montenégodo. Viendo que la esclava no abandonaba su escepticismo, decidió comprar el favor—. Voy a premiaros esta vez con algo único: un libro de mi autoría, sellado de mi propia mano.

Esta vez, observando el arrojo con que le había hablado el hombre, la fría y calculadora Tu comprendió que sería una inclemencia el rechazar tan emotivo ofrecimiento.

—De acuerdo, voy a ayudaros —aceptó enternecida, a la vez que miraba la mano temblorosa que señalaba el libro—. Mas temo que penséis que me aprovecho de la situación al exigir premios elevados, de los que sólo las criaturas del cielo son merecedoras. Así que, siendo mi deber el hacer pasar desapercibidas mis acciones virtuosas, pues dice el *Che King:* "Cubría el vestido bordado de oro con un tosco manto", tendréis que darme además un bien tosco para cubrir la ostentación... digamos, unas diez mil onzas de plata.

—Debo aceptar que tienes un criterio de la virtud muy especial.

Sin ánimos ni tiempo para entrar en regateos, Edoy Montenégodo le entregó un bolsillo de plata. Mientras buscaba en los lejanos paisajes de la inspiración una frase para dedicar el libro, la esclava probaba la calidad del metal. Se guardó las onzas en la canasta y reveló el plan:

—Esta noche convenceré a mi ama para que salga a contemplar la luna a orillas de un lago que se encuentra en los campos privados, los cuales quedan al Sur. Allá tendréis oportunidad de platicar con ella... y profundizar hasta donde el arte de vuestra lengua os permita —sugirió con picardía—. Pero debéis tener el cuidado de ir disfrazado de soldado. Esos campos son propiedad del príncipe y, si alguno os viera merodear por allí sin permiso, podríais ser puesto a muerte.

El hombre estuvo de acuerdo con la estratagema. Ella también le habló de dos militares que eran sus amigos, los cuales por una modesta cantidad y algunas botellas de vino podían prestarle el uniforme. Una vez discutidos los pormenores, Tu se alejó apurada.

—Ah, olvidáis lo principal —advirtiole a tiempo el poeta, mientras señalaba con la mano el libro autografiado.

La criada se detuvo. Vacilaba sobre si sería adecuado tomar ese otro presente. Con voz mortificada, decidió:

—Sería demasiado honor para esta mísera esclava — y se retiró sin aceptar el libro de poemas.

Los dos oficiales entraron con paso firme y porte marcial al interior del burdel. Se acercaron a Edoy Montenégodo, quien los esperaba sentado a la mesa del fondo. No profirieron ni media palabra hasta que no fueron agasajados con dos tazones de vino caliente y mil monedas de cobre. Entonces sonrieron en franca amistad y solicitaron al extranjero que fueran a un lugar discreto, donde le mostrarían el uniforme y le enseñarían algunos gestos propios del ejercicio militar. Ascendieron por la escalera y penetraron al cuarto que el poeta tenía rentado. Le calaron el sombrero, le calzaron las sandalias, lo revistieron con la gruesa túnica y la cota reforzada por piezas de bambú. Le mostraron la manera de llevar la espada. Se sirvieron otros tazones de vino antes de instruirlo sobre la forma de pararse y de caminar. Edoy Montenégodo seguía las indicaciones al pie de la letra, mientras confirmaba que en el arte militar reinan el falso porte y el teatro de baja calidad, y que si los militares obtienen victorias en la guerra, más que por la efectividad de su fingida hombría, es porque se les da licencia para llevar la crueldad hasta los últimos extremos. Cuando el entrenamiento hubo terminado, el poeta se miró ante el espejo. Parecía uno de esos guerreros de terracota que cuidan la tumba del emperador Qin Shihuang. Los dos oficiales, apurando los tazones de vino, le aseguraron que cualquiera podía confundirlo con un general. Y lo dijeron borrachos o sinceros, tan honestos que incluso añadieron, sin sorna, que tenía mejor porte de guardia que de poeta.

La noche frotó su carboncillo entre los árboles del bosque. Una luna de algodón tan brillante como la luna apareció en el firmamento. Recién había caído una breve llovizna y ahora las gotas rutilaban como diminutas estrellas entre las flores. El falso soldado se internaba por los campos privados. El corazón le palpitó al ver a la Princesa de Jade sentada en un tronco florido a orillas del lago. La bella arrullaba la pelambre azabachada de su gato y tocaba con un dedo la luna que se reflejaba sobre las aguas cristalinas. Se espantó un poco al descubrir la figura del guerrero a su lado. Mas pronto su mirada recobró el brillo sosegado al notar que se trataba del hombre de su sueño. Sus mejillas se sonrosaron. Se saludaron con el temblor, la precipitación y los pronunciados silencios propios de los enamorados que se comunican por primera vez.

—Debemos escapar hacia un país lejano —propuso,

audaz, muy a la usanza de los héroes del chuanqi amoroso de la dinastía Tang—. ¡Venid, huyamos!

Ella suspiró.

—No sé si me atreva... Si no cumplo los designios de mi padre, la deshonra me perseguirá toda la vida —vaciló con la voz apagada por la impotencia—. Estoy tan confundida...

El bárbaro suspiró menos angustiado porque en las refriegas del amor la amante indecisa es una contrincante a medio vencer, y tanto es así que Sun Tzu ha dicho que "un ejército confuso lleva al contrario a la victoria". En los campos de batalla de la pasión hay que ir decididos a morir; de hecho, no se ha tenido jamás noticia de algún amante que haya salido de ellos victorioso, sino vencido. Dado que lo único valioso en la guerra es la victoria, acordó no prologar más las operaciones. Se acercó a la muchacha, decidido a tomarla intacta y por sorpresa con consideraciones estratégicas; montó las máquinas de asedio y las escalas para asaltar sus murallas, y le besó los labios con los dedos. Al principio, los dientes ofrecieron resistencia, pero pronto cedieron a la caricia y levantaron el plateado rastrillo para que la yema penetrara hasta la punta entibiada de la lengua. Entonces la recogió en un abrazo y la tomó directo con sus labios. Sus manos lograron burlar el cerco del vestido y, tras forzar la retirada de la bordada túnica hasta más abajo de los hombros, tomaron los senos, blancos como diminutos montes cuyas cimas están teñidas de rojas mariposas. Mientras asediaba esta posición, iba reconociendo el territorio de su cuerpo con los dedos, para averiguar sus puntos débiles y fuertes, a fin de preparar el ataque. Y en esta maniobra sonreía y la hacía sonreír, porque está dicho también que aquel que domina el artificio de la diversión saldrá victorioso.

La Princesa de Jade jadeaba ante la cálida embestida del amor, dejándose meter para lo hondo de la pasión, feliz de completar junto al lago el sueño que una vez le interrumpieran. Los dientes invadían el pecho con suaves mordiscos que luego subieron al cuello, al mentón, a las orejas, describiendo medialunas y flores deshojadas por la piel de la muchacha. De repente, cuando la dulce batalla se encontraba en un punto desde el cual ya no es posible capitular, el belicoso amante se levantó la cota y sacó su impresionante espada. La mujer quedó boquiabierta al ver las dimensiones de aquella arma fatal. El bárbaro, puesto al tanto de su embeleso, le tomó la delicada mano y la guió sobre la espada. La muchacha recorría con dedos temblorosos las líneas protuberantes, quizá temerosa de herirse. Era una estructura rígida y fascinante, labrada con martillo y fuego, tan ardiente como si aún no la hubiesen sacado del horno del armero. Él le indicaba a media voz la manera de manejarla. Luego, para sorpresa de la tierna amante, la invitó a llevársela a la boca. Naturalmente, en un principio la muchacha se negó debido a que no era normal que alguien se llevara a la boca una espada ardiendo. Hay que destacar aquí que entre las lecturas que su maestro utilizaba para instruirla, se encontraba *El arte de la guerra* de Sun Tzu. El amante la convenció con la explicación de que el fuego del arma amaina al ser rodeada por la tibieza de la boca, y que además las aguas salivares ayudan a extinguir cualquier flama repentina. Jugando a tentar a su contrincante con aquello que deseaba alcanzar, batía la espada de un lado a otro, de modo que ella no pudiera alcanzarla con los labios. Después, la desplazó en la dirección donde era menos esperada y sorprendió a la muchacha al apoyar la punta en su nariz. Tímida, no del todo convencida de que aquel objeto ardiente sería incapaz de quemarle la lengua, abrió la rosa húmeda de los labios y recorrió el tallo filoso. Ya más relajada, se animó a acariciarlo con su lengua enrojecida y, haciendo pequeñas espirales sobre el metal, ascendió hasta la parte sin dudas más peligrosa: la punta. Halló que estaba agujereada, despojada de todo filo. Así que arrojó el arsenal completo de su boca contra el arma y, ahora temeraria, se la tragó hasta la garganta. Lo hacía sin dejar huellas, tan divinamente misteriosa que era inaudible en su avanzada placentera. El bárbaro permitió que su adorable contrincante hiciera con el armamento cuanto le placiera; nunca lo había metido en una vaina tan delicada. La única advertencia que le hizo fue que en ningún momento debía soplarla, ya que puede resultar fatídico comprimir aire frío en una espada caliente. Desde la grama, los ojos del gato de color azabache miraban a los bravos amantes. Oculta entre los matorrales, la esclava Tu también observaba la amorosa batalla. Y encima de todo, más allá de la copa de los árboles, el ojo brillante de la luna los contemplaba en el jardín.

Antes de que aquella boca lo desarmara por completo y lo dejara exhausto y sin municiones para continuar la refriega, el bárbaro retrajo apurado su arma. Reposó un breve momento y volvió a marchar contra el cuerpo de la muchacha. Esta vez la invadió con caricias en los tobillos y fue avanzando dentro de los muros de la túnica. Venció las piernas, la parte trasera de las rodillas, el suave territorio de los muslos. Cuando estuvo listo para recorrer con labios y dedos el foso, tras el cual permanecía la guarnición más poderosa del cuerpo invadido, se encontró con un cerco inquebrantable. Por más que luchó a espada, uña y dientes por liberar la entrada, le fue imposible satisfacer sus deseos. Levantó por completo la túnica y vio que, en la parte en que las hermosas piernas se juntaban con el cuerpo, estaba apostado un cinturón de castidad.

—Mi padre se lo compró hace años a tres extranjeros del Occidente que pasaron por el reino —explicó muy apenada la Princesa de Jade mientras el poeta se mordía las uñas mortificado—. Ayer, después de anunciar mi matrimonio con el eunuco, dio órdenes a las criadas de que me lo pusieran. Teme que al amaros yo con tal pasión, no llegue virgen a la luna de miel.

—¡Qué barbaridad! —exclamó con impotencia el bárbaro— ¿Y no sabéis de qué forma quitároslo?

—No y sólo me lo quitarán mañana, después de la ceremonia —lamentó la mujer, que se agarraba los bordes de la túnica en las caderas—. Pero durante estas horas la prenda no me había torturado tanto como ahora. Apenas tiene un orificio en la parte trasera...

Al decir estas últimas palabras, una chispa alumbró los apagados pensamientos del amante. Dice Sun Tzu: "Conoce a tu enemigo y conócete a ti mismo". Le pidió que se pusiera de espaldas y descubrió que en la retaguardia había una entrada por la que una rosa rosada asomaba sus pétalos anillados. Besó a la muchacha en las piernas y le pidió que se recostara sobre el césped bocabajo. Antes de proceder, le susurró al oído que no temiera por lo que iba a sucederle, que en cambio se alegrara porque él le mostraría que cuando se va a invadir un palacio, muchas veces se consigue igual satisfacción al penetrar por la retaguardia. La muchacha se dejó llevar, confiada en la estratagema del experto guerrero. "Lo que pasa es que en *El arte de la guerra* no habían descubierto aún esa estrategia", él susurrole al oído mientras se abría paso con los labios en un húmedo desplazamiento que se inició a la altura de la nuca y fue bajando por la espalda. Tras detenerse un buen rato en la región lumbar, apostó sus labios frente al orificio trasero. Rastrilló con los dientes la piel descubierta. Acto seguido cató la entrada con la punta de la lengua, la entró otro poco y otro poco, hasta que logró penetrarla casi por entero. La reconoció por dentro mediante tibias embestidas que provocaban profundos aullidos en la muchacha. Finalmente, el bárbaro apartó el rostro, descubrió su espada enhiesta y, deteniendo con los dientes un grito victorioso, se la metió por la retaguardia. En derredor, el gato azabachado, los ojos de Tu ocultos en los matorrales, la mirada grande de la luna. Durante un largo instante casi vacío de tiempo, los amantes se acometieron a muerte. Entre gemidos y caricias rudas lucharon cuerpo a cuerpo, de pie, apoyados a un sauce, levantados en vilo, a veces rodando con furia por la grama. Tras una arremetida fatal, ambos desataron un grito de fuego y quedaron derrotados, uno sobre el otro, así como en los campos de batallas suelen quedar los cadáveres amontonados.

El hombre se arrastró a un lado sobre la hierba, con esa dulce y breve repulsión que en ocasiones provoca el cuerpo que nos ha vencido. Quedó sumido en un dulce ensueño. Al abrir los ojos, contempló la masa luminosa de la luna. Susurró:

—Te amo.

Y la Princesa de Jade le dijo:

—Entonces estás perdido...

El poeta se volteó, extrañado por estas palabras. Mas vio que la muchacha había desaparecido. Sólo quedaban el césped, los matorrales, el lago de aguas tranquilas, pero no fijados en su sitio, sino desvaneciéndose de forma progresiva. Miró hacia las nubes para constatar que el astro seguía en su lugar. Notó que la luna cambió de color, se fue volviendo amarillenta, sol, luz sucia de un desabrido amarillo. Pronto descubrió que estaba enroscada al techo como un simple bombillo y que a su alrededor no quedaban rastros del bosque, sólo paredes burdas y pasillos pestilentes. Rebuscó atónito por la edificación. Luego, con la dura certeza de haber perdido su princesa para siempre, descendió por las escaleras.

La China se sorprendió al verlo pisar los peldaños. Miró el reloj. No hacía ni diez minutos que el poeta había subido a la segunda planta dando tumbos. Ahora se veía más viejo, el paso cansado, la ropa sucia y los pelos crecidos, como si hubiese durado diez años allá arriba. Sus ojos, curiosamente, se veían luminosos. Lo observó detenerse en el peldaño de arranque y, tras contemplar azorado a los parroquianos que bebían y charlaban arrullados por la música de la vellonera, lo oyó decir: "En la segunda planta hay un bosque" y enseguida narrar incoherencias con palabras atropelladas acerca de flores de oro, poemas y de una princesa hermosa que descansaba en un jardín. La China encendió un cigarrillo y trató de escucharlo por encima del barullo, sin sorprenderse del todo, pues desde que lo vio aparecer en la escalera —no sabía por qué—, sospechó que el poeta iba a relatar esa vieja historia.

LIBRO DÉCIMO

LA GALA DE CARNAVAL

X, 1 / ROYAL PALACE. La máscara echada a andar

El domingo en la noche tendrá lugar el baile de máscaras que prepara nuestro centro social, denominado Royal Palace. Todos los que vayan disfrazados recibirán un brindis gratis, cortesía de la casa. En la actividad se escogerá una reina de carnaval de entre las candorosas, bellas y graciosas señoritas que inscriban su candidatura al reinado. Será una fiesta en grande, como las que se celebraban en los tiempos de la ciudad romántica, y con la misma se persigue reafirmar la histórica tradición de cultura de nuestra insigne villa, cuna de sacras primicias, de la cual el Almirante, al verla tan verdosa y sublime, exclamara: "¡Tierra más fermosa jamás había visto!"

El periódico pasaba de mano en mano entre los cueros y clientes del burdel. La noticia fue ojeada por los lectores aventajados, por los que leían más o menos y por los que no sabían leer. Luego el chino ordenó que fuera recortada y dio instrucciones específicas a su consorte para que la pegara en la pared, en el mural de las fotografías.

El salón principal del Royal estaba desordenado. El piso permanecía cubierto por hojas de periódico, debido a que los dos chulos a destajo daban al techo una mano de pintura. De entre los clientes habían reclutado a un plomero y un carpintero, que se desplazaban de un lugar a otro a golpes de martillo. El violinista, vestido impecablemente de frac, supervisaba la obra y de vez en cuando sacaba un fajo de billetes para comprar materiales. Lù-shi cepillaba los mosaicos. Las demás mujeres se repartían entre labores de asesoría, barnizado de muebles o maquillaje personal. Changsán los observaba a todos desde el mostrador, a la vez que acariciaba la pelambre de la gata y tomaba vasos de anís. Aunque las labores se desarrollaban en condiciones deplorables debido al calor insoportable y a la pestilencia, trabajaban a toda máquina, con el propósito de hacer las reparaciones antes de la mascarada del domingo.

Los badajos no golpeaban aún el tiempo del mediodía. Los malogrados ronquidos de una motocicleta se detuvieron en la entrada del burdel. Elpidio el Turco bajó cansinamente del aparato y avanzó hacia el salón. Esta vez los cueros no huyeron en desbandada, porque tenían que ver los disfraces que el carretón les traía. El mercader había acordado con el violinista conseguir atuendos de carnaval para las mujeres. Así que todas salieron a su encuentro: unas abonaron cincuenta centavos a la cuenta, algunas se hicieron las desentendidas con la deuda, otras le juraron de nuevo —por María Santísima— que mañana saldarían la deuda. Esta vez trasladaron los pesados bultos a la segunda planta, por aquello de que se pierde la magia del disfraz cuando no se elige en secreto. Cerraron los balcones, desataron los paquetes y se pusieron a pescar en el río revuelto de la ropa vieja, utilizando las manos como anzuelos bajo la mirada compungida de Lù-shi, quien veía desde el rellano a las flores de lodo medirse los fantásticos ropajes.

Elpidio el Turco las observaba con atención y mansedumbre, mientras agitaba un pedazo de cartón para apartar el calor y las moscas; contra el vaho de las ratas podridas no intentaba nada, convencido de que el único remedio infalible para vencer la pestilencia es aguardar un poco hasta que las narices terminen por acostumbrarse. No era turco, sino libanés. Había llegado a estas tierras tras huir de la guerra sin fin que se desataba en su país. Vestía a bajo precio a los pobres; llevaba el pan de la lectura a los sectores populares mediante el alquiler de caricaturas y novelitas de Marcial la Fuente; cumplía además con la obra de misericordia corporal que ordena dar techo al desamparado —gracias al alquiler de las noventa y nueve casas que poseía, según el qué dirán—. De esa manera, logró amasar una fortuna cuyo monto preciso sólo era delimitado por la imaginación de la gente. Era un viejo solitario que vivía sin opulencia y desplazándose de luna a sol por las calles y callejones de la ciudad, a la manera de un encarcelado Judío Errante o Minotauro; sin querencias ni darse el lujo de soñar con una patria donde todos se comportaban como violentos hooligans al final de un partido de la selección inglesa de fútbol; sin sospechar que un amanecer La Muerte lo visitaría disfrazada de mal hijo y le daría para abajo, tumba adentro, en la soledad de la casa ante la mirada impávida de su perro.

—Póngame en la cuenta este disfraz —pidió La Maura, abrazada a un atuendo de pájaro que, debido a la antigüedad y las plumas polvorientas, era imposible de clasificar.

El mercader lo tasó. Primero le hizo una rebaja, luego un descuento especial y, a cambio de que la mujer dejara de importunarlo con caricias en el pelo canoso, acordó dejárselo a mitad de precio. Las demás se acercaban en fila bajo la mirada aprobatoria del violinista, quien serviría de garante. Al final vieron a una mujer que se aproximaba arrastrando los pies sobre las flores de los mosaicos. Aunque a simple vista parecía vieja y acabada, el violinista tuvo la impresión de que no se trataba de una anciana y sí de una de esas mujeres derrotadas por la amargura precoz y envejecidas a destiempo por los inclementes atavíos del dolor. Notó que por encima de la ancianidad artificial, había cierta grandeza y señorío en el porte de la recién llegada.

—¿Quién es esta damisela? —inquirió extrañado.

—Ángela —respondió Mónica, al tomarla por la muñeca.

—Lo que queda de ella... —aclaró Ángela con la voz

apagada.

El violinista la saludó cortés. Las mujeres narraron apenadas la vida de la recién llegada. Con sutiles indirectas sumadas al ademán de locura que se hace con el dedo índice, los cueros contaron que años atrás Ángela fue la mujer más codiciada de la maipiolería, pero que se volvió loca por amor y que el chino le permitía vivir en un cuartucho a cambio de que mantuviera limpios los salones y pasillos de la segunda planta. Todas hablaron de su pasado, emocionadas, de buen corazón, con la frivolidad romántica que nos caracteriza cuando recordamos a un contendiente nuestro que fracasó. Mientras ellas envolvían sus disfraces y evocaban gestas placenteras, la recién llegada rebuscaba entre los bultos a ver si hallaba algunos vestidos de luto. Mónica trataba de convencerla para que asistiera a la mascarada del domingo.

—No la fuerces —advirtió Crucita—. ¿Tú no ves que todavía sigue de luto? Hay que tener compasión por los muertos.

Los brazos de Ángela rebuscaban y se perdían sepultados bajo la mansa marea de los trapos viejos. En una, dejó de hurgar y se quedó inmóvil. Sus ojos se agrandaron por el espanto y empezó a decir:

—Hay que tener cuidado... Esta tarde soñé con una llama que se formaba en la barbería de al lado y se metía al burdel. Todo se quemaba. Las mesas y el mostrador ardían como leña seca. Los dragones y las flores de los papeles que cubren las paredes caían al suelo, ardían dentro de una masa de humo que no dejaba ver nada. Se veía tan real... Hay que tener cuidado: fue un sueño premonitorio.

Las mujeres hicieron una pausa para mirarse, menos sorprendidas que incrédulas.

—¿Ese no fue el fuego que sucedió hace como tres años? —preguntó Mónica, para dar una explicación lógica a las palabras de la mujer.

—Y esa barbería no la han vuelto a abrir desde esa vez

—confirmó Crucita sin dejar de reiterar, con el discreto ademán, que Ángela estaba loca—. Todavía hay gente que confunde la mierda con la vaselina.

Mónica, quizá ahora para restar importancia al desatino de su amiga, insistió en que fuera al baile de disfraces. La recién llegada terminó por acordar que iría un rato a la fiesta. En realidad no fue que Mónica la convenció, mejor la chantajeó con la decisión de que no iría al carnaval si ella no iba. Así que Ángela escogió un vestido negro, que parecía un disfraz de viuda o de nada, y cuando le preguntaron de qué se disfrazaría con ese atuendo, permaneció en silencio. El violinista se opuso a que ella saldara o cogiera fiado el vestido y lo pagó al contado. La mujer dio las gracias con palabras apagadas y se retiró por el pasillo. Dícese —lo cual es improbable— que fue en aquella ocasión cuando surgió el sonetillo dedicado a Ángela, el cual inicia: *Llegó el ataúd. Ya es hora* y que aparece íntegro en la coda de este libro. Elpidio el Turco recogió los bultos de ropa y bajó por la escalera, mientras amenazaba a La Maura con aumentarle el precio del atuendo de pájaro si no lo dejaba en paz.

X, 2 / CIUDAD EXTRAMUROS. Tarde de visitas

El padre Ponciano se deleitaba en el mullido sillón. Pensaba en la gracia del aire acondicionado, ese aparato terrenal que permite falsificar la temperatura del trópico hasta hacer sentir que uno se encuentra en una mañana primaveral europea. La oficina era limpia y ordenada, casi tan impecable que cualquiera se aventuraría a colocar la mano sobre el escritorio sin temor a contagiarse de microbios. A lo lejos, desabrida y sin sentido, fluctuaba la voz del presidente municipal. El sacerdote no tenía ya necesidad de escucharlo. Al principio de la conversación, yendo al grano, le había sacado lo que le interesaba. Ahora oía con orejas de sordo al funcionario, quien le hablaba de proyectos pueblerinos, de ciertos chismes relacionados con el síndico, de su interés por llegar a ser algún día presidente de la República, de lo ingratos que son los munícipes, de la indudable importancia de la ciudad... *En fin, Ponciano, de esos asuntos insípidos y sin importancia que suelen comentar las autoridades municipales,* se dijo en silencio, y Ponciano le respondió que sí. Se paró repentinamente para marcharse.

—Por favor, puede permanecer sentado —indicó al presidente, tras notar que este iba a levantarse de la silla para despedirlo con un apretón de manos—. No olvide lo que acordamos.

—Usted contará con esos recursos, padre —aseguró el funcionario y lo despidió desde el otro lado del escritorio.

El sacerdote recordó algo.

—Ah, se me olvidaba —comentó el visitante—. Ayer salió en el periódico local la invitación a una mascarada que celebrarán en el muladar de la esquina. ¿No es una vergüenza que eso suceda en una ciudad de tan hondas raíces históricas y cristianas? ¡En Europa nunca sucedería algo así! El bueno del padre Cándido está preocupado y me encomendó que le hablara de ese asunto. Pienso que usted, con su alta investidura municipal, debería hacer algo al respecto —recomendó, e hizo una pausa antes de rematar—. Si el síndico no hace nada...

—¡Déjeme ese caso a mí! —apuró orgulloso el funcionario—. El síndico tiene menos poder que yo. Despreocúpese, que desde ahora yo le daré seguimiento a ese burdel.

El padre avanzó hacia la salida, dispuesto a internarse en las ráfagas de calor que soplaban fuera de la oficina del presidente. Tuvo una ligera duda sobre si debía tocar el picaporte. En esa indeterminación estaba, cuando milagrosamente se abrió desde afuera. Entró un tipo indio que tenía el rostro desteñido por el uso de cremas.

—Saludando —dijo cortés.

Era el inspector.

—Él es el padre Ponciano, que anda en visita de cortesía —comentó el presidente.

El sacerdote no tuvo tiempo de retirar la mano. Antes de protegerla en el bolsillo, los dedos sudados y callosos del inspector la interceptaron en un contagioso apretón. Le correspondió con una sonrisa de muchos dientes y se retiró. Caminó apurado por los sucios pasillos del Ayuntamiento sin saber dónde poner la mano, sintiendo el cosquilleo de los microbios en los dedos y la palma. En Roma, durante los largos meses de generoso invierno, usaba guantes; mas bajo este clima de cuarto de planchar, estaba a merced de los apretones infecciosos. Cuando llegó a la escalera, extrajo la botellita de alcohol isopropílico con la mano sana y se desinfectó.

El presidente vio al padre bajar a la calle y cruzar el parque. Tras repetirle con emoción al inspector los chismes de la sindicatura, ordenó a la secretaria que le trajera una copia del semanario local. Leyó la información relacionada con el carnaval del Royal. Como no tenía nada que hacer, se enganchó el teléfono celular, se colocó en el pecho el carné de autoridad municipal y pidió al inspector que lo acompañara a la oficina del periódico.

La "oficina del periódico" era un cuartucho de una sola puerta. El escritorio, sobre el que reposaba una vetusta máquina de escribir, ocupaba la mitad del espacio. Los documentos estaban apilados en un rincón, archivados en un orden difícil de descifrar. La pared del fondo tenía un letrero de caracteres gruesos que mostraba el nombre del semanario: *El Cuarto Poder*. Horneándose a fuego lento, casi tostado, el periodista se pasaba un pañuelo por el pescuezo. Revisaba impotente ese libro malo, que uno nunca tiene ganas de leer y que, cuando lo intenta, no encuentra por donde empezar y termina por abandonarlo, que es el de las deudas. En aquella pequeña oficina el hombre desempeñaba todas las funciones, desde director hasta mensajero, incluidas la conserjería, la astrología y el reporte meteorológico. Tan pronto vio llegar a los dos hombres, hizo la onomatopeya "¡ti, ti, ti!", para espantar al pollo que dormitaba en la silla de los visitantes.

—¿A qué debemos el honor de tan distinguida visita? —inquirió, mientras ofrecía una silla al presidente.

El funcionario ocupó la silla desvencijada. Tras un silencio, inició con vagos comentarios sin caer de una vez en el grano, viejo recurso que para provocar incertidumbre suelen utilizar ciertos matones y hombres de poder. En ese instante, el angelito apareció sobre su hombro derecho y le aconsejó: *No demoréis más vuestras palabras; pedidle a este periodista que no auspicie más esa casa de perdición que frente a la catedral se encuentra levantada.* Empero de inmediato, sobre su hombro izquierdo apareció el diablito, quien hablole de esta guisa: *No hagas caso. Mejor dile al tíguere que siga escribiendo crónicas a favor del lupanar y que también publique las fotos de los cueros desnudos.* Ante la indecisión del hombre, el angelito le recordó, con malicia mesiánica: *No olvidéis que hicisteis una promesa ante el padre Ponciano.* Y en este punto los dos espíritus se desvanecieron en el aire.

Por su parte, el empleado sanitario curioseó entre las viejas ediciones del periódico. Después se entretuvo mirando las fotografías y recortes que empapelaban la pared. En medio del ocioso monólogo presidencial que flameaba en el aire caliente, la imaginación del inspector convirtió el cuarto en un gigantesco televisor dentro del cual se presentaba la hermosa y sensual estrella Lù-shi.

—¿Qué día viene la Doctora Corazón? —le preguntó al periodista, en una pausa del funcionario edilicio.

El corresponsal lo miró con sorna y dijo:

—Todos los días —pero como si quisiera decir: "La Doctora Corazón soy yo mismo, pedazo de pendejo".

El inspector le leyó la mirada. Se sintió burlado, aunque no se atrevió a protestar. Se limitó a calcular calladamente cuántas violaciones a las leyes sanitarias ocurrían en aquel inhóspito cuartucho, por si un día lo tenía que clausurar. De pronto lo regocijó una idea luminosa: si quien determinó que él amaba a la china fue ese mierda y no la verdadera Doctora Corazón, entonces ¡era mentira: él no estaba enamorado de Lù-shi! Este feliz descubrimiento lo llenó de paz. Aliviado por la noticia, sonrió empapado de tranquilidad interior, contento de poder sondar el delicioso abismo en que se cae al romper por voluntad propia las amarras de un amor. Mientras celebraba su progreso moral, en una distracción, tomó el control remoto y encendió el televisor de la imaginación.

—Da vergüenza que un periódico tan prestigioso, decano de la información imparcial, se preste a alcahuetear las bajezas de una casa de citas —resaltó al fin el presidente edilicio.

—En esta oficina hay demasiada insalubridad —agregó el inspector, con la suya por dentro.

El director no se defendió de inmediato. Sacó de la pila de papeles un sobre *cualquiera* y se abanicó pensativo. El inspector se dio cuenta de que aquella era la carta desesperada que varios días atrás enviara a la supuesta Doctora Corazón. El reportero volteó con falso desinterés el sobre, observó la caligrafía y miró de reojo al inspector. Sacó del escritorio una bolsa de maíz y tiró un puñado hacia un rincón, donde el pollo aguardaba amodorrado. Volvió a abanicarse.

—Mantener un periódico no es fácil —sincerose ante el presidente, a la vez que acariciaba el libro malo—. Esa gente necesitaba publicar lo de la fiesta de carnaval y nosotros nos dijimos: bueno, mandemos un corresponsal, que para eso es la prensa...

La Patria entró al local en ese instante, se tomó un trago y volvió a salir a la calle. En realidad, al presidente no le importaba mucho el asunto ese del burdel. Si se encontraba allí no era por virtud moral, era porque en esos momentos no tenía nada que hacer y porque le hizo la promesa al padre Ponciano.

—Sería hasta mejor olvidarse de la fiestecita esa del muladar —sugirió, directo y paternal, el funcionario edilicio—. Pase por mi despacho mañana porque quiero publicar dos páginas completas, en espacio pagado, con las obras que hemos realizado en la presidencia.

El teléfono del edil sonó en ese momento. La historia de la psicología tendrá que asumir alguna vez la tarea de estudiar el comportamiento de las personas con relación a los celulares: explicarnos el alivio repentino, el distanciamiento del entorno, el mal disimulado aire de autosuficiencia que los embarga al momento de recibir una llamada, por más estúpida que esta sea; ¿significaría un escape del individuo dentro de la muchedumbre o una extensión tecnificada de la pedantería? El presidente dio un besito por el auricular e informó que tan pronto saliera del periódico, haría una visita de inspección al Royal. Otro besito y colgó.

—Pues mañana temprano pasaremos por su oficina —convino el periodista.

Satisfecho, el funcionario hizo una señal al inspector, que estaba medio embobado, y se retiraron. De nuevo a solas, el periodista se encogió de hombros. Tiró en la pila de papeles la carta del inspector y llamó "¡ti, ti, ti!" para que el pollo regresara a dormitar en la silla de las visitas.

El presidente y el inspector llegaron al burdel. Las mesas estaban vacías a esa hora de la tarde. Sólo había una cuadrilla de cueros y chiriperos que hacían reparaciones. El calor los recogió con su brazo sudado tan pronto entraron al salón. La pestilencia de las ratas podridas se les metió por las fosas nasales, como si fuera un barreno. Las moscas salieron a su encuentro, sobrevolando, estrellándose para joder, susurrando ese maldito secreto que nadie nunca entiende. Changsán se acercó acompañado de su esposa. El empleado sanitario volteó el rostro, fastidiado, mientras que el funcionario, cubierta con un pañuelo la nariz, los interpelaba.

El inspector se apartó a contemplar el cuadro antiguo y amarillento, casi dorado, que colgaba de la pared. Ni siquiera observó de reojo para ver si Lù-shi advertía su frialdad. El mensaje era claro: darle a entender que ella no le importaba. Sacó el pañuelo para secarse el cuello, pero lo volvió a guardar sin utilizar. Su mirada estaba clavada en el detritus de figuras que llenaban el cuadro. Quienes intentan revestir el amor con la camisa impermeable de la indiferencia, cometen un error fatal. La indiferencia es un campo de hielo —difícil de traspasar por los sentimientos— que se cierra herméticamente desde el interior en un movimiento tan rápido, tan súbito, que no da tiempo a que el amor salga. Así, el enamorado indiferente, contrario a lo que en el fondo pretendía, se consume con mayor intensidad al encarcelar su sentimiento amoroso dentro del inquebrantable campo de hielo. De haber conocido esto, el inspector hubiese dejado de culpar al calor, al vaho y a las moscas del malestar interno que ahora lo embargaba.

La visita no duró mucho. El presidente hizo una advertencia al chino sobre la posibilidad de que el burdel fuera clausurado para siempre. Y cuando se retiraba, se encontró de frente con una muchacha que bajaba la escalera. Ella lo contempló alelada, sabrá Dios con qué sentimiento enterrado en las pupilas. El hombre se sintió extraño al ser visto de esa manera por una meretriz de trastienda, por un vulgar cuero de cortina.

—¿Usted me conoce? —inquirió autoritario, casi para atemorizarla, a la vez que se apartaba el pañuelo de la nariz para espantar las moscas.

—No —respondió Mónica tras un labrado silencio.

El presidente volteó la cara y salió a la calle. El inspector lanzó algunas amenazas al chino y se negó a escuchar las traducciones de Lù-shi, a la que ni siquiera se dignaba a mirar. Antes de abandonar el local, intentó golpear una mosca con el maletín. La persiguió con asedio infantil hasta la escalera y casi se rompió el epiplón al resbalar con el zumo de una rata podrida.

X, 3 / ROYAL PALACE. Gala de carnaval

Y mientras, en las calles, en loca algarabía,
el carnaval del mundo lloraba y se reía.
Gardel

La noche llenó de luces y brillantes colores los salones del burdel. Bajo la lluvia de serpentina que caía desde los balcones y entre las dulces copas de licor que eran escanciadas en las mesas, los cueros y los parroquianos celebraban el carnaval de salón. El violinista iba de un rincón a otro excitado, emocionado por el buen resultado de la fiesta. Le preocupaba que el periodista aún no llegara, aunque pensaba que a lo mejor estaba enmascarado y perdido en la juerga. Una orquesta bombardeaba merengues desde la tarima. En medio del calor humano y los perfumes mezclados, el mal olor se había disipado. Las mujeres se veían fabulosas con sus trajes de fantasía. Había llegado mucha gente con los atuendos que usara en el parque esa misma tarde. Podía decirse que todos estaban enmascarados, salvo los dos o tres desabridos que acostumbran colarse en las mascaradas con su cotidiano y aburrido disfraz. Los limpiabotas y el público de la retreta, que a esa hora vagaban por el parque, se deleitaban observando las máscaras que entraban al burdel.

La Maura lucía un traje de plumas opacas y alas desgarbadas que parecía de buitre. Tora el Pez Tigre Balón cargaba un garfio y una pata de palo, a la manera de un pirata. El poeta, embutido en un flux y con el semblante amargado, imitaba a lord Byron. El violinista se puso un frac nuevo y una máscara veneciana adornada con plumas teñidas. Delia se disfrazó de Eva, con hoja de parra y todo. El inspector asistió vestido con una chaqueta negra, camisa, pantalón y zapatos rojos, como Travolta en *Saturday Night Fever,* y se desplazaba con pasos simiescos más relajados, como si tuviera muelles en las rodillas. Mazamorra vino ataviado de diablo. La China se puso una peluca rubia y un atuendo brillante, de gringa. El guardia del parque entraba de vez en cuando y, si alguien le preguntaba de qué estaba vestido, enseñaba una condecoración hecha con cáscara de plátano y respondía: "¡De general!" Changsán andaba disfrazado de dragón, mientras que su consorte, siempre detrás suyo, se vistió de ella misma, o sea, de nada. Mónica se entalló una sensual vestimenta de Caperucita. La Patria entró envuelto en los colores de la bandera nacional, aunque sólo duró un instante en la fiesta. El desabrido de Ángel el ángel se había dado la vuelta por la pollera y andaba con unas alas hechas de plumas hediondas, por lo que semejaba un ángel ridículo. Yo me puse un disfraz de Pedro el Cruel. A las diez de la noche bajó por la escalera una mujer hermosa con un elegante vestido negro; tras observar detenidamente, descubrieron que se trataba de Ángela, quien parecía el retrato vivo de María Montez. Dos miembros de la banda de música, muy insípidos, entraron vestidos de músicos municipales. El vendedor ambulante apareció vuelto mujer. Los dos chulos a destajo se vistieron de caníbales. También había uno vestido de un miembro muy procaz que no debe ser mencionado en una crónica social, y un desconocido que traía una careta de Lobo Feroz. En fin, disfraces hubo de todas las características, de lo cual no debe sorprenderse nadie que haya leído aquellos sinceros versos del poeta del pueblo, don Tomás Morel, que rezan: *El macho del barrio se vistió de mujer: en el carnaval somos lo que no pudimos ser.*

De acuerdo con las especificaciones de la invitación, los asistentes recibían una botella de ron, cortesía de la casa, al momento de llegar. Un detalle interesante fue que, en la misma entrada, el violinista ofrecía una cerveza a todo el que aceptara permanecer enmascarado hasta las doce de la noche, de manera que muchos permanecieron sin desenmascararse. Incluso, las mujeres estuvieron de acuerdo en cumplir esta disposición hasta las últimas consecuencias, por lo que atendían a los clientes sin revelar sus identidades. Aunque muchos las reconocían incluso con los rostros tapados, gracias a alguna cicatriz en la piel, a la forma de bailar o al desparpajo en el reír.

Hubo diversos espectáculos para deleitar a los presentes. Delia hizo un *striptease*, encuerándose al ritmo del rock de Elvis, *Trouble*. Tarán, tarán. Se hizo también un concurso de bailes diversos, en el que Travolta aprovechó para dar unos pasitos de música disco: con movimientos ordenados, entreabría las piernas y, mientras movía la cintura, levantaba un brazo y lo metía bajo la bragueta, todo muy relajado, a nivel de tranquilidad, sin la liberación frenética del rock ni la arremetida corporal del punk. El baile no le salió mal, aunque algunos opinaron que ya estaba un poco viejo para esos trotes. Quedó empate en primer lugar con la China y Mazamorra, quienes bailaron una bachata de Teodoro Reyes. Esto sí nos deleitó. Los bailarines daban tres pasos hacia adelante y levantaban levemente una rodilla; tres hacia atrás y subían la otra rodilla, y en la parada apretaban sus cuerpos con elegancia, encorvándose con una tenue derrengadura; movían sin cesar pies y caderas al ritmo de la percusión y las cuerdas, así: un, dos, tres, rodilla, un, dos, tres, rodilla... y reiteraban la derrengadura con mucha gracia, como si tuvieran un puñal enganchado a la altura de los riñones.

—¡Llegó la autoridad! —anunció el raso al aparecer en la puerta, a la vez que descargaba un ruidoso golpe de macana sobre una mesa.

Los dos oficiales entraron con paso firme y porte marcial al burdel. Se acercaron a Changsán, quien atendía una mesa del fondo. No profirieron ni media palabra hasta ser agasajados con dos botellas de ron. Entonces dijeron que venían a preservar la seguridad de los ciudadanos y sonrieron con falsa camaradería. El sargento Masámbola y el raso Batida se atrincheraron tras el escudo del ron Bermúdez y desde aquella barraca vocearon malas palabras, manosearon cueros y sacaron un par de veces los pardos revólveres.

Mónica recogió su capa de Caperucita y se sentó a descansar en la escalera. Se sentía observada desde la lejanía. Era una muchacha ni fea ni bella: nada más una muchacha. Su pelo negro más abajo de los hombros; una cara rectangular que le quedaba grande, en la que navegaban dos ojos negros bajo los arcos afilados de las cejas; una nariz como todas las narices, con su par de orificios y todo, aunque un poco respingada; una boca grande bordeada por labios gruesos, deseables, mamadores, que reposaba sobre una barbilla de base cuadrada. Y su expresión era ingenua e inocente, semejante a la de un ángel que anda con la cara prestada.

Estaba inquieta por la presencia del Lobo Feroz, que no dejaba de mirarla. La fiera a veces la perseguía, le lanzaba un zarpazo cuando ella bailaba, se pegaba a una columna y agitaba las caderas para fingir que fornicaba. Encendió un cigarrillo. Dejó que sus pensamiento flotaran en la nube de humo. Pensó con odio en el Señor. Suspiró para expulsar la nube de humo, sin sospechar que, en verdad, estaba suspirando de amor. El Lobo Feroz la acorraló.

—¿Adónde vais, tierna Caperucita? —preguntole con sorna.

Ella se quedó pasmada. Por encima de la deformación que la máscara producía en la voz, le pareció recordar ese timbre... Pero no, era imposible. Chupó una bocanada.

—¿Quién eres tú? —inquirió intrigada la muchacha.

Y la bestia, sin más rodeos, seriamente le respondió:

—El lobo que se comió a la Caperucita.

Mónica no tuvo dudas de quién era aquella voz. Se levantó aterrada y corrió a cualquier sitio, hacia la muchedumbre, en busca de un cazador que la pusiera a salvo. El Lobo Feroz era el presidente municipal: lo sabía, y no estaba dispuesta a perecer esta vez en las garras del amor. Así que dio vueltas por el salón para huir de la pasión, quizá en la cima de su sabiduría, hasta que cayó en brazos de cualquiera que fuera incapaz de trastornarle el corazón y negoció con ese cualquiera un polvo al vapor. El asunto era escapar pronto, ponerse a salvo de la fiera. Mientras ascendía por la escalera del brazo de cualquiera, alcanzó a ver la silueta del Lobo Feroz, quien la persiguió con la mirada hasta que desaparecieron por el descanso.

El cualquiera, prototipo del perfecto amante de paso, la encerró en un cuarto de la segunda planta, le echó un polvo fugaz, de gallo, se subió el pantalón y se marchó. Excelente: si todos los amadores fueran así, el amor sería más fácil que jugar una mano de bingo. El problema es que muchos no se conforman con pasearse por el cuerpo, sino que después se meten en el corazón y complican las cosas, nos vuelven la vida un caos. Y Mónica a lo mejor sospechaba que en la forma del Lobo Feroz estaba por entrar en ella uno de esos amantes terribles y perversos que nos devoran el alma. No caería otra vez. Hay quienes dicen que el amor no tiene tiempo ni tiene edad, lo cual es un desatino, una vergüenza, porque en algún momento las personas deberían aprender de la experiencia y dejar de lado esa peligrosa pasión. Algunos lectores de baja ralea, frívolos, le recomendarían, no chica, déjate llevar de ese sentimiento puro, hazle caso a tu corazón, mira que eso se llama amor a primera vista, y la aconsejarían así sin entender ni un carajo lo que en el fondo estaba sucediendo y sin comprender lo mucho que la pobre había sufrido en el pasado por culpa del querer. Mientras recordaba el sonido de las palabras del funcionario municipal, Mónica rememoró las perversidades del Señor con el propósito de reforzar su rechazo al amor. Pensaba todo esto al ritmo de una balada de Pimpinela que casualmente, con el volumen muy bajo, empezaba a llegar desde el primer piso: *Hace dos años y un día que vivo sin él; hace dos años y un día que no lo he vuelto a ver, y aunque no he sido feliz aprendí a vivir sin su amor; pero, al ir olvidando, de pronto, una noche volvió.*

—¿Quién es? —preguntó Mónica desde la cama, pues habían tocado a la puerta del cuarto.

—Soy yo —respondió el presidente municipal.

—¿Qué vienes a buscar? —cuestionó a secas, sin advertir que estaban siguiendo las letras de la canción.

—A ti...

Pero a partir de ese punto, ella quedó en Babia, helada de espanto. No pudo hablar de inmediato ni seguir aquella parte de la balada que dice: *Ya es tarde. ¿Por qué? Porque ahora soy yo la que quiero estar sin ti.* Inmóvil, escuchaba la respiración pesada y alterada por la máscara, del lobo. Su mal corazón le susurraba *¡ábrele!*; mas la sabia razón le aconsejaba *¡no, que se vaya a la mierda!*, y ella le recordaba a ambas *miren lo que me pasó con el Señor.* Oyó unos pasos que se alejaban. La respiración dejó de sonar. Menos inquieta —aunque quizá lamentando un poco que la bestia no hubiese sido más perseverante—, guardó el dinero que le pagara el amante fugaz y abrió la puerta. ¡Taráaan! Se encontró con el Lobo Feroz parado en el umbral. Silenciosa, se apartó hasta el borde de la cama y le permitió entrar. El hombre se quitó la máscara de lobo. Miró a la muchacha con grave ternura, para atraparla. Ella, sin darse cuenta, abrió el cortinaje de la mirada y permitió que le viera el corazón. Decepción: la chica se desmoronó. Por más cortadas de ojo que hizo enseguida y más gestos de desdén que intentó, estaba claro que toda su plataforma de defensa pasional se había venido abajo. Esta terrible propiedad tiene el amor, que siempre termina por salirse con las suyas, desvergonzadamente, muchas veces con tosca inverosimilitud, al igual que esos héroes de películas de acción. Ella lloró mucho, con sollozos huecos y amargos, más que la enamorada de Kazán el Cazador. El hombre, púgil de la política acostumbrado a conversaciones de compleja envergadura, dirigió la charla de tal forma que no se perdieran en consideraciones vagas. Sobreponiéndose al barullo que los consejos del diablito y del angelito producían en sus oídos, le recomendó —aplicando una adecuada dosis de ternura—, que abandonara los fantasmas del pasado, que él era un hombre bueno y curaría sus viejas heridas. Hizo un silencio prudente. La muchacha había sido derrotada por el llanto y ahora sollozaba apoyada en su pecho. Esta vez se limitó a acariciarle el pelo con cariño. Tomó su rostro en las manos como si fuera una niña. Mientras le secaba las lágrimas, le juró que, si fuera Dios, se las convertiría en diamantes. Ella lo abrazó enternecida. Tan estúpida. El hombre decidió que desde ese momento esa sería su habitación hasta que encontrara una casa donde mudarla, que la vendría a visitar todos los días, que arreglaría las cuentas con el chino para que ella permaneciera allí sin tener que bregar con amantes y borrachos. Le prohibió, de paso, acostarse con otros; ella sería su querida y puta particular. Mónica replegó las mejillas con una delicada sonrisa, indicación de que estaba de acuerdo. La fiera deslizó su mano por debajo de la falda roja. Ella trató de frenarlo con ese muy vago "no" de las mujeres, casi siempre tan falso e inconvincente como ese prometedor "sí" de los hombres. Sin embargo, él consideró en silencio que si la singaba ahora, estropearía la desinteresada magia del instante. Le dio un besito en los labios, sin lengua, para sellar el pacto de amor, volvió a ponerse la máscara y bajaron al salón. Nadie tiene que meterse en este asunto personal, pero hay cierto descaro en que una mujer abra las ventanas del corazón a un tíguere disfrazado de Lobo Feroz y que está casado —bueno, aunque él le juró que se iba a divorciar.

La Maura tropezó con ellos al pie de la escalera. Le maravilló la rapidez con que el lobo ganó su presa. Salió a la puerta a tomar un poco de aire. Travolta la miró desde la mesa con leve rencor, porque sabía que ella lo había raptado noches atrás. Se distrajo observando el desparpajo de la mujer.

La Maura no tenía mucho tiempo trabajando en los burdeles. Media ciudad sabía que antes oficiaba en un altar, pero que tuvo que abandonar el sacerdocio porque intentó quitarle un novio a Anaísa Pie y la divinidad la castigó. Desde entonces andaba desterrada, sin derecho a leer nada: ni la taza, ni la vela, ni el vaso de agua, ni la mano, ni los sueños, ni la baraja, ni las hojas de hibisco, ni las flores, ni siquiera la funda de café; carente de autorización para preparar baños sagrados, o resguardos, o menjunjes, o prendas santiguadas, o despojos, o azabaches contra el mal de ojo o pañuelos hechizados para amarrar enamorados; despojada de poder para organizar horas santas, y peregrinaciones al Santo Cerro, y fiestas de palos para invocar a san Miguel, y ágapes para congraciarse con El Viejo o los caballos de la veintiuna división, y maníes para saludar a los misterios. En fin, vuelta una mujer común, víctima de eso que le pasa a quien osa quitarle un novio a Anaísa, la diosa del amor.

Travolta la contemplaba con disimulo —quizá por provocar los celos de Lù-shi—, parada en la puerta del burdel. Había algo en La Maura que no entallaba o talvez era que nada entallaba en ella. Podría parecer un pájaro gigante en tierra, derribado por una pedrada. El hombre buscaba en vano algunas imágenes para describirla. Entonces, como enviado del cielo, surgió de la vellonera un gracioso tango de Gardel que la retrataba a la perfección. *Sola, fané, descangayada, la vi esta madrugada salir de un cabaré; flaca, dos cuartas de cogote y una percha en el escote bajo la nuez; chueca, vestida de pebeta, teñida y coqueteando su desnudez... parecía un gallo desplumao mostrando al compadrear el cuero picoteao; yo que sé cuando no aguanto más, al verla así, rajé, pa' no llorar.* Ante la cruel evidencia del tango, Travolta se tomó un trago para borrarse la mala visión y avanzó hacia el mostrador para fastidiarle más la noche a Lù-shi. Total, para nada, porque estaba escrito en su libro del destino que esa noche terminaría en las garras de La Maura.

El violinista, dispuesto a que nada le estropeara la noche, se apartó de la barra ante la llegada del inspector. Descubrió a Ángela sola, sentada pensativa a una mesa. Maquillada y con buena ropa, se veía que no llegaba a los cuarenta años. Tenía la mirada perdida en paisajes grises de la memoria, pues recordaba a su amante muerto. De pronto, ella figuró que de un rayito de luna se formaba la imagen del difunto. El antiguo amador caminó con garbo hacia la vellonera y puso un popurrí de bachatas, tal si rasgueara las cuerdas del alma de la amada con la punta de un cuchillo.

—*Yo soy el hombre que te enseñó a querer y te hizo sentir mujer* —canturreó, con su porte de tíguere ácido—. *Yo soy el hombre que te ajusta, yo soy tu número estándar, de ayer y de hoy y quizá de mañana.*

Ángela asintió emocionada y susurró:

—*Para mí, mi amor; para mí, mi vida, que tú eres mi macho, el que me domina* —y extendió los brazos en el vacío para recibirlo.

En ese instante el hombre la miró contrito, amargado de muerte, y tarareó, entre hablado y cantado:

—*Estoy aquí pero no soy yo* —y desvaneciose en las espirales de humo.

Ángela suspiró nostálgica. Mucho de perversidad hay en la facultad del recuerdo, que nos trae las voces del pasado, las imágenes, las sensaciones intactas, y sin embargo nunca termina por traernos la materialidad de lo recordado. El violinista se le acercó galante, atraído por esa dulce seducción que despiertan las mujeres hermosas cuando lucen melancólicas. Le sugirió que bailaran un tango: *El día que me quieras.* Ella se excusó con fina cortesía.

—Tengo que regresar al cuarto. Ya estoy demasiado vieja para estos trotes.

El caballero sonrió intrigado:

—¿Vieja? ¡No juegues! Si te ves tan joven... Te queda aún mucha vida por delante.

—A veces el tiempo no se mide por la vida que a una le queda por delante, sino por los muertos que va dejando detrás —opinó, lánguida, y se puso de pie.

El violinista le ofreció con galantería el brazo y la acompañó hasta el primer escalón. Sentía que ella era el porte, la belleza, la imaginada carne suave de María Montez. Antes de dejarla ir, le susurró con timidez:

—¿Quieres que te toque el violín?

—Gracias... Quizá en el tiempo de antes hubiera querido, pero hace unos años que me lo tocaron —comentó mientras levantaba el ruedo de encajes del vestido y caminó escaleras arriba.

El violinista la veía ascender. Se trataba de una mujer empapada de amargura, con esa respuesta siempre a flor de labios que caracteriza a las personas que han vivido demasiado. Se apartó melancólico de la escalera, dispuesto a ver si identificaba al periodista entre los enmascarados. La muchedumbre reía y festejaba excitada por los hechizos carnavalescos. Ángel el ángel se sentía muy a gusto, amargado hasta los huesos, al constatar que las fiestas son espacios extremos de tristeza en los que el hombre utiliza sus mayores recursos para falsificar la felicidad. Consideró elegir a uno de aquellos simuladores —por ejemplo, aquel albino vestido de odalisca que al reír mostraba las muelas de atrás, o al sargento—, pero disuadiose al calcular que no hay cosa más poco seria que un pleito entre personas enmascaradas. Así que prefirió deleitarse amargándose a sí mismo la existencia. Mónica, mientras bailaba apretada a su bestia, lo miró burlesca y le mostró, enhiesto, el dedo del corazón, a la vez que le susurraba: "jódete".

A un lado de Ángel el ángel estaba el poeta Edoy Montenégodo. Daba la impresión de que no disfrutaba la noche. Se veía añorante y en silencio, entregado a la contemplación del cuadro viejo de tonalidades ajadas que colgaba de la pared. Lucía atribulado y vencido, mal, porque a los hombres, a diferencia de las mujeres, la melancolía nos hace ver débiles y horriblemente cadavéricos. Tora el Pez Tigre Balón, cansado de compartir con él la mirada hacia el mismo cuadro, se había retirado a la terraza de la tercera planta, para acechar a los gatos que clavaban a Yara entre los techos vecinos.

Hay que destacar que algunos refieren cierto momento misterioso en el que un extraño personaje entró al salón. Era La Muerte, aunque no con el clásico disfraz de la Muerte en Jeep, que incluye un tosco esqueleto pintado sobre un mameluco negro, sino semejante a las de verdad: con traje marrón, pestilente, y una guadaña. Cuentan que se paró medio despistada al pie de la escalera, sacó una mano descarnada para hojear un ajado cuadernito y que, tras humedecerse con la lengua podrida la punta huesuda del índice y revisarlo hoja por hoja, suspiró fastidiada y desapareció. Yo no la vi porque en ese momento me dedicaba a otros menesteres, mas puedo dar testimonio de que quienes divulgaron la noticia fueron unos borrachos indignos de credibilidad.

Lo que sí muchos advirtieron fue la desfachatez con que los dos policías tocaban a las mujeres ajenas y exigían al chino botellas gratuitas de ron. El sargento permaneció toda la noche arrellanado en una silla de cuero de chivo; lanzaba miradas amenazadoras, como rumiando "no te metas en rojo conmigo, que yo puedo inventarte un expediente", y lamentaba de vez en cuando no haberse puesto un disfraz de Sherlock Holmes. El único que le dirigía la palabra, aparte el policía lambón que le acompañaba, era el inspector. El raso, sin dejar de mover el culo en la silla —fastidiado por la hemorroide—, sorbía tragos de ron con la mirada perdida en la cara de gato dibujada en la botella del Bermúdez, y celebraba los aburridos chistes de su superior. No obstante el malestar, se sentía con un humor desenfadado, porque el ron

Bermúdez tiene la siguiente propiedad, que cuando el bebedor está borracho, el gato de la etiqueta se desata y lo araña.

Travolta se paseaba ostentando el trofeo de oropel que obtuviera en el concurso de baile. Quizá era el sedante de esta presea tardía que lo mantenía aún en pie a esa hora de la noche, dando tumbos entre borrachos y mujeres insaciables de placer. Comenzaba a apretarle la faja y a preocuparle la posibilidad de que el cosmético que utilizaba para domeñar el cabello perdiera consistencia y dejara la calva a la vista de todos. Lo peor era que empezaba a pesarle el traje de enamorado indiferente, ese ropaje frío, impermeable, inútil, con el que intentaba atraer la atención de Lù-shi. Porque la indiferencia funciona así: se hace uno el desentendido para que la persona evitada se acerque y diga, pero bueno, fulano, tú últimamente como que me andas medio sacando los pies; a lo cual se responde, no, ombe, esas son imaginaciones tuyas, y continúa con la indiferencia un tiempo más. Sin embargo, la consorte del chino parecía no notar la frialdad o al menos se hacía la desentendida. Iba de mesa en mesa y limpiaba derrames de alcohol, trapeaba vómitos, cargaba botellas vacías, sin mirarlo y sin advertir que él no la miraba. Se sintió un poco estúpido por la actitud tan seria que había adquirido. Decidió que lo mejor sería tomar el asunto a broma, con el sarcasmo propio de la circunstancia. Así que desgarró el traje de la indiferencia y se acercó a la barra, en un momento que el chino subió a la segunda planta para drogarse. Lù-shi lo observó atenta, atención burocrática, parado ante el mostrador. Hizo una señal con la mano, para saber qué quería. Travolta encendió un cigarrillo en la comisura de los labios, tiró la bocanada de humo a cualquier parte y murmuró entre dientes:

—A ti sería bueno tirarte de espaldas y metértelo por el culo —pero enredando tanto las palabras en los incisivos, que la mujer no pudo entenderlo—. Ajustarte el güebo en seco, sin untarte vaselina, desgraciada, maldita china, puta.

Como el hombre permanecía parado murmurando

palabras inaudibles y con una expresión de estupidez en el rostro, la mujer se apartó a atender otros clientes. Él la persiguió en silencio con la mirada, divertido por lo que entendía eran evasivas de ella. Le dieron ganas de clausurar el local en ese mismo momento. Llevársela presa y meterle un palo por el culo, como leyó que hizo un policía en Nueva York. De no haber sido porque el sargento se veía de lo más divertido en la fiesta, hubiese ordenado el cierre del burdel. Cansado de dar lata, metió el trofeo en una funda y decidió retirarse a dormir.

La fiesta continuaba bajo las alegres luces del salón, impulsada por la borrasca de la música y la risa. La sed era ahogada con tragos de licor. Los bailarines se entrelazaban alegres al ritmo de valses y contradanzas importadas de Venecia bajo una lluvia incesante de serpentinas y confetis. Las mujeres cambiaban de pareja en medio de la fiesta bulliciosa. De repente el violinista apagó la vellonera y gritó: "¡Son las doce!" En ese momento de clímax, los participantes, atrapados por la euforia y la emoción, se despojaron de las máscaras. Entre risas y exclamaciones de sorpresa, fueron mostrando el rostro de abajo y reconociendo la otra identidad de los demás enmascarados. Las botellas de cerveza, cortesía de la casa, llegaban a las manos de aquellos que habían respetado el ritual de no desenmascararse antes de la medianoche.

El sargento no se quitó nada. Se quedó con su careta de perro y amenazó con llevarse preso a quien se apoyara en su mesa. A eso de las dos de la mañana eligió al azar dos cueros y los clavó en uno de los calurosos cuartos de la segunda planta, que a esa hora no daban abasto a la lujuria de los fiesteros. Retornó subiéndose y bajándose mecánicamente la bragueta y limpiándose los dientes con un palillo. Traía el rostro camuflajeado con una sonrisa falsa.

La Muerte y el Diablo saltaron hacia el centro del salón. La vellonera se apagó de súbito. Nadie sabía el origen del pleito, salvo que la Muerte se había acercado desafiante al otro y le gritó, con más humor rancio que inquina: "Ese diablo sin careta se merece una galleta", y le metió un tabanazo. Sin embargo, lo que en verdad sucedió fue que un momento atrás, el sargento, arañado por el Bermúdez, había informado al raso Batida que debía apurar el trago porque iba a desbaratar la fiesta, y entonces se acercó a un tíguere que andaba disfrazado de la Muerte en Jeep y le susurró. El Diablo tiró la careta a cualquier parte y se quitó la camisa. La Muerte se encargó de empujar las mesas para hacer un claro. Se vocearon maldiciones, amenazas de muerte. En una, el Diablo sacó un largo puñal; con inusual didáctica, mostró una pequeña inscripción, "cirilo", que la hoja del arma tenía casi a la altura del mango, y le dijo que se lo iba a meter "entero, hasta donde le dicen cirilo". En respuesta, la Muerte desenvainó un machete y le fue encima sin alardes de pedagogía. Tras una breve refriega, el sargento tiró dos disparos al aire. De inmediato ordenó el fin de la fiesta y amenazó con llevarse preso a quienes se negaran a retirarse.

Un gran ausente de aquella fiesta fue, por supuesto, el padre Cándido. Desde la alta ventana de la empinada torre de la elevada catedral, miraba el espectáculo mundanal que se desarrollaba en el muladar. Las bachatas desgarradas y los gritos de los borrachos le impedían concentrarse en los menesteres espirituales. Tenía tres horas con el *Catecismo* de san Pacomio apoyado sobre los muslos, en espera de que esos demonios de allá abajo se consumieran en su propia perdición y le dejaran el silencio necesario. Lleno de ira, desenvolvía tabletas de chocolate y las molía con la caja de dientes. De abajo ascendían gritos de toda naturaleza: carnal, diabólica, mundana, que testimoniaban la enemistad del alma en aquella casa de pecado. Incluso, escuchó una voz anónima vociferar: "¡Aquí es que está Dios!" Fue en ese momento, y no en otro anterior, que el padre Cándido extendió el dedo tembloroso y pareció escribir con ceniza celestial en los muros del burdel la expresión "Mené, teqel, uparsin", que aparece referida en Daniel 5, 25.

X, 4 / CIUDAD INTRAMUROS. Las muchachas de san Rafael

Una brisa sosa, tibia, de vieja plancha de carbón, merodeaba con insoportable lentitud por el parque. No se escuchaban ciguas ni ruiseñores, como si se hubiesen asado de calor. En la galería salpicada por la sombra del tamarindo, las damas de la flor y nata tomaban el té de Manchester en delicadas tazas de porcelana europea. Muy recatadas, movían el azúcar con cucharitas de plata y usaban finas servilletas de hilo para secarse la comisura de los labios. Maceradas por esa perversa cirujana plástica que es la vejez, emperifolladas, aderezadas por cosméticos importados, perfumadas con talco y colonias de refinados matices, platicaban en orden, en voz pausada y baja, mientras apartaban el sudor con paipáis flamencos y pañoletas bordadas.

La anfitriona púsose de pie y se apresuró a cambiar el elepé que giraba en el tocadiscos; una canción más adelante estaba el "Lamento esclavo", y entonces sus invitadas descubrirían que los temas que escuchaban no eran de Antonio Scotti y sí de Eduardo Brito. Había sucedido que unos minutos atrás, cuando las habituales tertulianas llegaron, la sorprendieron deleitada con el disco de un barítono. La dama del corsage preguntó con voz fría: "¿Quién es ese intérprete?", y la dama de la pamela, en sospecha, susurró: "¿Ese no es...?", mas la anfitriona reaccionó con una mentira: "Se llama Antonio Scotti, antiguo compañero de Caruso", con la suerte de que la viuda de la bufanda, quizá para darse ínfulas de muy culta, añadió: "Sí, Antonio Scotti... Yo lo vi en un concierto en L'Opera. Canta divino, ¿no?", diálogo con el cual quedó zanjado el contratiempo. Pero si la anfitriona no se movía rápido y evitaba que saliera por las bocinas aquel *Esclavo soy, negro nací,* ni santa Cecilia la salvaría del bochorno.

—Deja que el disco se termine —sugirió con elegante inquina la dama de la pamela.

La anfitriona quitó el elepé y lo tiró tras el mueble.

—Quiero agasajarlas con esta ópera —argumentó, y dejó caer la aguja sobre el *Macbeth* interpretado por Enrico Caruso.

Dirigidas por la vigorosa voz del tenor, charlaron sobre las compañías españolas que décadas atrás escenificaran sus zarzuelas en La Progresista; de los juegos florales en los que el tío de una de ellas obtuvo la flor de oro; de los nombres que las calles del pueblo tuvieron. Una recitó de memoria el discurso que su abuelo leyera para darle la bienvenida al poeta Villaespesa; otra agotó un turno e informó que su padre había leído que Tirso de Molina vivió en la villa en la época de la colonia, y se extendió en una explicación sobre los blasones del escudo de la ciudad... En fin, platicaron sobre estos y otros temas relacionados con el tiempo en que la ciudad era noble y no un espacio de barbarie en el que, a su juicio, la fina cultura peligraba. Hablaban mientras esperaban la visita del padre Cándido y un sacerdote recién llegado de Roma. Durante una parte de la tertulia, fijaron sus ojos en un anciano taciturno que pasaba por la calle en una motocicleta con un carretón. Era Elpidio el Turco.

—Esas son de las cosas que dan vergüenza —deploró la dama del corsage y apartó el rostro—. Cualquier extranjero que viera a ese pordiosero vendiendo ropa vieja a la chusma, podría pensar que somos personas de tercera categoría.

La viuda de la bufanda observó al motorista con los quevedos.

—Eso nos ganamos por abrir las puertas a ciertos extranjeros —advirtió—. Los españoles que venían a esta ciudad escenificaban las zarzuelas y regresaban a su patria; si se quedaban, era para formar familias distinguidas. Lo mismo sucedió con los italianos del Rívoli de antaño. Incluso los americanos se retiraron después de la invasión. Sin embargo, los negros y los orientales se quedan plagando nuestras calles. ¡Dios mío, cuánto hemos degenerado!

—Y no sólo eso, sino que vende esos trapos a crédito —destacó la dama de la pamela, con simulada cizaña. Justamente de Elpidio el Turco había adquirido un juego de servilletas de hilo que recién regalara a la anfitriona—. Aunque hay algunos turcos que muestran buenas costumbres. Ahí tienen ustedes al dueño del edificio Royal Palace, que también posee otros inmuebles...

—Ah, pero ese no es un árabe del montón —se apuró a destacar la anfitriona—. Ese casó con una dama distinguida, requiéscat in pace, y se integró a nuestras costumbres. No como ese pordiosero que acaba de pasar en el motor. Digo, no es que yo tenga nada en contra de los turcos, ellos también son gente, como los chinos y los haitianos... Pero, por más que uno no quiera, hay diferencias que... Oh, se terminaron las galletitas...

Solícita, agitó la campanilla para ordenar a la criada traer otro plato de galletitas. La tarde seguía esparciendo sus aires entibiados. Por el pavimento de granito que cubría el parque, vieron acercarse a un sacerdote joven junto a un anciano sentado en una silla de ruedas que era empujada por un indio. Cuando la comitiva llegó a la galería, el indio fue despedido y las tertulianas se pusieron de pie para saludar. El padre Cándido presentó a su ahijado, el padre Ponciano. Las damas saludaron con una sonrisa e inclinaron un poco la cabeza. El joven clérigo correspondía cortés, aliviado por esa saludable costumbre de saludar sin estrechar las manos, muy propia de las mujeres. La anfitriona ordenó dos tazas para los recién llegados. *Dime tú, Ponciano*, se dijo para sí, *¿a quién se le ocurre beber eso en medio de un sol tropical?*, y Ponciano, sofocado de calor, sorbió su taza de té sin saber qué responder. El anciano se negó a tomar la bebida por el tiempo de ayuno que guardaba. La charla se renovó con la evocación de los paisajes europeos.

—En Europa la temperatura es fresca, ¿no? —preguntó la dama del corsage, desprevenida, sin recordar que una vez había comentado que estudió en los Países Bajos.

—Casi siempre hay buen tiempo... pero a veces, en el verano, hace un poco de calor —respondiole la dama de la pamela, quien, aunque no era cierto que viajara a Europa, al menos había visitado Curazao.

La anfitriona sacudió la campanilla e hizo que la criada trajera un platito rebosado de bombones, que fue colocado cerca del padre Cándido. Al anciano se le aguó la boca. Mientras contemplaba con recatado éxtasis y de reojo los chocolates, sus oídos eran inundados por la melodiosa voz de Caruso. En ese punto, sintió que desde el centro de la glorieta del parque venía un movimiento acompasado, acompañado del latir de un corazón, el cual provocaba que la vajilla y el mueblaje temblaran. La señora pidió a la criada que se retirara y, recordando que aún no le había dicho al padre Ponciano que el tamarindo del parque lo había sembrado su tío, señaló el árbol y con voz temblorosa comentó: "Ese tamarindo centenario lo sembró mi tío tras la gesta de Independencia", y se pasó un pañuelo de seda por los ojos secos. Cumplida esta formalidad, la conversación entró en una fase inevitable: comparar el país con el Viejo Continente.

—Supongo que debe haber sido difícil para usted volverse a adaptar a este ambiente, después de vivir tantos años en Roma —comentó la viuda de la bufanda—. A mí me pasó lo mismo cuando regresé de Viena. Sentí que me internaba en un safari.

—Se siente uno medio extraño, sí —confesó el padre Ponciano.

—Imagínense, los europeos son gente de raza pura, caucásica —resaltó la anfitriona—. No como en este país, donde muchos han mezclado las razas y han convertido todo en un desastre. No es que yo diga que los negros y los mulatos no son hijos de Dios, sino que... Permítame servirle más té, padre, por favor...

—¿Qué es lo que ha encontrado más extraño en este país, padre? —inquirió otra de rostro desteñido y nariz de boxeador.

El sacerdote sorbió un trago caliente.

—La gente y el calor... —respondió y recibió de inmediato la aprobación de las damas—. No sé, aquí siempre hace calor. La brisa calienta, las noches son ardientes. Cuando llueve, el agua se condensa y llena todo de un vapor insoportable...

Las damas confirmaron en silencio.

—Hay lugares que son creados por el Señor para poner a los hombres a prueba —informó el padre Cándido, sin poder apartar los ojos del platito de chocolates—. Esta ciudad es una prueba. Nuestra misión es no desesperar y tratar de superar con humildad la tarea que nos ha sido brindada. La economía celestial funciona de esa manera.

La dama de la pamela estuvo de acuerdo con esta observación determinista y resaltó que sólo por voluntad poderosa de Dios un pueblo podía caer en la denigración. Existía, en esa dirección, el ejemplo de Israel. El padre Ponciano aprovechó el oscurantismo reinante para ensayar ciertos criterios muy propios que sobre el catolicismo tenía, seguro de que el nivel intelectual de aquellos tertulianos no lo pondrían en aprietos. *Vamos a ponerle un tono teológico a esta tertulia de patio, Ponciano,* díjose, y luego de tomarse un trago de té, muy docto, empezó su discurso.

—La solución a los problemas del hombre sigue estando en la religión. El gran conflicto humano no es material, es interior. Las guerras, la desequilibrada distribución de bienes, los vicios mundanales, reflejan la debilidad espiritual del hombre. El problema humano es en realidad de naturaleza religiosa y su solución debe provenir a través de lo espiritual. Los tratados de paz, los cambios económicos y las campañas humanitarias demuestran con su insuficiencia que la respuesta al conflicto debe trascender la inmediatez matérica —determinó, subrayando sobre todo "inmediatez matérica", con el propósito de echar en cara la pobreza intelectual de aquellas mujeres. Rogó que le sirvieran otra taza de té y continuó su discurso pastoral—. Las grandes religiones van perdiendo adeptos; empero cada día las pequeñas sectas van aumentando en número. La aparición o robustecimiento de sectas indica que el hombre intuye la naturaleza real del problema. Sin embargo, este movimiento puede provocar una fragmentación irreparable en la humanidad. Por eso, corresponde a las religiones mayoritarias, debido a su carácter más universal, poner en marcha un plan para reparar la interioridad humana. En el caso particular del Occidente, la Iglesia Católica es la más indicada para llevar a cabo esta tarea religiosa —Pidió que, por favor, no le pusieran azúcar al té. Estoico, recogió la taza y se tomó otro trago. Estaba deleitado con el silencio tarado, que pretendían hacer pasar por meticulosa sabiduría, con que las damas escuchaban sus palabras—. Pero para trabajar en este gran proyecto, el catolicismo tendría que limpiarse de miserias. El fregado debería iniciar en la clerecía, pues se debe impedir a los clérigos emplear su autoridad en los menesteres del poder social —*¡Cállate, Ponciano!*, se dijo, *que te estás metiendo en rojo y de esta después no va a salvarte ni san Checheré*. Empero se respondió decidido: *¡Déjame, cobarde! Yo sé de lo que estoy hablando*, y continuó la plática—. Hay que higienizar, sobre todo, a la feligresía, instarla a reintegrarse a las bases de la Iglesia. Una de las características más censurables del católico de a pie es que suele ser *mal católico*; al decir esto me refiero a su falta de fervor, a la indiferencia religiosa y al poco ejercicio de los sacramentos. La mayoría de los católicos que modernamente emigran hacia el protestantismo y las sectas han sido malos católicos, y sostienen que los clérigos hacen imposible la fortaleza religiosa, mas no reparan en que ellos mismos, como feligreses, han dejado mucho que desear. La Iglesia está obligada a reestructurarse desde arriba hacia abajo, y viceversa, para recuperar la credibilidad y poder llevar a cabo el gran proyecto de salvación del hombre occidental.

Ay, Ponciano, te jodiste. Sin embargo, una vez concluida la parrafada, el joven sacerdote no se inquietó. La aprobación silenciosa de las damas de la flor le confirmó que no habían entendido nada. La actitud meditativa de su padrino, quien no lo interrumpió en ningún momento, le producía cierto alivio. *¿Viste, cobarde? Mis ideas no son peligrosas*, alardeó, mientras soplaba la taza de té.

Había acaecido que mientras él echaba su discurso, el anciano cayó en un breve sopor. Una somnolencia pesada, calurosa, lo embargó. Y en medio de tal estado, le pareció escuchar a las damas inquirir: "¿Y que tenéis que decirnos, padre, acerca de esas mujeres que ofician en el burdel, las cuales con su negocio carnal hacen perder estas santas tierras?" A lo cual el padre Cándido, tras un largo y casi interminable carraspeo, respondió con un bestiario ilustrador que es copiado a continuación de manera casi íntegra.

CANDIDUM BESTIARIUM

LEO el León, la más poderosa de las bestias, reina sobre los animales salvajes con natural sabiduría. Es una criatura que jamás desfallece, pues se mantiene en perpetua vigilia. Cualquier hombre decente debe prestar atención a las cualidades de esta fiera. Porque, cuando desde la cima de la montaña ve acercarse al cazador, se aleja borrando las propias huellas con la cola. Enemigo de la gula, come en días alternados y, si siente que ha comido demasiado, vomita el exceso. Es tan compasivo que jamás ataca, a menos que lo hayan herido. ¡Oh, hijas mías!, tomad el santo ejemplo del León, Príncipe de Todos los Animales. Sobre todo en esta hora crucial en que peligros mortales acechan el honor y las costumbres cristianas de nuestra ciudad. Estad atentas bajo el sol y, más que nada, velad en las noches, cuando las bestias prostituidas y pecaminosas aprovechan las sombras para salir de sus madrigueras. Vosotras, hijas mías, que sois damas venerables en quienes reposa la tradición milenaria de esta villa de sacras primicias, debéis usar vuestras influencias para enfrentar al enemigo pecaminoso, y no bajar las armas en el sospechoso sosiego de las sombras. Aprended de esta propiedad que tiene el León, que cuando duerme mantiene abiertos los ojos.

UNICORNIS el Unicornio posee la siguiente naturaleza. Es pequeño como un cabrito, con un cuerno en medio de la frente y tan excepcionalmente veloz que el cazador nunca puede darle alcance. No obstante, se deja atrapar si se usa la siguiente estratagema. Una doncella se sienta en el bosque; cuando la bestia la ve, cae rendida en su falda y así queda presa. ¡Oh, hijas mías!, así como el Unicornio son vuestros esposos e hijos. Hombres de fina casta, poderosos y hábiles, corren el riesgo de ser capturados por las faldas impuras que aumentan las manadas del diablo en las casas de perdición.

Porque las rameras no son menos que HRYCUS la Cabra, un lascivo y cornudo animal de ojos transversales que siempre está ardiendo por coitar, según refiere Suetonio. En su afán por satisfacer su apetito impoluto, las hetairas se asemejan al terrible animal de la India llamado MANTICORA, que tiene tres filas de dientes, cuerpo de león, rostro humano que brilla, cola de escorpión y una voz aguda, de flauta dulce, con la que llama a los incautos para en seguida devorar su carne. En su empresa de perdición, ellas usan la crueldad del GRYPHUS, un cuadrúpedo alado con máscara de águila, que destaza a las criaturas humanas que encuentra a su paso.

Y habéis de saber que esas mujeres no son tales, sino en verdad demonios de cabello largo. Nacen a la manera de MUS el Ratón, que proviene de una palabra griega, aunque podría ser del latín, y realmente viene del latín, el cual es un animal endeble que se genera de la tierra húmeda. Son semejantes a CATUS el Gato, pues están dotadas para penetrar las sombras con un rayo de luz. Para entender cómo logran tales disfraces, cómo se preparan para su carnaval endemoniado, conviene tener noticias de la LEUCROTA, una bestia cuya boca se abre hasta las orejas, que posee por dentadura un hueso afilado y que imita a la perfección el habla. Asimismo, informarse de que en Etiopía se produce un animal llamado PARANDRUS, que posee cuernos rameados y cuero de oso, el cual tiene la siguiente propiedad, que puede cambiar el cuerpo para semejarse a cualquier criatura que mejor a sus propósitos convenga. Contra esas perras con ropa debéis ser como la PANTERA, una cuadrúpeda de colores abigarrados, muy bella y en exceso generosa, que emite por la boca un aliento dulcísimo, y de la que Physiologus dice que tiene por único enemigo al diabólico Dragón.

¡Oh, hijas mías!, vosotras tenéis el deber de lavar el pecado de la Virgen Eva mediante la consagración de la Virgen María. Dice el ángel, en san Lucas: "Alégrate, gratia plena; el Señor está con vosotros". Por eso, siguiendo el casto ejemplo de María, sois esposas y madres en Cristo. En tal virtud, tenéis la encomienda de preservar a los hombres que el Señor os ha entregado mediante la maternidad o el matrimonio.

Hay un ave llamada AQUILA el Águila, la cual tiene una vista tal, que cuando vuela sobre los mares ve los pequeños peces que nadan en el fondo de las aguas y, descendiendo con la fuerza del rayo, los captura y lleva sobre las alas hasta la arena. La misma sagacidad es menester para descubrir a vuestros hombres cuando nadan en las turbias aguas de los muladares y rescatarlos y ponerlos a salvo. No temáis de que se os acuse de celo mundanal durante esta obra ni de exceder en apartaros del placer de la carne al salvaguardar a los esposos. Debéis pensar que sois semejantes al BUITRE, un pájaro llamado así debido a su vuelo bajo (*a volatu tardo*), del que se dice que la hembra concibe sin la asistencia del macho y genera sin ayuntamiento carnal. Pensad en todo momento que debéis proteger a vuestros hombres, porque esta es la economía del demonio: a través de sus engendros femeninos, tienta a los esposos para corromper a la familia, pues quien destruye la asociación familiar, echa a perder la ciudad entera.

Aunque vuestros maridos hayan caído en las redes del infierno, aun así estaréis a tiempo de salvarlos, si obráis con diligencia. FENIX el Ave de Arabia vive quinientos años, y es de tal naturaleza que cuando se pone viejo prepara una pira funeral con olorosas ramas de especias, entra en las llamas para consumirse; entonces, verdaderamente, al noveno día se levanta de sus propias cenizas. El Apóstol dice: "Despojaos del hombre viejo con todas sus obras", por lo que el Ave de Arabia nos muestra un bello consuelo de la manera en que los esposos pueden dar, con vuestro desvelo, nacimiento al hombre nuevo que renace en Cristo.

El hombre nuevo es marido aventajado, brillante como el ERCINEE, un pájaro cuyas plumas resplandecen tanto en medio de las sombras que, si la densidad de la noche arropara el firmamento, sus alas emitirían una fosforescencia. Y no se detiene nunca tras la cortina de esas rameras tan horrendas como el EPOPUS, ave asquerosa que hace su nido con excrementos humanos; aborrece a estas mujeres parecidas a PERDIX la Perdiz, una criatura tan pervertida y lujuriosa que en ocasiones el macho monta sobre el macho, y así el principal apetito sensual olvida las leyes del sexo; no presta orejas a palabras dulces de mujeres malas, porque ellas son similares a SIRENAE la Sirena, un ave mortal mitad fémina y mitad pájaro, que gusta de la carne humana y que atrae a los incautos con canciones muy amorosas; reconoce el hombre nuevo que las tentadoras de muladar son de la naturaleza de MUSCAM la Mosca, un pájaro mínimo y asqueroso que no se genera por enganche sexual, sino del aire poluto, y cuya función es fastidiar al cristiano con caricias desagradables y susurros obscenos; que esas hetairas imitan a CUCO la Cucaracha, una avecilla repulsiva, sólo de género femenino, que se forma de los excrementos humanos y que a decir de Isidoro tiene la siguiente propiedad, que cuando está en celo vuela alocada y queda preñada del primer individuo al que roza, tras lo cual ella concibe horribles engendros. El hombre nuevo es fecundo para la vida en santidad matrimonial, mientras que para la fornicación prohibida es castrado, siguiendo el ejemplo del GALLO, que debe su nombre a que es el único miembro de la familia de las aves cuyos testículos se remueven para ser comidos mezclados con oro, según prescribe Aldrovandus; esta ave despierta al dormido, previene al ansioso, consuela al viajero con las dulces notas de su canto, y es tan virtuosa que puede ser capaz de asustar al Príncipe de Todos los Animales, ya que la única criatura que logra asustar a un león es un gallo blanco.

¡Oh, hijas mías!, escuchad estos sabios consejos que de los animales sacados han sido. Vosotras debéis ser poderosas como la piedra ADAMANTA, que sólo puede ser disuelta con la sangre caliente de la cabra, y hacer con vuestros esposos un cuerpo único y sólido, semejante a la TEREMBOLEM, roca que unas son hembras y otras, machos, las cuales al juntarse forman una flama resplandeciente. Convenced a los hombres de que en el muladar habitan bestias disfrazadas con la forma de SCORPIO el Escorpión Marino, que pincha las manos que lo tocan, y con la de la SIERRA, un pez fatídico que agujera las barcas para que se hundan y no logren llegar a buen puerto. Explicadle a ellos que esas féminas son falsas apariencias de VERMIS el Gusano, un animal que germina sin relación sexual, formándose ya sea de carne, madera o cualquier sustancia podrida; que ellas laboran sin descanso en la red diabólica que atrapa a las víctimas, como hace ese gusano de aire llamado la ARAÑA, e, imitando a SANGUINEA la Sanguijuela, succionan la sangre de los imprudentes que se aproximan a las turbias aguas de los bares.

Os imploro, ¡oh, hijas mías!, para que protejáis a vuestros consortes y retoños de esas SCITALIS, que son unas serpientes de abigarramiento espléndido que matan al hombre sólo con que este las mire; y de las serpientes aladas llamadas SYRENS, que corren más rápido que los caballos y cuyo veneno es tan fiero que el herido muere antes de sentir el dolor de la mordida. Estos fatídicos reptiles están bajo la regla de DRACO el Dragón, la más grande de todas las serpientes, que es el demonio en su forma original; cuando sale de su cueva ennegrece el cielo y quema el aire que hay a su alrededor.

De manera que ya conocéis la economía del diablo. Es el viejo truco que utilizó en Sodoma, donde hasta los ángeles del Señor eran escarnecidos. El Enemigo Malo ha amaestrado a sus súbditos. Les ha puesto ropajes de mujer y los ha metido en un burdel frente a nuestra santa catedral, para que seduzcan a los hombres y estos, a su vez, pierdan a la familia y a la sociedad. Ay de ti, ciudad de sacras primicias que fuera cuna primera de la civilización y del evangelio en el Nuevo Mundo. Ay de ti, prenda del Señor asediada por los infiernos. Ay de ti, ciudad sitiada por las bestias más perversas, que estás cercana a desaparecer bajo la lluvia del fuego y del azufre si antes tus castas doncellas no llenan sus lámparas de aceite y velan para que no caigas. Dichosa tú si, obrando con diligencia en el exilio de fieras demoníacas, al fin no truenan entre tus muros aquellas palabras de Nuestro Señor que para siempre rezan: "Pues fuego vine a echar a la tierra, ¿y qué quiero, si ya está encendida?" La batalla final es dura y apenas comienza. Sansón y José fueron tentados por las mujeres... Pero igual Eva y Susana fueron tentadas, y ambas cayeron. Reúna estos ejemplos el corazón del hombre y actúe según los preceptos de Dios. Porque el amor a las mujeres, por quienes se originó el primer pecado, clama furiosamente en la desobediencia de los hijos de Adán hasta los días presentes.

El padre Cándido cayó en un brevísimo sueño y despertó carraspeando. Miró hacia la mole soberbia del muladar. De pronto notó que los balcones se abrieron y en cada uno las prostitutas colocaron cortinas para vender diversas mercaderías. En una galería ofertaban abortos en frascos de cristal; en la siguiente lavaban preservativos usados para revenderlos a bajo precio; ofrecían al pregón ejercicios para perder a doncellas virtuosas. Cerraron de súbito los balcones y empezaron a tirar hacia la calle basura de todo tipo, una lluvia de objetos inmundos que rebosaba las calles empedradas. Señaló con el dedo tembloroso hacia el burdel, para advertir a los tertulianos, y volvió a caer en otro sueño. Despertó halado por la voz de Caruso. La voz material, la piedra sonora del tenor italiano, que tiene la propiedad de mantener en el mundo a quien la escucha. Voz de tierra. El vuelo con Caruso es siempre telúrico; eleva, sí, pero sobre valles, ciudades, montañas, jamás por encima del cielo. El anciano sintiose inquieto por aquella voz mundana, perfecta y, al ser tan humana, distinta a la de los ángeles. *Ah, la paterna mano,* sublime, pecaminosa porque dulcifica nuestro llanto por la vida terrena. El padre Cándido trató de distraerse con otras sensaciones. Sus ojos se perdieron en el plato de chocolates. Dulces de cacao perfumado, suaves al tacto. Se comería uno, o dos, aunque rompería un poco el ayuno. Total, con cinco y seis horas de ejercicios espirituales sanaría el alma de aquella caída menor. Extendió un poco la mano hacia el plato y en ese instante volvió a caer dormido.

Entonces volvió a despertar, advertido por un poderoso resplandor. La ciudad había desaparecido tras un zarzal estéril dorado por el sol. Una llamarada abrasaba la zarza y no la consumía. Se apartó del fuego, temeroso de quemarse. Una voz lo detuvo: "Cándido, Cándido, aquí estoy. Ea, cobarde, no temáis. Tocadme, que el fuego del Señor solo arde en los impuros. ¿O acaso no sois puro como el cielo? Yavé ha visto cómo su pueblo sufre humillación bajo el yugo vergonzoso de los burdelianos, y ha decidido liberarlo de ese mal. Acercaos. Descalzad vuestros pies y tocadme". Ante estas palabras, el anciano introdujo las manos en la llama. Se quemó.

El padre Ponciano pidió otra taza de té. En realidad, no comprendía qué hacía en aquella tertulia. Su padrino le había dicho esa tarde: "Vamos acullá, que tengo algo para vos", y más nada. Las damas, con discreción mal simulada, ahora charlaban sobre las obras caritativas en las que estaban involucradas. En una, se detuvo un mendigo frente a la galería. Se trataba de un muchacho sucio, harapiento, de ojos comidos por la amargura, herido en una pierna, de llorosa voz: uno de esos que son perfectos para el espectáculo de la caridad. La dama de la pamela sacó del bolso unas monedas con la mano derecha. Lo hizo con tan marcada circunspección que llamó la atención más que si hubiese vociferado el acto que iba a realizar. Fingiendo disimulo, acercose a la criatura; mostró una expresión de intachable piedad al momento de dejar caer la limosna sobre la mano mugrienta; esperó un poco para escuchar el "Dios la bendiga" mendicante, y regresó en silencio a su asiento con el rostro regocijado. Nótese que es insondable la paz espiritual que puede ser comprada con setenta y cinco centavos. Tras sentarse, el joven sacerdote se dio cuenta de lo siguiente. La dama de la pamela estaba tranquila en la mecedora. De pronto su mano derecha bisbiseó a la mano izquierda, y ambos miembros tuvieron más o menos este diálogo: *¡Psst!, ¡psst!, ¿viste lo que acabo de hacer? No,* respondió la izquierda, *estaba ocupada echando fresco... ¿qué hiciste? ¡Ah!, entregué setenta y cinco centavos de limosna. ¡Oh!,* respondió admirada la mano izquierda, con un rescoldo de envidia.

—Eso es lo que se llama un verdadero acto de caridad cristiana —resaltó el padre Ponciano, pletórico de ponzoña angelical, dispuesto a despojarla de la mínima gracia que aquel acto pudiera haberle dado.

—Yo siempre doy la limosna —anotó la dama de la pamela con bondad religiosa—. Bienaventurados los pobres porque de ellos será el reino de los cielos.

Iba a repetir su viejo discurso en esta dirección, pero el timbre de su celular la interrumpió. Pidió permiso para contestar la llamada y, muy histriónica, se retiró a la sala. "*Hello?*" "Aló", le respondieron. La otra voz venía de la oficina del Ayuntamiento. Rodeada de papeles ajados, despeinada, fumando como una loca, la secretaria había telefoneado para revelarle dónde era que últimamente estaba metido su marido, el presidente municipal. La señora apartose más de la galería, no fuera a ser que las otras escucharan la conversación. "Dígame, ¿pudo averiguar con quién anda él ahora?" "Sí, pero siéntese, para que no se caiga con la noticia". "¿Cómo voy a caerme yo? Dígame de una vez". "Se pasa los días metido en un cuarto del Royal Palace, donde tiene mudado a un cuero que se llama Mónica". La dama de la pamela se tambaleó. Tuvo suerte de que al lado había un sillón. "¿Aló? ¿Aló?" Clic.

La dama de la pamela guardó el teléfono. Se retocó el maquillaje. Regresó a la galería con una sonrisa sin motivos y sombría. Continuó su discurso sobre la incalculable fortuna de los pobres.

—Un muladar frente a la catedral... ¡Dios santo! —divagó entre carraspeos el padre Cándido, al despertar de un sueño soporífero—. Debemos iniciar una cruzada decisiva contra esa desvergüenza.

La dama de la pamela se calló para escuchar al clérigo y, cambiando de discurso, opinó, casi controlada por la ira:

—De verdad, no podemos seguir tolerando que las nobles raíces de esta ciudad sean marchitadas de esa manera. Yo estoy de acuerdo en que usemos todas nuestras influencias y cerremos filas para clausurar para siempre el muladar.

Y las damas estuvieron de acuerdo con la cruzada. El

anciano sacerdote, para darles ánimo, reveló los días de gracia y los beneficios espirituales con que el Señor suele premiar a sus guerreros. Habló además de Noemí, de Ruth, inclusive aseguró que alguna utilidad podía obtenerse del ejemplo de Dalila. Como cada una de ellas era esposa, madre o familiar de algún funcionario influyente, tuvieron la certeza de que podrían infligir mortales heridas a esa bestia con forma de edificación victoriana que el demonio había enviado a la ciudad. Cuando los badajos de la catedral entonaron las cinco campanadas, la campaña evangelizadora fue levantada.

El padre Ponciano empujaba la silla de ruedas del sacerdote sobre el piso de granito gris que cubría el parque. Seguía sin entender por qué fue llevado a aquella tertulia. No sospechaba que el anciano había dado al fiel Indio, días atrás, la orden de que lo siguiera y lo pusiera al tanto de todos sus movimientos. Para grata sorpresa del padre Cándido, el Indio tenía un talento supremo para el espionaje, por lo que pudo enterarse, con horario y detalles, de los pasos que el joven sacerdote daba por la ciudad. Que fue tal día y a tal hora a la oficina del presidente municipal; que visitó la casa del gobernador a equis hora de la madrugada; que se entrevistó a puertas cerradas con el comandante de la policía; que bebió café y refresco de morisoñando con el senador; que en diversas ocasiones, tras concluir una visita, se sacó del bolsillo un frasquito y se empapó las manos con un líquido no identificado. Al conocer los datos, el anciano tuvo la impresión de que su ahijado intentaba ganar adeptos y terreno para establecer su prelatura en la ciudad.

—¿Qué tal os parecieron las muchachas de san Rafael? —preguntó el padre Cándido.

Y, buen entendedor, en ese momento el padre Ponciano comprendió mortificado las intenciones y conocimientos de su padrino, así como la razón de haberlo invitado a esa tertulia de las damas de la flor. El anciano volvió los ojos hacia la mole opaca de la catedral. Escuchó los potentes golpes de un corazón que ascendían desde el fondo de la tierra. Las edificaciones de la ciudad y los muros grises del templo empezaron a tambalearse, armoniosos, pero sin resquebrajarse ni venirse abajo, sólo tremolaban acompasados, como si la ciudad se encontrara levantada sobre un velo que era flameado por el aire. Y era semejante a ver la ciudad a flor de agua o a través del vapor del fuego. Al mismo tiempo advirtió el padre Cándido que su ahijado y los parroquianos caminaban tranquilos, sin enterarse del movimiento que en ese instante acaecía. Hay quienes afirman que, inspirado en este suceso, el Dr. Prudencio de la Hoz escribió en metro un poema que inicia: *Santa María, ¡oh Reina de la Fe!*, incluido en la coda de la presente obra.

LIBRO UNDÉCIMO

MÁSCARAS TARDÍAS

XI, 1 / ROYAL PALACE. Manual para amarrar a un hombre

Las moscas zumbaban en medio de la pestilencia. Sedientas y sofocadas, o quizá simplemente alcohólicas, se detenían al borde de un vaso. Allí se estrujaban las patas delanteras, regocijadas, enérgicas, como si dijeran "¡ajá!, déjame disfrutar de esta vaina", y se daban un trago. A veces, víctimas del desenfreno, caían en el recipiente y se ahogaban, quién sabe si por hacer parodia del gusano que se pone en el mezcal. Advertidos, los parroquianos tapaban los vasos con platos o pedazos de cartón, tras lo cual recibían el asedio vengativo de las moscas, que entonces, forzadas a la abstinencia, sobrevolaban temerarias, caminaban por los labios, susurraban alguna obscenidad y se retiraban para regresar a joder en vuelo rasante.

Un grupo de cueros tomaba el café en torno a una mesa. Todavía comentaban las ocurrencias de la gala de carnaval. Abanicándose con los paipáis y las pañoletas raídas que habían sobrado de la fiesta, trataban de sobreponerse al calor y a la vaharada de las ratas envenenadas. Cuando se ha estado mucho rato en contacto con la putrefacción, y el olfato ha dejado de escandalizarse, entonces el vaho se deposita cual vapor de salmuera entre las fosas nasales y el estómago. Hablaron también de las extrañas imágenes marianas que esa tarde atiborraran el pasillo. Buscando enriquecer la tertulia, Mónica había traído a Ángela para que les interpretara los sueños de la noche anterior. La mujer las escuchaba con la mirada mustia y, tras cada una contar las imágenes soñadas, vaticinaba el significado: que un familiar enfermaría, o que algún señor llegaría a su casa para entregarle un sobre con un dinero, o que tendría un enamorado indio, o que le darían visa si iba al consulado americano, o que debía jugar el treinta y dos.

Ángel el ángel y el violinista observaban la escena de la oniromancia. Las mujeres se abanicaban atentas alrededor de Ángela que, a manera de sibila tropical, desentrañaba las imágenes difusas de los sueños. El rostro de angustia o de esperanza proseguía a la adivinación.

—La gente común cree que al soñar cualquier estupidez está teniendo una premonición —comentó con timbre apagado Ángel el ángel, mientras hacía sonar el hielo en la jarra de cerveza—. Eso viene siendo una especie de jactancia.

—La gente es así hasta con lo que no sueña —destacó el violinista—. Quizá sea una manera de darle relevancia al hecho de vivir. Lo que siempre me he preguntado es si uno podría soñar dentro de un sueño.

—¡Por supuesto! —afirmó, mientras chupaba un pedazo de hielo—. ¿Qué crees que hace la gente cuando sueña? Y existe también el sueño continuum, que es más complejo. Por ejemplo, un ciego puede soñar que ve, pero en ese sueño no vería nada. Tendría entonces que soñar dentro de ese otro sueño para poder ver.

—Porque toda la vida es sueño y los sueños sueños son —citó Edoy Montenégodo a Calderón, desde la mesa de al lado.

—No, porque dice Poe que todo lo que vemos o creemos ver no es más que un sueño dentro de un sueño —corrigió Ángel el ángel, por joder.

Removió la jarra de cerveza con hielo y guardó silencio. Se quedó observando la forma en que el violinista miraba a Ángela. Le regocijó saber que tenía un elemento más a su alcance para cuando decidiera amargarle la existencia. Las mujeres escuchaban hechizadas a la adivinadora.

—Dicen que en los sueños hay un lugar de completa felicidad —reveló Ángela, ida de sí—. A quien sueña con ese sitio, antes de despertar le escriben un número en la palma de la mano. Si cuando sale del sueño se ve la mano y descubre ese número escrito en la palma, es porque en verdad una nunca estuvo ahí.

Las mujeres se miraron las manos. Limpias, sin escritura, como un examen de matemáticas que no se ha podido llenar. Sonrieron aliviadas. Sin embargo, Mónica descubrió un número siete escrito en su palma izquierda con tinta negra. Se puso a llorar. Ángela, consoladora, le dijo que lo que no se sueña un día, se puede soñar después. En seguida la acompañó al cuarto. La tertulia se levantó.

Las dos mujeres charlaban por la escalera. Atrás dejaron el zumbido de las moscas que ahora plagiaban, con desentono y mediocridad, *El vuelo del moscardón* de Rimsky-Korsakov. Se detuvieron en medio de la sala recién trapeada, sobre los mosaicos de flores bruñidos por el sol. Mónica miró decidida a su amiga.

—Yo quiero amarrar el corazón del presidente municipal —confesó, determinante—. Necesito dominarlo, echarlo como un perro a mis pies.

Ángela encogió los hombros.

—No hay aparato más fácil que amarrar que un hombre —observó, mientras recogía el trapo de trapear que había dejado en el piso—. Así como las culebras se agarran por el rabo, los hombres se amarran por el güebo.

Rieron. Mónica fue la primera en dejar de reír. La otra exprimió el trapo en una cubeta y aprovechó para recoger los excrementos frescos que una de las ratas había depositado en el balcón.

—Ese es el problema —confesó Mónica tras un rato de silencio—. Mira, voy a serte franca: los hombres me han dicho que yo singo mal. Y así no podré amarrar a mi macho.

—Si es un problema, es porque tiene solución.

—Por eso quería hablarte. Quiero que me enseñes dos o tres trucos de cama.

Ángela echó los excrementos en el zafacón y se lavó las manos.

—Bueno, tú me dices cuándo empezamos.

—Ahora mismo —propuso la otra.

Y entraron al cuarto. Pasaron el pestillo y se acomodaron en la cama. De las muchas cosas que a solas charlaron y pusieron en obra, se ha obtenido el siguiente tratado, sucinto en extremo, que por escrito aquí se pone.

KAMASUTRA DE MAIPIOLERÍA

El hombre se divide en tres clases, según el tamaño de su lingam: el güebo-de-conejo, el güebo-de-caballo y el güebo-de-toro. La mujer, de acuerdo a la profundidad de su yoni, será toto-de-cierva, toto-de-yegua y toto-de-elefanta. Los polvos de superior delicia se obtendrán al combinar adecuadamente, por sus dimensiones, estos tipos de miembros.

Los hombres versados en humanidades dicen que los amantes se aprehenden por el corazón. Mas aquellos verdaderamente duchos en el arte amatoria, afirman que ese nudo no es imprescindible y menos al inicio de la pasión. Aseguran que el hombre ha de ser amarrado por el güebo, aunque advierten de cierta especie de individuos a los que además hay que echarles un nudo en el estómago.

El cuerpo es el espacio esencial para hacer girar la rueda del deseo; por tanto, conviene tener noticias de su estructura. Todo lo que se encuentra entre la coronilla y la planta de los pies, sirve como objeto de caricia, incluyendo la sombra y los reflejos que estas partes producen. En general, han de destacarse los ojos y la mano. Sobre los primeros no hay mucho que decir, salvo que son de diversas formas y colores; mas de la segunda conviene hacer una descripción. La mano está integrada por una palma, que sirve para sobar y ser leída, y varios dedos. El meñique es útil para limpiarse los oídos y la nariz. El mayor, llamado corazón, lo usan los doctores en el tacto vaginal o anal, mientras que el vulgo realiza con él cierto gesto procaz. El índice posee múltiples utilidades. Sirve para señalar, presionar gatillos y hacer la seña de singar. El pulgar es un dedo importante: se utiliza para poner las huellas digitales y la gente de los reinos cristianos lo aprovecha para persignarse y jurar por su madrecita santísima. Hay un dedo que hemos obviado, porque carece de utilidad práctica, y es uno que recibe el justo nombre de anular. Algunos tratadistas lo defienden indicando que sirve para colocarse el anillo matrimonial, pero esto empeora la situación, ya que lo presenta además como un dedo fatal. De manera que la mano goza de cuatro dedos, más uno que está de más.

En cuanto a la mujer, el pecho merece especial mención. Allí se encuentran dos estructuras cónicas denominadas senos, las cuales son útiles y generosas: sirven de portamonedas, para dar de comer, para encender la pasión y también para cantar la vieja canción de una insípida muchacha llamada Matutina, que montaba bicicleta, y al doblar por una esquina se le cayó una teta. En la parte baja del cuerpo hay cierta ranura vertical que divide las piernas, denominada toto. Debe aclararse que existen diferencias de sentido entre toto y vagina. Vagina es un término universal y antiséptico, mediato, muy propio de doctos y academistas. En cambio, el otro vocablo contiene mayor profundidad lingüística: el toto presupone lo procaz, el descontrol, lo subversivo; supone además la inmediatez, porque mientras vagina procede del latín *vaginam*, el toto se origina inmediatamente de sí mismo.

En relación con el cuerpo del hombre, no hay mucha particularidad, salvo que suele carecer de senos y que la división de sus piernas es de naturaleza colgante. Esta parte denomínase güebo y semeja una escultura disparatada; sus recursos de seducción descansan en lo rudimentario. Por este motivo hay tratadistas que afirman que quienes se lo dejan meter son seres de temple superior y alto coraje. De él se ha hablado lo suficiente al inicio del presente tratado. Sólo falta añadir este detalle sobre su temperamento: posee una naturaleza bronca, seca, taciturna y casi siempre, cuando acompaña a un cuerpo de edad adulta, cuelga con la mala voluntad de un puñal. De la parte inferior del güebo cuelgan dos granos encerrados en una bolsita, los cuales funcionan como relojes, pues sirven para dilatar el tiempo sexual del hombre. Verbigracia, cuando se advierte que está a punto de eyacular y se juzga que no es el momento más propicio para ello, se le da un golpecito con los dedos para demorar la venida, y a esto se le llama tocar la campana.

Aunque el lance sensual tiene por fin último la penetración, hay que señalar que los preámbulos proveen delicia singular. Obviamente, quedan fuera de este tratado los fetichistas, los acechadores y aquellos que se excitan con el coito animal, dado que sus actos vienen siendo casos de pasiones transferidas. Singar se asemeja a comer una naranja: la miramos con deseo, la palpamos, arrancamos la cáscara con dedos y uñas, y sólo al final empleamos labios, lengua, dientes y otras partes para penetrar a la región del zumo. Previo al coito, debe dejarse que la mirada converse en libertad. Después dejar que los cuerpos logren por sí mismos el acercamiento, sin perder la conciencia de que todo roce que con ellos se hace constituye una manera de abrazo. La distribución de las caricias conviene realizarla según antoje. Vatsyayana cree que todo es bueno en cualquier momento, opinión que es sustentada por Fefa Calampín cuando dice "sírvase como le venga en gana". Pero muchas veces es grato dejar correr la boca en un beso. Todo lo visible puede ser besado. El Kamasutra describe cuatro clases principales de besos; en la libertad que deja para crear otros, es propicio mencionar el beso del cielo, el cual consiste en ganar con la punta de la lengua el paladar del contrario y suele ser practicado por la gente lengua larga. También está el beso rosado, que se da abriendo los labios como las alas de una mariposa; el beso negro y el beso abigarrado, el cual sería imprudente describir fuera de la intimidad. Existe un versículo que dice: "De la misma manera que se besa arriba, se puede besar abajo", y esto se afirma porque el toto viene siendo como una boca al revés y desdentada.

Dicen los Kama Shastra que "todas las partes del cuerpo que pueden besarse, pueden también ser mordidas". Esto queda aprobado. También suele ser agradable charlar a media voz durante el acto, ya sea susurrando alguna petición o articulando palabras soeces y malsonantes. Asimismo pueden producirse sonidos sensuales como ¡sitt!, ¡sutt!, el clásico ¡shiii!, con el que se imita el sonido de chupar una caña de azúcar, ¡phutt!, y la construcción "¡ay papi! ¡ay papi!" Conviene además saber que el acto sexual es el único momento en que la charlatanería resulta sublime y placentera. Siempre se debe aplicar la voz, y esta es una de las razones por la que los sordomudos no suelen casarse entre sí y las películas del cine mudo carecen de escenas muy eróticas.

Durante el lance sensual no se puede temer del cuerpo propio ni del ajeno, así como tampoco del tiempo, pues necesita libertad para lograr las mayores combinaciones posibles. No importa morder, embadurnar, escupir, arañar, azotar, siempre que los cuerpos lo pidan por sí mismos. El Kamasutra refiere diversos tipos de marcas hechas con los dientes o las uñas, que pueden ser grabadas como recuerdo en el cuerpo amado. Y aunque hace mención de varias, omite una marca subversiva en extremo: el chupón, el cual se hace al succionar una parte del cuello. Auddalika dice: "Las marcas no deben hacerse en la mujer casada", opinión que es objetada por Carrancho, cuando indicaba que "son buenas para mostrarle al marido de ella lo pendejo que es". En fin, que en el amor todo es bueno, si el cuerpo lo desea y lo soporta.

Las mujeres de este país y las de Abhira, se vuelven locas por el *auparishtaka* o unión sexual bucal, conocido en correcto español por el nombre de "mamadera". Lo primero que ha de saberse para mamar un güebo es que debe botarse el chicle de la boca. Se usan los labios, la lengua y, en menor medida, los dientes, imitando el chupar de los camellos. Perdona estas palabras tan directas, pero estos asuntos no se pueden hablar en parábolas. Existe una que se llama "mamada con aire acondicionado", que se realiza tras haber masticado hojas o pastillas de menta. Y está la "mamada etílica", que se hace embadurnando previamente el miembro con ron. Es importante aprender a respirar durante este acto. Se respira siempre por la nariz mientras se está mamando. Debe advertirse que el güebo jamás ni nunca debe ser soplado, porque dicen que el aire se va directo al pecho y puede producir un soplo mortal en el corazón.

El enganche suele dejarse para el final. Pero así como en un mueble lo último que se hace no es enterrar el clavo, así cabe tener en cuenta que la penetración puede ser también suspendida momentáneamente para intentar otras caricias. He aquí una norma de dulce mortificación que paga buenos dividendos: postergar lo más que se pueda el clímax provocado por la penetración. Vatsyayana se esmera en explicar diversas posiciones para alcanzar el coito. Refiere el golpe del perro, el columpio, el salto del tigre, la peonza, el asalto violento del burro... movimientos estos que por su propio nombre han de ser comprendidos, porque los versículos no las mencionan. Sólo añadiremos dos posiciones. La primera es "la postura del alaigaito" —también conocida como "el once horizontal"—, que consiste en lo siguiente: estando tendido boca arriba el hombre, la amante se sube encima y se deja penetrar por el órgano; ambos permanecen entonces inmóviles, de tal forma que el único movimiento sentido sea el palpitar de los miembros sexuales, hasta que llega el orgasmo femenino. La segunda, que debe seguirse con atención al pie de la letra, se llama "el 666": estando ella parada y teniendo al amador arrodillado junto a su lado izquierdo, él la toma con su brazo zurdo de las caderas y levanta su pierna derecha hasta que el pie cuelga del hombro femenino; entra el brazo derecho por debajo de las piernas y lo hace ascender para acariciarle los senos; enseguida, gira el cuello para lograr que sus labios puedan acariciar el ombligo; entonces enreda su pierna izquierda en la misma pierna de ella y, haciendo un movimiento de tirabuzón, la engancha con el güebo. Fefa Calampín es del parecer que entre las posiciones citadas en los Kama Shastra y las de nuestro país, la única diferencia es la denominación cientificista; mientras en la terminología oriental se nota una fuerte influencia de las ciencias naturales —verbigracia: la posición de la vaca—, en la tradición vernácula hay una mayor tendencia hacia las ciencias matemáticas, y como ejemplos de esta última menciona la penetración del 666, las posiciones del 69 y la de ponerse en 4. De cualquier modo, no nos extenderemos en este particular, porque somos de la opinión de que, una vez los sexos enganchados, verdaderamente importa poco la disposición que los demás miembros del cuerpo asuman. Y aquí termina lo referente a la relación sexual y a las diversas anotaciones del *Kamasutra de maipiolería*.

Mónica estaba exhausta. Su maestra le enseñó a encontrarse el célebre punto G, y cuando la colegiala le preguntó maravillada por qué eso se llamaba así, ella le respondió divertida que porque hubiese sido horrendo llamarlo "punto de Grafenberg", que fue el apellido del tíguere que lo descubrió. El auparishtaka lo practicaron con un guineo... bueno, con tres, porque los dos primeros se rompieron. Algunas posiciones fueron explicadas en imagen. Mas determinadas caricias debió Ángela explicarlas sobre el cuerpo mismo de la estudiante, con lo que la puso —sin intención— a arder de deseos. Y diose el caso de que tras cierto roce de labios sobre el pubis, Mónica, húmeda y corta de voz, fuera de sí, le rogó que bajara la boca más hacia abajo. La maestra se apartó entre risas: "¡Pájara! Quedamos en que querías amarrar hombres, no mujeres". La otra se golpeó la frente con la palma de la mano. "Verdad son", acordó divertida, "es que lo hacías tan chévere, que llegué a imaginarme que eras mi macho", y ambas celebraron desternilladas de la risa.

Cuando dieron por terminadas las lecciones, Ángela le pidió que la acompañara a su cuarto. De la pila de libros amontonados en un rincón sombrío, sacó un ejemplar del *Kamasutra*. Antes de prestárselo, le preguntó si sabía leer.

—¡Claro! —afirmó Mónica, curiosa, a la vez que erguía orgullosa el cuerpo—. Esta que está aquí se iba a graduar de mecanografía y archivo.

Hojeó el libro. Le llamaron la atención las ilustraciones, especialmente una del dios Siva. Su amiga le advirtió que ese libro no debía ser leído con la razón, sino con los sentidos. Porque el *Kamasutra* no es un manual para enseñar posiciones atléticas; más que eso, se trata de una invitación a ampliar la visión del cuerpo sensual, para abrir los sentidos y aprender a sentir placer de otras maneras. Mónica cerró el libro y lo aferró contra el pecho, a la manera de una colegiala. Vio que los ojos de su maestra se apagaron, se diluyeron en las sombras de la lejanía.

—El difunto me envió esta tarde una carta, en un sueño.

—¿Y qué decía? —inquirió Mónica—. ¿Pudo salir del purgatorio?

—No pude saberlo. En el instante de leerla, la patrona me despertó para que fuera a trapear las imágenes que aparecieron en el pasillo. Lo que decía la carta se quedó perdido en el sueño.

La otra la miró apenada, mejor dicho, empapada del

sentimiento triste de su amiga.

—Le gustas al violinista —comentó risueña, para cambiarle los ánimos.

La otra continuó sumergida en los recuerdos del amado muerto. Apagada. Hay mujeres así, fieles después de la muerte. Son las amantes de verdad, las que nos perpetúan más allá de la hecatombe. Ángela, cuando el deseo de fornicar era una necesidad orgánica, lo hacía con cualquier parroquiano entre las sombras del cuarto, sin cobrar. En esas ocasiones, entraba al juego de sustituir en la penumbra a alguna de sus compañeras, siempre que el hombre estuviera borracho o estrenando cuerpo de mujer. De esa manera, no amaba para sí ni era amada por sí misma y, al no involucrar nada más que su cuerpo, mantenía la fidelidad en el corazón.

Mónica no insistió. La dejó descansar en la cama. Por el pasillo venía pensando en la melancolía de su amiga. Tenía por ella un cariño especial, quizá porque le recordaba a su madre, viuda a destiempo, quien renunció a las amargas sombras y terminó por diluirse en las falsas luces del alcohol. Su madre... siempre nostálgica y borracha, incluso cuando no había sorbido ni un trago. Su madre... tan parecida a su amiga, aunque ésta se emborrachaba sólo de sombra. Ángela, además, le parecía una diva antigua, en blanco y negro, encantadora: el nítido retrato de María Montez. Mujer que fuera el cuero más celebrado del Royal Palace, en aquellos tiempos en que el difunto estaba vivo y había esparcido la noticia de que su hembra tenía cocomordán.

XI, 2 / ROYAL PALACE. Cuadro del mal ladrón y la difunta [Detalle]

El sargento levantó a Mazamorra por la pretina del pantalón. El raso hundió la punta de la macana en la boca del estómago del ladrón y lo empujó con el pie, para que avanzara. Los cueros y el puñado de parroquianos que a esa hora de la tarde se abanicaban con pedazos de cartón para desterrar el calor, la pestilencia y el vuelo de las moscas, vieron al trío desaparecer por la calle. Había sucedido que Mazamorra, inexplicablemente, confesó entre tragos ser el que robaba en los aposentos del burdel, por lo que, tras dicha divulgación, Changsán mandó a decir a los dos chulos a destajo que fueran a avisar a la policía. Nadie sospechaba, ni se sabría nunca, que el tíguere había soltado la lengua tras beber un trago llamado "Detector de mentiras", que Mamota Cajebola y la Canquiña prepararan con la intención secreta de hacerlo confesar y cuya fórmula ellas nunca revelaron.

Después vieron entrar a la Patria. Merodeó por el salón como una bandera rota o una chichigua a la que en el aire el hilo se le parte. Avanzó entre las mesas, inexpresivo, con el culo seco y su caminar de juguetito de cuerda. Ya nadie recordaba su nombre, ni de dónde era, ni qué carajo hacía en la ciudad. Bastaba con verlo derrotado, bebiendo ron de una botella que parecía eterna porque nunca se le gastaba. Tan inagotable como su amargura. Cuentan que una vez, hace más de un año, Tora el Pez Tigre Balón se le acercó a preguntarle: "Dime, Patria, qué de ti", y que el interpelado sólo lo miró en silencio, se tomó un trago de ron, guardó la botella en el bolsillo y salió sin contestar. Desde entonces no se tiene noticias de que alguien le hubiera vuelto a hablar. Y en la ciudad todos ya sabían que la Patria era un fantasma moribundo, a lo sumo el recuerdo de una esperanza que nunca se cumplió, un nada, un cero a la izquierda. Lo vieron salir a la calle.

Los presentes estaban atrincherados en un rincón ventilado, desde el cual se vislumbraban los muros grises de la catedral. Charlaban sobre las habilidades del mal ladrón, de la lotería, de béisbol, de estupideces varias, del calor. La mal pasaban de la mejor manera posible: hablando mierda y bebiendo alcohol. Apartado en una mesa, el violinista tomaba tragos de whisky mientras descubría desconcertado que en *El Cuarto Poder* de esa semana no había salido la crónica sobre la gala de carnaval. Los cueros lograron consolarlo diciendo que seguro saldría en el número siguiente. Lo convencieron además de que acompañara a Delia a la segunda planta, para que le pagara un concierto de violín que le debía. Echaron a la basura el periódico tan pronto los vieron desaparecer por la escalera.

Un hombre que tenía la calva llena de verrugas, enjuto, de rostro afeitado y macilento, apareció en el salón. Las mujeres lo saludaron con respeto. Rechazó que le sirvieran una cerveza. Se reclinó en una silla y comentó con voz desabrida, mientras trataba de aguantar la respiración:

—El martes se cumplirá otro año de la difunta...

Los cueros se persignaron, contritos.

—Pobre muchacha, caramba —suspiró Crucita, de corazón, ya que no hay por qué ser cizañera con una contendiente que murió.

El visitante permaneció en silencio, meditabundo, mientras hojeaba una libreta negra. La cerró desconsolado. Volteó el rostro hacia la ventana abierta, con la esperanza de tomar una bocanada de aire puro. Hizo una seña para que le sirvieran la cerveza. Sin embargo, no la probó. Preguntó:

—¿Apareció algo?

Las mujeres confirmaron, todas al mismo tiempo.

—El pasillo se llenó con muchas imágenes de la Inmaculada —comentó Crucita, por encima de la vocinglería de sus camaradas—. Pero la patrona mandó a Ángela a borrarlas.

El hombre buscó una página en la libreta e hizo varias anotaciones. Su respiración era irregular, pesada. Por momentos se cubría la nariz con la camiseta para evadir el aire pestilente del salón.

—Mejor que las borren —aprobó, apagado, y cerró la libreta—. Esa pobre difunta... Deberían beatificarla.

Hubo un silencio pesado.

—El párroco nos dijo que una ramera no cabe en el cielo —les recordó Crucita, ahora con zurrapa de cizaña.

El hombre la miró con rudeza.

—No cabrá en el del párroco —consideró despreciativo—; pero sí en cualquier otro... Existen trescientos sesenta y cinco cielos, y ese que vemos arriba de nosotros es sólo uno de tantos.

Y se retiró del burdel, arrastrando los pasos hacia la corriente de aire inodoro que circulaba afuera. La Maura se apuró a tomar la cerveza, antes que las moscas se la terminaran de beber. Durante un largo rato recordaron a la difunta, una muchacha hermosa en extremo, generosa hasta el fastidio, que fuera asesinada en el burdel tiempo atrás. Acordaron que el martes harían una hora santa y después irían a la catedral para orar por el alma de la muchacha.

XI, 3 / ROYAL PALACE. La inverosímil historia de Ángel el ángel

Cancel my subscription to the resurrection.
Jim Morrison

Visto el estado de emergencia en que las moscas tenían el local, Changsán planificó una operación implacable contra los insectos. Siguiendo militarmente sus ordenanzas, la fiel Lù-shi surtió con una bomba de insecticida todo el salón. Fumigaba con la cantidad exacta en los lugares indicados, conforme a las instrucciones que aparecían en un mapa. Changsán supervisaba la operación desde el mostrador mientras hundía los dedos en la pelambre de la gata Yara y se servía vasos de anís. Su esposa lo miraba de reojo; sentía en el corazón una espinita porque él no se había disculpado tras descubrir que no fue ella quien le robaba. Mientras se encaramaba en sillas o se agachaba en los rincones, imaginaba tomar la porción de Trespasitos que guardaba en la cajita de jaspe. Su cadáver frío sobre las flores de los mosaicos. El hombre lloroso y con los brazos hacia el cielo... No, mejor arrodillado y con las manos apretadas al pecho, clamando su perdón. Luego de fumigar en el último punto, Lù-shi, con diminutas lágrimas en los ojos, buscó una escalera. Acto seguido procedió a colgar del techo numerosas cintas embadurnadas con pegamento para atrapar las moscas.

La Maura entró al burdel. Al olfatear las partículas de veneno que flotaban en el aire y observar las cintas marrones que colgaban del techo, sintió un estremecimiento. Dijo, en reproche:

—Esos pobres animalitos no le hacen daño a nadie.

El guardia, que venía saliendo, se detuvo extrañado:

—¿Y qué beneficio pueden dar esos demonios?

La Maura lo ojeó con desprecio.

—Sirven para avisar dónde hay una rata muerta, porque se arremolinan —informó, más por alabar a las moscas que por responderle al guardia.

Se sentó, desprevenida, a una mesa. Era la de Ángel el ángel. Él pensó: *Te traje con el pensamiento*. Se le había acabado de ocurrir que, para echarle algo de comer a la modorra, no estaría mal asediar a La Maura. Se reclinó en la silla, aunque sin dejar al descuido la jarra de cerveza.

—Mire a la Lù-shi, asesinando a esas indefensas moscas, tan desvalidas que son, más buenas que masa de pan —tiró primero, con falsa condescendencia—. A la verdad que las mujeres son perversas...

—Sí, la mujer es un pájaro más malo que el diablo: el único que la sobrepasa es el hombre —confirmó, sin inquina ni ínfulas feministas, sólo por decir lo que pensaba.

—Las moscas sirven hasta para remedio —retomó el tíguere, con un cinismo mal encubierto. Esperó a que el cuero corroborara esta opinión—. Deberían sacrificarlas a todas... para fines medicinales, digo. ¿A usted no le parece?

La Maura se dio cuenta de que el tíguere intentaba provocarla. Lo enfocó con la mirada turbia pero serena. Recogió del piso una pluma de paloma, la desflecó casi entera y se escarbó parsimoniosa los oídos con la punta. Le dijo finalmente, en tono de amenaza:

—Ello hay todavía cosas peores que no poderse morir...

Ángel el ángel la miró a los ojos y no pudo ver nada, como cuando se contempla un muro. Mortificado, levantó la jarra y fue a sentarse junto a la mesa donde el violinista y Edoy Montenégodo conversaban. De sus labios salió el murmullo de algunas imprecaciones. Se mantuvo largo rato con la mirada perdida en el movimiento de las moscas. Los insectos volaban alrededor de las cintas, sin pegarse. Vuelo libre, en picado, a todo motor, a media máquina, vuelo planeado. Temerarias. Era desesperante ver su revoloteo arrebatado. Sin embargo, decidieron cambiar el plan de vuelo. Ahora se estrellaban ansiosas contra el pegamento; se embadurnaban las patas, se clavaban de culo, le daban toquecitos de cabeza, se untaban la barriga; algunas se pegaban con las alas abiertas, martirizadas, para crucificarse con sectaria mansedumbre. Ángel el ángel susurró amargado: "Coño, hasta las moscas tienen la gracia de poder suicidarse".

La Maura se pasó a la mesa de al lado. El violinista llenó el vaso de whisky y lo dejó al descuido, con la callada intención de que ella bebiera a hurtadillas. El cuero se extrañó tras observar con detenimiento a Ángel el ángel.

—¿Cuántos años tienes tú, polluelo? —inquirió, despistada.

El hombre respondió sin voltear el rostro, de mala gana:

—Los que tengo. Yo nací de esta edad.

La mujer exclamó "¡ah!", como si hubiera entendido. Observó angustiada el vuelo suicida de las moscas. El violinista le dio veinticinco centavos para que repitiera la canción que desde hacía rato sonaba en la vellonera. Era Luis Vargas que canturreaba con su voz lúdica y varonil —semejante, de alguna rara manera y en esencia, a la de Elvis—, la bachata apocalíptica que reza: *Y se aumenta nuestra degeneración, qué insensatez el creer que todo cambia; si cada día más se ven signos extraños, y a veces creo que el sol hasta quiere quemarnos,* la cual había motivado una conversación vaga sobre la vida. Porque así como existe gente que le coge con tirar piedras cuando tiene unos tragos en la cabeza, hay otras a las que les da por filosofar.

La vida es un concón y hay que vivirla rapando, cantó divertida la China, quien pasaba con una bandeja. Los hombres siguieron muy serios en sus disquisiciones, quizá porque a veintitrés siglos de Aristóteles, la humanidad no ha podido separar el pensamiento de la amargura. Hablaban de Blaise Pascal, Hegel, Kant, Schopenhauer, Heidegger, aburridísimos, como si se encontraran en un velorio y no en un bar, o fueran alemanes del siglo XIX. Cuando la China regresaba hacia el mostrador, canturreó al pasar junto a ellos: *La vida es un pantalón sin fondillo que se sostiene con los breteles de la esperanza.*

—Esas palabras suenan como una mezcla maldita del pensamiento de Schopenhauer y de Og Mandino —comentó el Poeta de la Carpeta Amarilla.

—Creo que más bien son las letras de una bachata de Blas Durán —corrigió el violinista—. De alguna manera, todo el mundo, hasta el individuo más lerdo, basa su vida en algún sistema filosófico. Así que no debe sorprendernos el encontrar en una loma lejana a un rústico campesino que profesa las categorías del tiempo de san Agustín; que un chulo de burdel coincida, aun siendo analfabeto, con el concepto del amor schopenhaueriano; que un politicastro iletrado aplique las concepciones de Maquiavelo; que un frustrado de barrio ande desperdigando frases propias de Cioran; que un cuero de cortina te dé cátedra de las ideas platónicas...

Lù-shi se acercó y colgó de la columna una bolsa de plástico transparente llena de agua. De inmediato las moscas se acercaron a la bolsa; parecían divertirse al ver sus cuerpos que —reflejados en el agua— se anchaban, se estrechaban, se alargaban, deformados como en esos espejos mágicos que colocan en los circos. Changsán desaprobó el experimento, al parecer porque entendía que el Royal no era una carnicería, por lo que la mujer quitó sumisa la bolsa y la tiró a la calle.

—Está claro que en algún momento de la historia, el mundo va a desplomarse por el insoportable peso de la mundanidad —determinó desde la otra mesa Ángel el ángel, quién sabe si plagiando a Cioran.

Se afirma que fue en medio de aquella conversación cuando nació el poema que dice: *Ser y no ser que en uno solo arde,* atribuido por error al tal Geofredo de la Dulcísima Cruz, que aparece en la coda de la presente obra.

La conversación vagaba en medio de la tibia pestilencia y del susurro de las moscas que permanecían atrapadas en el pegamento. Las intervenciones de Edoy Montenégodo la hacían más larga, porque él, como genuino exponente de su generación literaria, tenía la facultad de hablar con propiedad sobre filósofos que apenas conocía. Aunque quizá esta vez platicaba en demasía porque necesitaba dejar de pensar en lo que ese mediodía había soñado. En ese sueño se acercó por un camino empedrado a la Princesa de Jade, quien se encontrara bajo un farol apagado. La noche sepultada de carbón. Él tomó una de sus manos, le colocó una pastilla de menta de espíritu en la palma y se la cerró con suaves caricias mientras le susurraba: "Cuando te acuestes a dormir, ponte esa menta en la boca y, mientras la estés chupando, piensa en mí". En ese instante, el farol se encendió. Él la hizo girar para deleitarse mirándola de frente. Descubrió que la mujer tenía el rostro sin facciones, hueco, como esfumado en el fondo sombrío de una caverna. Y en ese momento despertó.

La Maura aprovechó que alguien coló ciertas reflexiones de un tal Basílides acerca de los ángeles, para preguntar a Ángel el ángel sobre su procedencia. El interpelado bebió de un trago toda la cerveza de la jarra. Masticó el hielo y aceptó, con un suspiro, revelar su historia. Se desabotonó la camisa.

—Si yo les cuento, ninguno me va a creer...

—¡Cuenta! ¡Cuenta! —instigó Edoy Montenégodo.

—Yo era un ángel de la guarda —comentó. Miró a su alrededor para ver la reacción. Le chocó el gesto de incredulidad mal disimulada en los rostros. Aun así continuó—. Mi misión era velar por una muchacha. Se trataba de una criatura especial en la que se repetían los estigmas de Nuestro Señor, tal como acaeciera en san Francisco de Asís o en Alexandrina da Costa. Pero fui mano blanda: permití que se perdiera en las trampas terrenales. Al final, la asesinaron —pausó para observar a su alrededor—. En castigo por mi falta, me cortaron las alas y me degradaron a la condición humana... No me dieron ni siquiera a elegir un cuerpo. ¿Saben qué es lo más insoportable de estar detenido en un cuerpo? Este incesante reiterarse: la respiración, que se acaba y vuelve a comenzar, y así mismo los miembros. Por ejemplo, esta mano que ahora es y, dentro de un brevísimo tiempo, deja de ser, pero vuelve a ser de inmediato en el punto preciso que ha dejado de ser. La mano palpitando, al igual que los demás miembros del cuerpo, yendo y viniendo, apurándose para llenar el vacío atroz que queda en la contradicción de ambos movimientos. Yo siento estos cambios, tengo conciencia de ellos, por eso no se me quita este temblar. Porque el cuerpo es como un péndulo, que va de un extremo a otro, y la bola que va de un punto a otro nunca es la misma —Lamió los residuos de cerveza que quedaban en la jarra—. Algo más intolerable aún es el tiempo. El progreso mecánico del ser nunca se detiene: ahora eres y, tan pronto lo sabes, ya es pasado y has dejado de ser, te vuelves otro, y si te apoyas en el vasto futuro, pronto el presente lo atrae y lo vuelve pasado. En fin, que sólo te mantienes siendo en el brevísimo y mudable tiempo del presente, que siempre pestañea... La materia consciente es lo más terrible que se pudo haber creado.

Silencio.

—Es una historia increíble —evaluó el poeta, sin recordar que lo apropiado era decir inverosímil. Escondió la cara entre las manos, para fingir que estaba pensativo y el tipo no se diera cuenta de que reía. Le dio trabajo controlar una carcajada—. ¿Y qué se siente ser hombre por primera vez?

—Una sensación indescriptible, terrible —trató de explicar Ángel el ángel—. Imagina que de pronto a un hombre lo convirtieran en un árbol, o en una piedra, pero le dejaran la conciencia de quien era antes. Así fue mi caída. Al principio entendía menos esto de ser humano. Mantenerse unido a un cuerpo pesado, guiarse por una mente imantada que atrae tanta inferioridad. Me sentía hueco. Buscándole sentido al vivir, leí cientos de libros religiosos y filosóficos; pero mientras los primeros desconocían al hombre y tiraban hacia arriba, los segundos lo conocían menos y no tiraban hacia ninguna parte. Tras años de búsqueda, me siento tan vacío como al principio.

—¿Puedes probar lo que dices? —inquirió el violinista.

—Sí. Pero tampoco me van a creer.

Y habiendo dicho esto, se puso de pie. Se quitó la camisa y les mostró la espalda. Tenía, junto a los omóplatos, dos cicatrices atroces, como de las heridas de dos alas arrancadas.

—¡De ahí le colgaban las alas! —exclamó Edoy Montenégodo.

—De ahí mismo me colgaban —confirmó con frialdad.

El otro dejó caer la carpeta, muerto de risa.

—Maimónides enseñaba que los ángeles son energías inteligentes, que no tenían cuerpo ni alas —comentó, sin ánimo de burlarse, un tanto absorto, el violinista.

—Maimónides nunca vio un ángel en su vida —reparó Ángel el ángel, mientras se ponía la camisa. Parece que le molestó la risa burlesca del tíguere de la carpeta—. Ya les advertí que no me creerían.

El violinista, por caballerosidad, no quería que el tipo sintiera que se burlaban de su tragedia. Sea cual fuera el motivo que le provocara esa herida, debía ser algo terrible. Le preguntó:

—Siempre he escuchado que los ángeles son mensajeros bondadosos. ¿Cómo pudieron ellos hacerte eso?

El interpelado suspiró con amargura y dijo:

—Los ángeles, con sus manos, tanto pueden construir como destruir. A lo que más se parecen es al hombre.

—¿Por qué no te suicidas? —propuso la China, que volvía con la bandeja.

—Eso haría, si fuera uno de ustedes —respondió con la apagada voz de siempre—. La única propiedad que nos diferencia es que no puedo morir. La perpetuidad es el sentido de mi castigo... Una vez la gente se acercó a la Sibila, que es inmortal, y le preguntó: "¿Qué más tú quieres?", y ella, que de tan vieja estaba más arrugada que un cajuil, respondió: "¡Morir!" No entiendo por qué no se añade una bienaventuranza a los suicidas.

La China se apartó haciendo la señal de que el tipo se había vuelto loco. "Eso preferiría yo", le voceó él. Tomó la jarra. Estaba vacía. El violinista, que se sentía medio divertido con la historia, le ofreció otra cerveza y una cántara de hielo a cambio de que le diera más detalles. De lo que narroles en aquella ocasión, ha sido escrito el capítulo siguiente.

XI, 4 / CIUDAD INTRAMUROS. Los ángeles de la guardia

Los dos forasteros pasaron por el parque bajo el vetusto rosicler de la aurora. Los escasos limpiabotas y borrachos trasnochados que a esa hora merodeaban por la glorieta, se extrañaron al ver a aquellos hombres de pelo lacio, altivos, nariz afilada, casi transparentes de blancura, muy europeos; aunque todos, por una causa inexplicable, al día siguiente los olvidaron. Uno era un poco más alto, mejor parecido y daba la impresión de ser el superior. En efecto, ostentaba el grado de arcángel. Los dos cruzaron la calle solitaria y se detuvieron frente al burdel.

El ángel menor tocó a la puerta: "¡Tun! ¡Tun!"

—¿Quién es? —se oyó una voz desidiosa desde adentro.

—El ángel.

—¿Qué quiere? —inquirieron con desconfianza del otro lado.

—Una cinta —respondió infantil y burlesco el ángel menor.

—¿De qué color? —completaron con sarcasmo desde el interior.

—¡Abrid la condenada puerta, en nombre de Dios! —tronó conquistado por la ira el arcángel.

Como desde adentro no abrieron y, en cambio, se pusieron a vocear hacia la calle sucias imprecaciones, el arcángel sopló con fuerza y abrió la puerta de par en par. Los dos chulos a destajo, que eran quienes habían respondido desde el interior, vieron ocasión para descalabrar a los intrusos. Tan sólo de pensar en ello, fueron heridos de inmovilidad y quedaron petrificados; estatuas de cemento gris, ahistóricas, insignificantes, a las que nadie pondría jamás sobre un pedestal. Los ángeles buscaron ansiosos por el salón. Revisaron los pasillos, los cuartos, la azotea, las botellas vacías, dentro de los inodoros, tras las flores de los mosaicos, en el reverso de la luz... en fin, hurgaron en todos aquellos lugares donde se podía esconder un ángel, pero no hallaron ni rastros del que buscaban.

Despistados, salieron al parque y se sentaron en la

glorieta para sentir los suaves temblores del corazón que hacía vibrar el piso de granito. Analizaron la situación en silencio. Siete días después, el ángel menor carraspeó, con el anuncio de que tenía una idea.

—En este mundo sublunar hay un adagio que reza: "El pasajero se conoce por la maleta". Al poseer corporalidad europea, tan extraña por estas viñas del Señor, dimos a conocer nuestra identidad. El ángel de la guarda seguro nos reconoció de lejos y tuvo oportunidad de huir de nuestra presencia.

Y es que existe una antigua teoría neumática que indica que quien conoce a los ángeles, podrá pasar invisible y desconocido entre ellos. Su enunciado es: "Tú conócelos a todos, pero que ninguno te conozca". Al poner en práctica dicha teoría, la criatura perseguida logró pasar desapercibida. Empero conviene también saber que los ángeles no se conocen por rasgos materiales, sino por la mirada. Tener en cuenta esta última cualidad ayudará a entender parte de los acontecimientos que en breve iban a acaecer.

—¿Qué plan propones tú? —cuestionó receloso el arcángel.

—Encarnar en hombres vernáculos: piel mezclada, lengua con oraciones a medio machacar, predisposición a la bulla y sonrisa a costa del pesimismo; siempre locos por largarse del país y menospreciadores de sus semejantes... ¡Ser dominicanos de pura cepa, ombe!

El arcángel no respondió de inmediato. Su súbdito no le despertaba mucha confianza, así que decidió meditar. En verdad, era el ángel menor una criatura de naturaleza un tanto pendenciera: le gustaban las misiones en sitios de juerga y pasar multitudes a espada. Por tanto, no se podía tomar a la ligera una propuesta que viniera de su mente. Tras calcular todas las posibilidades, el superior objetó:

—Los ojos.

El otro chicoteó los dedos.

—¡Pan comido! —exclamó, porque ya había pensado en el asunto—. Llegaremos sigilosos y, una vez dentro del muladar, nos pondremos los ojos de una mujer que trabaja ahí. Se los vi en un sueño. Se llama Mónica.

El arcángel, aunque a regañadientes, aceptó la proposición.

—Lo haremos el próximo mes.

Y, casi de inmediato, tomaron forma de hombres vernáculos. Porque un mes de los hombres es un segundo del cielo. Los dos ángeles llegaron al Royal Palace al atardecer. Mónica estaba sentada a la entrada del burdel. Apenas los vio, salió a su encuentro y les dijo: "Sírvanse pasar adentro, para que sepan lo que es bueno". El ángel menor, que era más ducho, manejó las negociaciones. Había encarnado en un cuerpo bajito, fortachón, pelo duro y rostro de matón, con una cicatriz de cuchillo sobre uno de los párpados, y hablaba cambiando la r y la l —cuando no iban acompañadas de vocal—, por la i, pero imprimiendo a las consonantes la fuerza de los hablantes del Sur. El arcángel, en cambio, asumió una forma menos extravagante: un poco más alto, peinado con vaselina, rostro de evangélico recién convertido, medio pariguayo, y abusaba del fonema l como la gente de la capital.

El burdel estaba casi solitario. Los dos seres subieron el primer trecho de la escalera. Cuando llegaron al descansillo, el ángel menor sujetó a Mónica por la fuerza, la amordazó con la mano sucia y la arrastró hasta la segunda planta. La tiró sobre la cama. "¿Por qué tienes que hacer eso?", preguntó desconcertado el superior. "Cuestión de estilo: la gente de burdel actúa de esta manera", explicó, exagerando.

—¿Qué quieren? —logró preguntar Mónica, asustada.

—Tus ojo —amenazó el de la cicatriz—. Te vamo a sacai los ojo.

La mujer se levantó y agitó los brazos como si fueran alas desplumadas. El evangélico la sostuvo por el vestido. Cayó desmayada cuando el otro le metió una trompada debajo del ala. La colocaron de nuevo sobre la cama. "Depués te los vamo a devolvel, y, cuando despiertes, no recoldarás nada de esto", le susurró al oído el arcángel. Entonces el ángel menor tomó el rostro de la mujer en la mano y se lo exprimió con fuerza, hasta que los ojos brotaron. Se puso uno dentro del párpado que estaba bueno y le entregó la otra bola a su superior.

Encontraron al ángel de la guarda. Estaba recostado en el techo, con la mirada en las estrellas que empezaban a alumbrar el firmamento. Al presentir las presencias, se inclinó extrañado. Dos hombres tuertos habían llegado a su lado. Los miró a los ojos, para ver si lograba reconocerlos, pero no vio nada dentro, como si en el fondo de la retina tuvieran una pared.

—¡Daos preso! —ordenole el arcángel, con el acento extraviado.

—¿Qué pasa? —preguntó intrigado cuando tenía casi encima a los dos visitantes.

—¡Que se acabó lo que se daba! —vociferó el de la cicatriz—. ¡Preso poi la guaidia de Mon!

El ángel de la guarda comprendió de golpe la situación. Levantó vuelo, pero sus perseguidores lo tumbaron de una pedrada. No fue una piedra de patio, sino una sideral que lo hizo caer descojonado en el techo. Lo rodearon. El superior meditaba sobre la pena que debía serle impuesta.

—Quizá deba degradaros a la condición de serpiente... O convertiros en una de esas efigies que lloran sangre en las iglesias de pueblo...

Al verlo inseguro, el ángel menor aprovechó la situación.

—Déjamelo a mí —imploró, acezando, pletórico de inquina—. Yo tengo un buen castigo para él.

El arcángel encogió las alas.

—Hágase tu voluntad —acordó.

El de la cicatriz arrastró por las plumas al ángel de la

guarda y lo tiró de lado sobre un fregadero de cemento.

—Te jodiste, ahora vas a ser hombre —sentenció con malsana pasión—. Pero no te vas a morir nunca. Y vagarás por la tierra recordando todas las maravillas que disfrutabas siendo criatura celestial. Y te serán cortadas las alas.

Dicho esto, sacó de la nada un hacha amolada, corrompida por el óxido, y agarró al sentenciado por las plumas como si fuera un pollo. Levantó el arma y de un golpe brutal destazó las alas. Se escuchó un grito desgarrado que hizo eco en la concavidad del cielo. Los dos emisarios dejaron al hombre tirado en el piso, bañado en sangre. Cuando cruzaban por el parque, el arcángel recordó que no habían devuelto los ojos. "Tiremo esa vaina a la basura", aconsejó, desidioso, el ángel menor. Mas el otro le ordenó que los retornara.

XI, 5 / ROYAL PALACE. Fantasías presidenciales

Los dos cuerpos sudados, uno contra el otro. Los brazos contra los brazos, el vientre contra el vientre, los muslos contra los muslos, frotándose con energía, como si pretendieran pulverizar granos de sésamo o arroz. Los amantes marchaban uno contra el otro, traspasaban la piel del otro, buscaban orificios para meterse en el cuerpo del otro. Una luz, fósforo de neón encendido en la penumbra. Y luego un dulce letargo, los miembros relajados. El hombre encendió un cigarrillo. Suspiró tras la primera bocanada.

—Indiscutiblemente, las grandes interrogantes de la existencia pueden resolverse con un buen polvo, un trago o una cucharada de comida —filosofó.

Mónica le quitó el cigarrillo para darle una chupada. El abanico giraba en el pedestal, soplaba una brisa tibia sobre sus cuerpos sudados. Los dos se durmieron despreocupados. Desde el día posterior a la fiesta de carnaval, el presidente municipal había comenzado a frecuentar el cuarto del Royal en que la tenía alojada. Al principio saltaba por la pared del Ayuntamiento y cruzaba el patio de la biblioteca y el del cine para llegar por la parte de atrás al burdel, inadvertido, y pasar largas horas de pasión con Mónica. Pero como dicen que un pelo de mujer hala más que una yunta de buey, dos días después decidió mudarse con ella en el cuarto. Una madrugada cargó todos los papeles de la oficina. Y a partir de ese momento, en secreto, despachaba los asuntos edilicios desde el burdel. Se comunicaba por el celular. Ponía a la mujer a mecanografiar las cartas. Firmaba y sellaba los documentos oficiales sentado en la cama. Y sólo visitaba la casa de su esposa a media noche, para recoger algunos papeles.

No durmieron por mucho rato, sólo el tiempo suficiente para disfrutar el leve y dulce sueño que suele embargarnos tras la refriega del amor. Encendieron otro cigarrillo. El hombre se agachó para recoger las chancletas. Tomó un libro que había bajo la cama.

—Me lo prestó una amiga —explicó la amante—. Seguro lo has leído...

—*Kamasutra* —leyó en voz alta, con aire de autosuficiencia—. Claro que lo he leído. Me lo sé de memoria. También vi la película.

—Tú has leído todos los libros —exclamó, crédula, mientras se abrazaba fascinada a su cuello.

Él le dictó una carta. La mujer escuchaba y machacaba despacio las teclas. El funcionario caminaba de un lado a otro del cuarto, haciendo sonar las chancletas, mientras coordinaba las oraciones. Cuando terminó el dictado, se acercó a la máquina. Vio que la carta estaba fuera del margen reglamentario y llena de faltas ortográficas. La sacó del rodillo, la firmó y la selló. Al fin y al cabo había quedado igual a las que su secretaria oficial mecanografiaba en la oficina. Hizo llamar a los chulos a destajo, quienes le servían de mensajeros, y les ordenó que pusieran la carta en el correo.

Luego telefoneó al Ayuntamiento. Su secretaria dejó caer la revista tras escuchar su voz al otro lado de la línea. Le dio los mensajes que le habían dejado en la oficina. Después guardó silencio. Encendió una colilla de cigarrillo. De sus ojos rodaron dos lágrimas que se deslizaron con rastros de rímel, crema, sudor, colorete, pintalabios. Le preguntó que si se encontraba bien. Porque ella era una pariguaya, una de esas que se desgañitan cantando a coro con Mocedades: *Secretaria, secretaria, la que escucha, escribe y calla, la que hizo de un despacho tu morada. Casi esposa, buen soldado y enfermera y un poquito enamoraaada.* El presidente anotó los últimos mensajes y colgó. Caminó pensativo. Luego se quitó el pantalón y la camisa y, vestido sólo con calzoncillos y corbata, se puso en cuatro patas y empezó a perseguir a la muchacha ladrándole como un perrito. El timbre del teléfono lo detuvo. "¿Aló?" Era un regidor quien llamaba. "Espera un segundo", exclamó ansioso y tapó con la mano el auricular. Se sentó en la silla y, por señas, le pidió a la mujer que se arrodillara entre sus muslos. Ella comprendió. Le bajó el calzoncillo y tomó su miembro con la boca. El presidente le advirtió desconfiado: "¡No lo soples!", estiró las piernas y tomó la llamada. Mientras sentía el placer de la caricia, oía la voz burocrática, lejana, del regidor, diciéndole que te has desaparecido por estos días, que hasta tu esposa pregunta dónde te metes, que ayer no fuiste a la reunión con los industriales. El funcionario le respondió, incoherente, que okey, que luego le devolvería la llamada, y colgó. En ese instante estaba a punto de venirse. Y sin derramar una sola gota de leche, se subió el calzoncillo.

El romance se extendía a tiempo completo durante el transcurso de los días. En ocasiones el presidente decía que le gustaba la sonrisa y la energía de ella, tras lo cual se quedaba observándola para recoger su reacción. También, aunque no lo reconociera abiertamente, le fascinaba la libertad y el desenfreno con que la muchacha singaba. Le encantaba ponerla a que le practicara el sexo oral mientras él hablaba por teléfono, y siempre paraba antes de eyacular. La clavaba encima del improvisado escritorio. Paseaban por los pasillos solitarios, sobre las flores del jardín dibujado en los mosaicos. En tales momentos el presidente le tocaba los pechos desnudos con las manos y la boca; acto seguido ponía su mano bajo los pantalones de ella y la estimulaba manualmente en el área genital. Todos estos detalles se conocen a la perfección debido a que los enemigos políticos del funcionario, encabezados por el síndico municipal, los recabaron, según en breve se verá.

Una tarde, Mónica encontró en la gaveta una foto de la dama de la pamela, tomada en los años juveniles. Se notaba que fue una joven fina y hermosa, distinta de ese vejestorio marchito en que los años la tenían convertida. Se sintió halagada. Hay una técnica que puede ayudar a la mujer a descubrir con qué ojos la observa un enamorado y qué grado de belleza encuentra en ella: cuando un hombre intenta conquistarla, debe tratar de ver a las mujeres que el susodicho había enamorado antes. Si resulta que las otras eran feas, insignificantes, mal talladas, eso indicará a la enamorada de turno que, ante los ojos de ese galán, ella luce igual de horripilante. Mónica sonrió al compararse con la belleza juvenil de su rival. Sin embargo, aprovechó la situación para entablar una querella de amor. La clásica escenita de celos. Tú esto, tú lo otro. Discutieron absurdamente. El hombre, estoico, le recordó que se iba a divorciar. Dio un portazo. La mujer se le acercó por el pasillo solitario. El beso de la reconciliación: tibio, dulce, tan predecible que hasta asco debería dar. Él se enfocó en su belleza exclusivamente, besó sus pechos desnudos y acarició sus genitales. En este punto, el presidente insertó un cigarro en la vagina de Mónica; luego se lo puso en la boca y dijo: "Esto sabe bueno". Después caminaron de un lado a otro por el jardín de mosaicos y esparcieron el humo de tabaco perfumado bajo las luces del atardecer.

El reporte de los enemigos políticos también describía, en página mecanografiada a un espacio bajo el subtítulo "La muchacha de la pizza", la escena que a continuación se recrea.

El presidente, vestido con traje formal, aguardaba solo en un extremo del cuarto. Estaba un poco ansioso, a la espera de que tocaran la puerta. Entonces, sin llamar ni decir media palabra, las dos mujeres hicieron girar el picaporte desde afuera y entraron con la bandeja. Eran Mónica y la China. El hombre se golpeó la frente con la palma de la mano, impaciente, y las interpeló iracundo. "¿Eso fue lo que acordamos? ¡Me cago en el diablo! Se supone que la China iba a tocar y cuando yo preguntara: ¿Sí?, me respondería: Señor, la muchacha está aquí con la pizza, y que entonces Mónica entraría sola con la bandeja. ¡Así de fácil! ¡No era que abrieran y entraran como un par de estúpidas, coñazo! ¿Es que ustedes nunca actuaron en una velada de la escuela?" La China se sintió ofendida. Amenazó: "¡Párate ahí! Yo estoy haciendo esta vaina de balde, como un favor; si me joden mucho, mejor me voy a la barra a escuchar a *Kazán el Cazador*, porque yo no le como insultos ni mierda a nadie". El hombre hizo un esfuerzo por calmarse. Controlada la impaciencia, les repitió las líneas y los movimientos. Las mujeres salieron al pasillo y él se volvió a colocar en un extremo del cuarto. Esta vez tocaron a la puerta. Tras suspirar aliviado, preguntó: "¿Sí?", y desde afuera le respondieron: "Señor, la muchacha está aquí con la pizza". Entonces él avanzó cinco pasos hacia la entrada y abrió. Mónica entró con la bandeja y cerró la puerta con el pie. Estaba ataviada con un vestido azul que el presidente le regalara esa mañana.

Después, ella le mostró un papel escrito a máquina, que describía los efectos del auparishtaka tras haber masticado pastillas de menta. Sacó una menta y la deshizo en la boca. Lo besó. Le tocó los genitales por encima de los pantalones y procedió a practicarle sexo oral. Cuando él estaba a punto de liberar el orgasmo, la levantó apurado. "¡El vestido!

¡El vestido!", balbuceó. Entonces la mujer colocó el pecho junto a la salida del pene, para que el esperma empapara la tela. Después de recobrar el aliento, el funcionario le pidió que jamás lavara la mancha de leche.

Los días pasaban así, entre el proceso burocrático y la delicia. Sin embargo, para que una pasión sea grande debe contar con adversidades que la pongan a prueba. Los enemigos políticos fueron congregados en la oficina del síndico municipal. A la reunión fueron invitados, además, el inspector, el periodista, la secretaria del presidente y cualesquier empleados que se quisieran enterar del chisme. El síndico leyó el reporte acerca de los lances eróticos de su oponente edilicio. Describió la caricia del cigarro, las llamadas telefónicas, la escena del vestido. Al escuchar aquellos detalles, la secretaria encendió un cigarrillo y, humillada, pensó: *¡Carajo, si todo eso me lo hizo también a mí, en la oficina!* Los congregados escuchaban, algunos impávidos, otros con excitación disimulada. El inspector permanecía inexpresivo. Ese informe lo había preparado justamente él, tras investigar con sigilo entre los cueros del burdel en su calidad de calié de un organismo de seguridad.

Una vez terminada la reunión, el síndico acordó enviar una fotocopia del reporte al presidente municipal, dirigida a su "oficina de la maipiolería". El funcionario recibió el informe y lo leyó con detenimiento; subrayó párrafos y corrigió acentos mientras hacía sonar las chancletas por los mosaicos. Mónica advirtió que, por encima de la seriedad superficial que se veía en su rostro, el asunto parecía emocionarle. En una hoja aparte, escrita a mano, había una nota que advertía que si no renunciaba al puesto municipal en cuarenta y ocho horas, esas "informaciones vergonzosas" serían publicadas. El funcionario no se amilanó con la amenaza. "Quien traga más saliva, come más hojaldres", refraneó confiado. Y al día siguiente devolvió al Ayuntamiento el reporte, corregido ortográficamente, junto a otro sobre que contenía tres fotografías. Fuera de dicho sobre, puso la siguiente nota aclaratoria: "Aquí no estamos en Estados Unidos". En la primera foto, el síndico se veía en el baño, en compañía de un jovenzuelo que le estregaba la espalda con una esponja enjabonada. En la segunda, el jovenzuelo lo secaba con la toalla. En la tercera —que incluía un letrero que rezaba: "Por si las moscas"—, el jovenzuelo le tenía metido por el culo el güebo hasta donde le dicen cirilo. El síndico terminó de mirar las fotos y tragó en seco, sorprendido. Y desde ese día no se habló jamás de escándalos sexuales entre aquellos administradores públicos.

XI, 6 / ROYAL PALACE. El eunuco

Da vergüenza que una ciudad tan prestigiosa, decana del Nuevo Mundo, depositaria de sacras y notables primicias, se preste a que alcahuetes, degenerados y rameras exhiban públicamente sus bajezas en una casa de citas. Y eso fue lo que sucedió en días recientes, durante una "gala de carnaval" celebrada en el vergonzoso muladar Royal Palace. Ante los ojos de esta comunidad pujante y cristiana, el lupanar se llenó de prostitutas y matones disfrazados de la forma más ridícula. Según tuvo noticias El Cuarto Poder, *aquello fue un pandemónium. Se trató de un desfile de mal gusto protagonizado por personas ataviadas con disfraces desteñidos y sudados. Había una mujerzuela imitando a la bíblica Eva, también un sujeto de dudosa reputación vestido de mujer, y se asegura que incluso un notable miembro de nuestra alta sociedad —cuyo nombre será investigado próximamente por nuestro Equipo de Reporteros— asistió disfrazado de Lobo Feroz. Y aquella irrespetuosa canonjía fue celebrada frente a nuestra sacrosanta catedral, cuna de la evangelización en América. Esa profanación a la decencia, sin dudas haría temblar en sus históricas tumbas los restos de Cristóbal Colón, Tirso de Molina, Eugenio María de Hostos, doña Trina Moya de Vásquez, finísima poetisa, de cuya engalanada pluma brotara el Himno a las Madres, José Martí y otros tantos personajes gloriosos que pi-*

saron esta tierra. Ante la afrenta que esa orgía nostradámica ha representado para la moral y las buenas costumbres, este prestigioso periódico, decano del periodismo en nuestra laboriosa comunidad, exige la actuación enérgica de las autoridades y la vigilancia de sus parroquianos, para lograr el adecentamiento de esta ciudad cinco veces centenaria.

Amargado, devastado por un poderoso sentimiento de frustración y rabia contenida, el violinista leía el editorial del semanario. No convencido aún de la desfachatez del periodista, se tomaba un trago de whisky y lo releía. Un silencioso puñado de cueros permanecía alrededor de la mesa. En el fondo, a ninguna le preocupaba la publicación. Peccata minuta: mayor ofensa era oír hablar mierda a un borracho y entregarle la piel al filo de la noche, para que después el hijo de puta confesara que sólo podía pagar cuarenta pesos; o tolerar los golpes que el chulo de turno les propina cuando quiere dárselas de muy macho; o soportar que el vecindario les retire el saludo por considerarlas mujeres de vida fácil, como si echarse encima tantos cuerpos ajenos fuera un trabajo más fácil que vender detergentes o mecanografiar formularios. Sin embargo, por solidaridad con el violinista, ellas mostraban rostros afligidos.

—No puedo —declaró al leer por enésima vez el editorial. Miró derrotado a Mamota Cajebola y a la Canquiña—. Damiselas, por favor, prepárenme algo fuerte. Un trago miserable, que golpee desde abajo y me haga descender a estas miserias. Tal vez así pueda entender...

Las dos mujeres dejaron de abanicarlo y pensaron por un instante. Por su mente pasaba el vasto menú de bebidas. Tras consultarse con la mirada, le dijeron:

—¿Algo que dé duro? Una "Química".

Y con la anuencia del hombre, buscaron los materiales para preparar la mezcla. La Química es un trago que sólo debe ser tomado en estado de desesperación. Lo suelen beber los carretilleros, las mujeres callejeras que han sido derrotadas por la cotidianidad, los alcohólicos incurables, los mendigos auténticos, los desconocidos que habitan en construcciones abandonadas. Los ingredientes son: media botella de alcoholado —preferiblemente de la marca Bayrum, que suele ser más barata—, un poco de vainilla marrón, una astilla de canela y una pizca de azúcar prieta. Se mezcla todo. El azúcar y la canela cumplen la función de quitar el sabor medicinal al Bayrum. La vainilla le cambia el color y le da una apariencia de ron dorado. Para acabar de confundir al enemigo, el líquido se vierte dentro de una botella de ron Brugal. Se bebe a pico de botella. Su efecto no es nada fantástico: simplemente resalta el sentimiento de frustración y tranquiliza al desesperado con hacerle sentir que la amargura es el talante perpetuo de la naturaleza humana. Media botella de química puede producir un estremecimiento más amargo que toda la bibliografía existencialista.

El violinista bebía el preparado. La amargura seguía rondándole, pero el sentimiento de rabia se había desvanecido. Ahora podía pensar, entender que, en el fondo, la vida es nada. Consideró que el periodista estaba en la obligación de devolverle los setecientos pesos, debido a que no hizo la crónica acordada. Para fastidiarlo en el futuro inmediato, encargó a La Maura de cobrar la deuda y tomar para ella el dinero. El cuero sonrió complacido. En ese preciso momento planificó la manera de cobrarle, que acaecería de esta manera: se aparecerá por séptima vez en la oficina del semanario y, cuando el periodista ponga otra excusa para no pagarle, ella tomará de rehén al pollo que dormita en la silla; el director va a levantarse alarmado y ella le dirá que si no le paga de inmediato los setecientos pesos, va a retorcerle el pescuezo al animal; el administrador, tembloroso, se meterá las manos en un bolsillo y, tras pasarle siete billetes de cien, aferrará contra su pecho al pollo liberado. El violinista apartó la vista de La Maura, quien dio las gracias y quedó pensativa. Se tomó otro trago. La mujeres lo contemplaban apenadas.

En su amargura, se sometió a la prueba del merengue, que se hace así: siéntese quieto, relajado, olvídese de todo y de sí mismo, distánciese lo más que pueda del existir, tómese un trago. Ahora ponga un merengue y retorne a su sitio. No opine nada ni crea: sólo deje que el jaleo penetre libre por sus oídos, que el soplido de viento, la raspadura incesante de la güira, el golpe húmedo de la tambora naden a contracorriente por la sangre y desembarquen en el alma. Si una vez acaecida esta experiencia neumática usted no siente un gozoso rasguear en las fibras cristalinas del espíritu, entonces, amigo mío, eso significa que usted esta jodido sin remedio. El violinista hizo la prueba con varios merengues y no sintió el rasgueado.

—¿Saben ustedes cómo me llaman en mi familia? —preguntó, sumido en un sentimiento de autodestrucción. Se arregló la corbata para responder—. "Pompy". ¿Y saben qué significa "pompy"? Significa, perdonando la mala palabra, "nalga". Sí, porque para mi papá yo he sido toda la vida una nalga —reveló. Una mosca se metió dentro de la botella. Él se la tomó. Sonrió con buen histrionismo, como en los poemas recitados por el Indio Duarte—. Yo soy un cuerno. Sí, no oyeron mal. Mamá me engendró al pegarle cuernos a papá con un italiano que andaba de paso... Mamá, caramba, que Dios la tenga en la gloria, tan buena... Hasta en eso me hizo el favor. Evitó que yo llevara la sangre de un perro... Ella cometió un error: le confesó lo del cuerno. Esas maniobras no se hicieron para ser contadas. Se hacen y punto. Pero ella era tan santa... El perro le cogió odio y le hizo la vida imposible hasta matarla del corazón...

Las mujeres y los escasos parroquianos que a esa hora soportaban la tibia peste y el susurro de las moscas, lo escuchaban en silencio, a sabiendas de que hay cuestones sobre las que conviene no opinar. Mamota Cajebola y la Canquiña lo abanicaban despacio, con lástima. El violinista recontó la historia de diversas formas e hizo aflorar en cada ocasión detalles nuevos.

Desde la mesa contigua, Ángel el ángel lo escuchaba aburrido. Se le ocurrió que debía darle una mano al hijo espurio en su desesperación. No tendría que emplearse a fondo. Bastaría con revelar un par de cositas. Se tomó un trago de cerveza con hielo y avanzó decidido. Al detenerse junto al violinista, tomó con falso desinterés el periódico y leyó el editorial. Después arrugó el papel contra su pecho. Fingiendo frustración e histeria, enfrentó su objetivo.

—Esto te lo debemos a ti —lo acusó, patético, con el índice clavado en el editorial, tras haber calculado que sus palabras saldrían más filosas si lo tuteaba—. Nosotros estábamos resignados a la frustración. Entonces apareciste tú y nos hiciste creer que nuestras vidas podían adecentarse. Nos hiciste soñar con la vida digna, con la alta alcurnia.

El violinista se bebió otra mosca.

—Perdónenme —dijo, mirando a las mujeres—. ¿Qué más puede esperarse de una... "pompy"? Mi madre fue una buena mujer, murió cuando yo era un niño aún...

Y recontó la historia. Los cueros trataban de comunicarle, con gestos y exclamaciones, que no debía apenarse. Ángel el ángel lo interrumpió.

—¡Cuenta lo otro! —exigió histérico, sucio de inquina—. Cuenta que eres un eunuco, que tu papá te cortó el güebo antes de la muerte de tu madre.

Los presentes quedaron absortos al oír esta revelación. Uno de los parroquianos incluso fingió vomitar. Las mujeres miraron llenas de odio a Ángel el ángel. Todas sabían que el violinista tenía ese problema, pero nunca se hubiesen atrevido a divulgarlo. Estaban más boquiabiertas que si se hubieran enterado por primera vez. Contrario a lo que el tíguere esperaba, el otro no se enfureció con la propagación de su secreto. Sólo explicó, muy amargado:

—Papá me cortó el pene con un cuchillo de cocina, para que yo no siguiera "mal perpetuando" su apellido.

Ángel el ángel consideró que debía ir un poco

más lejos.

—Y aun así estás enamorado de Ángela, aunque no tienes con qué cumplirle como hombre —reveló y le raspó la bragueta con un dedo.

Ante esta última afrenta, el violinista perdió la compostura. Mas no reaccionó con furia irracional. Gravemente se puso de pie, sacó un guante blanco del bolsillo y azotó con dicha prenda el rostro del ofensor. Acto seguido, desafiolo:

—Lo espero en media hora en la azotea. Escoja usted las armas para el duelo. Si no asiste, será considerado un cobarde.

Y se retiró escaleras arriba sin escuchar una afrenta más. El ofensor se quedó pasmado. Esperaba que lo moliera a golpes, no que se le apareciera con esa fría propuesta medieval. Lù-shi se abrió paso entre las flores de fango y se acercó a Ángel el ángel para transmitirle un mensaje de Changsán:

—Que si usted tiene vergüenza, váyase y no regrese más por esta honorable casa de té —le dijo cortante e hizo mutis para volver al mostrador.

El hombre, frustrado, regresó a su mesa, apenas complacido por los insultos de las mujeres. Echó unos cubos de hielo en el jarro y se reclinó de lo más campante en la silla. Delia se le acercó despectiva.

—Si tuvieras vergüenza, no estarías aquí— sacole en cara.

El tíguere se bebió un trago.

—Yo no estoy aquí, ni usted tampoco —respondió aburrido—. En verdad, estamos dentro de un sueño que estoy teniendo en este instante. Cuando yo despierte, usted se esfumará como el humo de esos cigarrillos y verá que ninguno de los dos ha estado en este sitio.

Le complació ver que la mujer se retiraba de mala gana. Lamentó no haber recibido la golpiza de parte del violinista, pues sentía que la noche estaba buena para unos fuertes azotes. Sin embargo, no tendría que esperar mucho para satisfacer sus propósitos. Poco tiempo después un hombre entró con caminar rítmico al burdel.

XI, 7 / ROYAL PALACE. La fuerza del destino

Travolta se detuvo en el centro del salón. Encendió un cigarrillo en la comisura de los labios y se apoyó en una columna con los brazos sobre el pecho. Por encima de su gesto pedante, se podía advertir una profunda amargura. Se le notaba ansioso. Era un problema del corazón. No había sabido manejar la pasión por Lù-shi y se encontraba al borde del colapso sentimental. Había intentado agradarla, humillarla, ignorarla; pero no lograba atraer su atención. Su último recurso era el de jugar con el sentimiento amoroso, lo cual empeoraba su cuadro clínico. Porque con el amor no se juega. Es insensato bromear con una pasión que históricamente ha sido capaz de provocar suicidios, guerras, genocidios. El carácter lúdico del amor le hace creer al amador incauto que puede tomar con relajamiento esta pasión. Mas el movimiento amoroso es semejante a una inyección: primero sientes un frescor, proveniente del algodón empapado de alcohol que frotan en tu piel; después un suave pinchazo y, cuando ya no puedes retroceder, la jeringa te mete el chorro y en ese punto crítico no sabes si te están poniendo la vacuna del tétanos o la inyección letal. Así que, ante el fenómeno del amor, no conviene entretenerse demasiado: es mejor rendirse y dejarse morir con mansedumbre, como animales de comer. De esa manera el proceso resulta menos doloroso.

El inspector vio a Lù-shi aparecer tras el mostrador. Avanzó decidido hacia ella. Al detenerse en la barra, la mujer lo interrogó con la mirada. Él se sintió desarmado. La miró sin codicia, sin rabia, sin frialdad, sin burla, sin nada en los ojos. Tras permanecer allí un instante de eternidad, pidió una cerveza. La pagó y fue a atrincherarse silencioso a una mesa del fondo. Ángel el ángel se le acercó.

—A la verdad que usted es el retrato vivo de Travolta —consideró con fingida admiración. Al ver la sonrisa amargada del otro, se dio cuenta de que no tendría que hacer mucho para fastidiarlo. Lo abrazó con aire de confidencia y habló en voz alta—. Usted no parece usted, sino un doble... Dígame, ¿cómo va el asunto de la chinita?

El inspector se le apartó, azorado.

—¿Qué chinita?

El otro se preparó para dar la estocada.

—¿Cómo que cuál chinita? Lù-shi, de la que usted está enamorado hasta los tuétanos, picarón —reveló, y se dirigió a los curiosos para explicar que el inspector estaba perdido de amor por la esposa del chino.

Una voz anónima comentó:

—Nosotros no nos habíamos dado cuenta de eso...

El enamorado secreto negó mortificado. Que quién se iba a asfixiar por una china insignificante, que esos son embustes, que a quién se le puede ocurrir algo semejante. Ángel el ángel lo asediaba y rebatía sus falsos argumentos. Después de exponer ante la concurrencia los callados propósitos del enamorado, determinó:

—Tiene lo que se llama amor del negrito —Entonces, con cruel sarcasmo, insinuó—: Eso no es de extrañar... si cualquiera tiene una abuela haitiana.

Travolta se fue a un extremo del salón. Le mortificaba que, no obstante las insinuaciones del tipo, Lù-shi parecía no haberse enterado. Ángel el ángel se acercó. Le pidió que le echara un trago en la jarra. Mirando al doble bufamente, paladeó la cerveza y se dispuso a dar la estocada final. Los parroquianos y los cueros, que le tenían mala voluntad al inspector, seguían la escena con morboso placer.

—Si yo fuera Travolta, me lo llevaría para Nueva York y firmaría con usted un contrato, para usarlo como mi doble... Lo increíble es que, a su edad, todavía mantenga usted ese porte. ¿Cómo lo hará? Me imagino que usará alguna faja para la barriga y practicará el caminar todos los días. Es fabuloso. Pero lo que más me intriga es su peinado...

Decidido a desatar la furia de su víctima, le entró con agilidad un dedo bajo los cabellos y los tiró hacia un lado. Una calva reluciente quedó expuesta ante los curiosos. Travolta calvo. Los parroquianos y las mujeres reían sin poder contenerse. Descubierto en alma y cuerpo, el inspector reaccionó furioso. Tomó una silla y la destrozó sobre el cuerpo de Ángel el ángel. Lo golpeó, rabioso, y trató en vano de ahorcarlo con una cinta de atrapar moscas. Lo arrastró por todo el salón; le chocó la cabeza contra columnas y paredes. Saltó por el mostrador. Trajo de la cocina un cuchillo y un garrote. Correteaba belicoso, bufando, sin saber cuál de los dos objetos escoger para continuar el ataque, mientras gritaba entre dientes: "¡Lo voy a matar!". Tomaba el peso de uno, comprobaba el filo del otro, indeciso, vanamente, como si ya dos milenios atrás no hubiera determinado Mencio que no hay ninguna diferencia entre matar a un hombre con una espada o con un palo. Esta vacilación permitió a los dos chulos a destajo saltar sobre el atacante y desarmarlo. No obstante, el inspector siguió atacando. Cuando se cansó de azotarlo, apoyó una mano en una columna, encendió un cigarrillo y lo señaló amenazador, ahogado por el coraje. Después se deshizo en un llanto incontenible. Y reconoció que sí, era verdad, que estaba enamorado de Lù-shi y que a nadie le importaba que la puta de su abuela fuera gringa, china o haitiana, y que él usaba cremas traídas del extranjero, "miren qué suavidad", que le mantenían la piel más blanca y juvenil que la de cualquiera de estos hijos de la gran puta que vienen al burdel... Todos escucharon en silencio, sin apiadarse ni sentir lástima de él, mientras recogían los destrozos producidos por la pelea.

Merodeó callado por el salón, pendulando una botella de cerveza con la mano. Lù-shi fregaba platos, preparaba bandejas, tiraba puñados de maíz a los pollos que cacareaban bajo el mostrador. Era evidente que no se había enterado de la publicada pasión de su enamorado. El inspector sonrió con alivio mediocre. Entró al baño. Tiró la faja en el suelo empapado de orines. Liberó la bestia que traía encerrada tras la braqueta y se puso a mear. La mirada lejana, reflexiva. Pensó con morbo que si, en lugar de la taza del inodoro, tuviera ante sí a Lù-shi, se lo metería en silencio por el culo. Sentía preferencia por penetrar a las mujeres por detrás. Ante esta conducta sexual, los machos avispados afirmarían que en el fondo el tíguere era maricón, mientras que los sicoanalistas despistados deducirían que este deseo contranatural era indicativo de que renegaba de sí y temía proyectarse mediante el coito. El asunto es que tal pensamiento no le paró el güebo a nuestro *homus orinante*, quizá por ser deliberadamente perverso. De repente se sintió alumbrado por un resplandor dorado. Miró hacia el techo y descubrió que, desde un orificio, unos ojos amarillos lo observaban. Volvió a encerrar la bestia y salió del baño.

Deambuló amargado por el salón. Consultó el reloj. Se dio cuenta de que era tarde. No le preocupó la hora. Total, nunca llegaba temprano. Su vida, incluida la vida misma, era un continuo llegar tarde: a las oportunidades, a los amores, a los sueños. Por ejemplo, cuando se puso en boga la moda de la música disco, ya él pasaba de los treinta años. Se bebió un trago, sarcástico, brindando por el tiempo mejor que nunca le perteneciera. Traía el cabello tirado a un lado de la cara, la chaqueta desabotonada y la camisa estirada por la presión del vientre. Sin embargo, no le importó que la gente lo mirara, quizá porque sabía que todos aquellos derrotados que se arremolinaban alrededor de una copa de ron, habían llegado a la vida tan tarde como él. Todos tenemos una noche así, de catástrofe, de la que a veces jamás logramos retornar. Sintió en su muñeca una garra. La Maura lo había atrapado y tiraba de su presa escaleras arriba, agarrándolo con la ciruela pasa de su mano envejecida. Se dejó llevar, manso animal, salvaje de buen corazón, hacia adonde la mujer le diera la gana, ya fuera a echar un polvo o al cielo. Cuando era arrastrado por el pasillo, oyó un susurro lejano parecido a las voces de los Bee Gees... no, pronto se dio cuenta de que se trataba del maullido de una gata que se venía en los techos vecinos. Se toparon con Edoy Montenégodo, quien trastabillaba borracho y buscaba entre rincones a una supuesta princesa perdida. La garra sólo lo soltó para dejarlo caer sobre la superficie pedregosa de una cama.

Descendió devastado quince minutos después. Se sentó junto a una ventana, que permitía ver una luna de humo, densa, apoyada sobre la torre gris de la catedral. Se sentía mal, desazonado en exceso, arrollado por el carro de los años. Siempre es bueno aprenderse el poema de Darío que dice: *Juventud, divino tesoro, ¡ya te vas para no volver! Cuando quiero llorar no lloro... y a veces lloro sin querer,* para poderlo susurrar en noches como esta. Se bebió un trago amargo y tibio de cerveza. Luego apoyó la frente en la mesa. Cayó en un hondo letargo. Tuvo la impresión de que estaba sudado y bisbisando frases inconexas. Le pareció que de la masa del humo Lù-shi se formaba y traía hacia él, en una bandeja de plata, una taza de porcelana decorada con avecillas y flores fabulosas. Se tomó la infusión amarga que había en la taza y dejó caer de nuevo la frente sobre la mesa. Escuchó un rumor vegetal. La silla se levantó, tremulante. Cuando miró hacia abajo, descubrió que estaba colocada sobre un matorral de flores silvestres que habían crecido desde los mosaicos. Todo el salón estaba repleto de vegetación. Hojas verdes bajo las mesas, tallos robustos que envolvían las columnas. La hiedra se encaramaba por las patas de las sillas y forraba las paredes con sus infinitos dedos vegetales. Los dragones se apresuraban a abandonar el empapelado, volaban alegres sobre la flora que avanzaba sin cesar. El hombre miró hacia la rampa florida que antes fuera la escalera. En el rellano creció un ciruelo en flor, bajo cuyas ramas una muchacha oriental de hermosos ojos dorados lo contemplaba, refugiada en la sombra rosada de una sombrilla. De repente sus pupilas reflejaron una mancha tenebrosa, de muerte. La muchacha apartó la vista y se retiró. El hombre se levantó. Corrió hasta la rampa florida. No pudo encontrarla en los alrededores del ciruelo.

En ese momento una mano salió de la espesa vegetación.

—¡Apúrese! ¡Apúrese! —vociferó Ángel el ángel. Al ver que el inspector se quedaba alelado, lo agarró por la muñeca—. Si llega tarde esta vez, la Princesa de Jade va a morir...

El hombre se dejó llevar, confundido, quizá atraído por el nombre de la muchacha y la idea de llegar a tiempo por primera vez en su existencia. Subieron por la rampa florida y se detuvieron al llegar a un desierto. Escuchó a su espalda un eco: "Siga siempre por la raya amarilla. Y me trae una postal... si se acuerda". Cuando se volteó, descubrió que la silueta de Ángel el ángel se desvanecía a lo lejos, en medio de un remolino de arena. Pisó sobre una línea de arena dorada que se extendía por el desierto. Entró por un desfiladero. Miró hacia arriba y descubrió que el cielo se atiborraba de nubes de candela. Al bajar los ojos encontró que de todas partes venía contra él una bola de fuego. El espacio quedó vuelto un cremadero. Mientras intentaba escapar de las llamas, incontables cuerpos semejantes al suyo huían de él y terminaban incinerados. Un barquero, empapado de agua, lo empujó hacia la salida. Así logró abandonar aquel infierno. El barquero había desaparecido. Tan leve que podría ser elevado por la brisa, el inspector cayó dormido y soñó que despertaba en el mismo desierto. Un aire helado se esparcía hacia los cuatro puntos cardinales. Tras andar media jornada, se recostó cruzado de brazos. Quedó dormido. Soñaba que caminaba por el mismo desierto, en el cual quedaba dormido y soñaba que caminaba por el mismo desierto, en el cual quedaba dormido y soñaba que caminaba por el mismo desierto. En este último sueño despertó. Y vio que el aire se entenebreció de repente.

XI, 8 / LIMBUM. Sueños de porcelana

La alfombra verde, de prado primaveral que se diluye en la leche suave, flotante, del humo. La flora que crece sobre el lienzo para refugiar el vuelo abigarrado. Hay un ave transparente que puede ser percibida por su hueco dejado en el aire; hay unas alas solas, de colores metálicos, que vuelan por sí mismas; hay un pájaro de recuadros blancos y verdes, semejante a un tablero de ajedrez. De entre las aves, desciende un recién llegado.

—La llama muerde la sombra por el Norte, el agua espera la llama en el Sur. La llama se mueve, el agua espera quieta. Cuando ambas se junten, todo se habrá desvanecido... Los sabios antiguos no conocieron el opio, por eso los reinos de Yu y Chu sobrevivieron. ¡Ah, si tu padre te viera!

El hombre se recorre el brazo con la mirada y descubre que ahora es manco. Entonces un pájaro con forma de mano se detiene en su muñeca. El hombre aletea su mano de pájaro, lienzo rosado ondulando en el viento, y hace desaparecer al recién llegado. El vacío que deja su ausencia se llena pronto de aire coloreado, plumas olorosas, trinos que decantan el oído. El tiempo se refugia en un grano de sésamo, se aprieta contra sí mismo en la miniatura cóncava hasta no quedar fuera ni la pizca de un segundo. Y todas las formas se desploman unas contra otras y empiezan a acaecer en nuevo orden, sin perspectiva, libremente compuestas, enredándose en un cuerpo que vibra con latidos. Dentro del desplome, un pájaro inmenso, bidimensional, sube del cielo que está sobre la roca blanda, bajo el mar, y se come el grano de sésamo.

XI, 9 / JARDÍN EXTRAMUROS. Fortuna Imperatrix Mundi [Masque]

Empezó una lluvia invisible, disimulada en sinfonía tenebrosa por la mancha negra de la noche. Las gotas caían como piedras diminutas; destrozaban hojas, flores y rodaban por la ropa, dando la impresión de que los ángeles orinaban furibundos contra la tierra. Sólo el ruido del agua y el ulular de algún pájaro que helaba los huesos, se oían en medio de la obscuridad. El inspector avanzaba a ciegas entre los tupidos matorrales. Se reclinó bajo el paraguas agujereado de los árboles y quedó dormido. Soñó que caminaba por la selva sombría. De pronto pisó un montón de hojas mojadas y el suelo se vino abajo. Cayó en el interior de una cantina solitaria que tenía un letrero alumbrado por antorchas: "Uganda, el Valle de la Venganza". Una rata encendió un viejo radio de pilas y provocó el cuchicheo del dial hasta que sintonizó la radionovela *Kazán el Cazador*. Los personajes radiofónicos salían por turno a través de la bocina y se acomodaban alrededor de una mesa. Kazán, su hermano Alejandro, Otto von Dixon y el jefe indio Otala se agruparon en un extremo; estaban atados con una cuerda. Frente a ellos, amenazantes, se colocaron Úrsula Hamilton, Ricardi el Rubio y el Moro. Desde los tramos vacíos, eran observados por un público de ratas famélicas que tenían ojillos sanguinolentos y rabiosos. Doña Úrsula hizo traer una tetera de té inglés, la cual fue colocada en la mesa por una rata afrancesada, y sacó con cortesía una fusta. Ricardi el Rubio —un hombre de rostro colorado, grasiento, y de inconfundible acento italiano— sirvió un plato de espagueti en salsa de apio, pistola en mano. El Moro puso en el centro de la mesa un ejemplar del Corán y, con falsa discreción, se puso a leer un manualito sobre la guerra santa. Una de las ratas, que tenía porte de traqueteador neoyorquino, se ofreció a Kazán para roer la cuerda. Otto von Dixon, tras anunciar que aquella cantina le confirmaba que había llegado a los cimientos de la torre de Babel, dio una palmada para que una de las ratas le trajera una cerveza. Otala emitió un fuerte alarido. Una rata ataviada con delantal blanco se acercó a la mesa y distribuyó la vajilla para que se sirvieran. En ese momento salió por la bocina Sobeida, la hija del Moro, en una onda diluida que vagó indecisa por el salón y, al recibir la bienvenida de uno de los roedores, se solidificó y avanzó histérica hacia la mesa. Su padre le abrió los brazos, pero ella no se detuvo y en cambio, a punto de sollozar, fue a refugiarse en los brazos de Kazán. Era una mujer entrando a la curva de la madurez, de ojos marrones y desmesurados, piadosos, cuyas pupilas casi se le caían del rostro, que solía sollozar siempre, en parte porque era como dice el refrán de la gata Flora. El Moro dio varios manotazos en la mesa y la insultó en un español que, al serle reforzadas la r y la d, sugería un pesado compás de metralleta. Las ratas silbaron impacientes desde los tramos. Una de ellas vociferó que le devolvieran su dinero porque aquella compañía era un fiasco. Kazán se volteó hacia los roedores. Les explicó molesto: "¿Qué clase de compañía quieren que seamos? Si se fijan, cada uno de nosotros es un mundo diferente. Y todo aquí es pesadilla. Úrsula Hamilton es una vieja inglesa codiciosa y despiadada que quiere quedarse con todo y obligarnos a beber el té de Manchester. Ricardi tiene la intención de imponernos las pastas y la ópera. El Moro pretende obligarnos a abrazar la fe de Mahoma. Entre los que estamos atados, aquí tienen ustedes al jefe indio Otala, a quien pretenden sacar de sus tierras; a Otto von Dixon, un pugilista frustrado que llegó a estas selvas a realizar investigaciones arqueológicas. Mi hermano Alejandro y yo somos ciudadanos del mundo..." Doña Úrsula se le acercó furiosa y tras decir rabiosa "¡Insolente! ¡Coge!", le pegó una cachetada. "¡Ay!", gritó Kazán. "¡Coge!" "¡Ay!", volvió a gritar el hombre. Sobeida se arrodilló entre sollozos para implorar que no lo golpeara más. En ese instante la rata acabó de roer con sus dientes la cuerda de los prisioneros y estos desenfundaron sus armas. Úrsula Hamilton y sus secuaces empezaron a disparar. Las ratas chillaban jubilosas desde los tramos, viendo como se perseguían unos a otros por la cantina según la lógica ilógica de las pesadillas. Entonces el inspector soñó que despertaba.

La lluvia cesó. El inspector soñó que bajo las sombras entraba a un cementerio abandonado. Dondequiera que se apoyaba, sus manos tocaban flores mustias, terrones resecos, reptiles húmedos que silbaban y huían despavoridos. Una bombilla blanca, idéntica a la luna pero que no era la luna, se encendió en la altura. El hombre vio que se encontraba sentado ante una explanada delimitada por nichos y mausoleos, la cual tenía en el centro una gran tumba de cemento destinada al Varón del cementerio. Un viento helado llevaba de un lado a otro montones de hojarasca. A la diestra, sentada de perfil en un trono de mármol y con una hermosa mano reposada en el descanso, el inspector descubrió a una muchacha de rostro muy hermoso, que emitía un suave olor a rosas. A la siniestra, se arrellanaban dos oficiales con gesto firme y porte marcial, cadavéricos, a medio podrir, que observaban con prepotencia hacia la tumba del Varón e intentaban beber de una botella rota. Al lado de estos se encontraba un cadáver de lentes quebrados y calavera agujereada, llena de alimañas, que tenía porte de letrado.

Sobre la empinada techumbre de un mausoleo apareció el diablo, señorial, con un violín apoyado entre el hombro y el mentón, y el arco levantado en suspenso. Disimulado tras él entre la sombra de los árboles, se alcanzaba a ver el coro de las almas condenadas. En un lado aparecieron negros enjaulados a quienes faltaba el brazo derecho y, justo en el extremo opuesto, unas carretas rebosadas de brazos derechos que habían sido cercenados de raíz. Los negros observaban impotentes las carretas.

"Carmina Burana", susurró para sí la muchacha. El inspector, que estaba en un escaño casi detrás de ella, quiso abordarla. Mas en ese momento el diablo hizo una señal, apoyó el arco en las cuerdas del violín, y el cementerio empezó a vibrar con los acordes de una orquesta que tocaba la célebre cantata de Orff como desde el fondo de la tierra, al unísono con las voces del coro, tutti fortísimo. *O Fortuna velut luna statu variabilis.* En medio del golpe musical, la tumba del Varón se resquebrajó y de su interior comenzó a salir la figura descarnada de un afeminado que, vanamente, intentaba cubrirse los huecos de carne con telas brillantes y oropeles, y tenía una larga cabellera rubia. "El Varón, que viene subiendo de la tumba, se llama La Fortunata", volvió a musitar la muchacha. *Semper crescis aut decrescis vita detestabilis,* continuó el coro en un pianno súbito apoyado por la orquesta. El letrado suspiró y el aire produjo un sonido atroz al escapar de sus pulmones podridos. *Sors inmanis et inanis rota tu volubilis...* in crescendo. La Fortunata apareció de cuerpo entero sobre la tumba. Permaneció un instante altivo, risueño, hasta que, en un forte súbito, la orquesta elevó al máximo la intensidad en un tutti con el coro a voce que hizo tremolar la hojarasca y las ramas de los árboles. *Sors salutis et virtutis michi nunc contraria.* La Fortunata se paseó veleidoso por la explanada bajo la mirada filosa del diablo, quien azuzaba a los músicos y a las voces con las cuerdas del violín. Al verlo desplazarse, cada uno de los desmembrados sacó su único brazo por los barrotes, esperanzado en tocarle su larga cabellera; a la vez imploraban y maldecían en un amasijo de gritos que se acumulaba y fusionaba con la fuerza de la orquesta y del coro. *Hac in hora sine mora corde pulsum tangite; quod per sortem sternit fortem, mecum omnes plangite!*

La orquesta y el coro pausaron de repente. Reinó un silencio sólido, enterrado, como si el universo hubiera detenido hasta su mínimo ruido, incluso el que producen los ejes en el girar perpetuo de los astros. El inspector volvió a contemplar el cuidado perfil de la muchacha. Consideró hacerle alguna pregunta sobre el espectáculo, como pretexto para acercársele y tocarle la mano. En ese momento uno de los oficiales se removió en su asiento de piedra, aquejado por una antigua hemorroides, mientras que su compañero, que se escarbaba la pelada dentadura con un palillo y se bajaba y subía la raída braga, miró lujurioso el perfil de la muchacha y guiñó con desvergüenza.

Del fondo de la tierra una nota negra de piano deshizo el silencio. El diablo señaló hacia el coro. Se escucharon voces de tenor y bajo al unísono, montadas en el golpe grave de las cuerdas. *Fortune plango vulnera stillantibus ocellis quod sua michi munera subtrahit rebellis.* Los desmembrados imploraban a La Fortunata con palabras que el inspector no lograba escuchar, en parte por la intensidad de la orquesta, en parte porque se oían ajadas. "Ya sus voces se han diluido porque llevan casi sesenta años representando el mismo acto de forma incesante", comentó bajito la muchacha sin voltear el rostro. La Fortunata se acercó a las jaulas agitando su larga cabellera, pero con cuidado para que ninguno de los desmembrados lograra tocársela. Estos extendían en vano sus brazos por los barrotes. *Verum est quod legitur fronte capillata, sed plerumque sequitur ocassio calvata,* acotó el coro de tenores y bajos a una señal del diablo, que los hizo cabalgar sobre la sombreada musicalidad de las cuerdas. Los desmembrados movían sus bocas para suplicar algo a La Fortunata. El inspector no pudo escucharles, ya que el aire se llenó con el aroma de rosas de la muchacha y con un tutti a voce del que el diablo entresacaba con un virtuoso staccato las voces de sopranos y castratos. "Los enjaulados quieren que los dejen llegar hasta aquellas carretas cargadas con los brazos derechos que les fueron cortados", explicó la muchacha.

La Fortunata se paseó de forma caprichosa acariciándose la cabellera y jugando en sus manos con las llaves de las jaulas, ante la mirada ansiosa de los desmembrados. Después llegó a una de las carretas y la arrastró hacia las jaulas. Pero cuando se encontraba a una distancia prudente, desde la que los enjaulados no podrían alcanzar los brazos cercenados, la volcó. Fingió llorar contrariado y, sin transición, empezó a reír enloquecido y a danzar con el ritmo de la codetta musical que se deslizaba fortísima y vivaz. Luego, exhausto, se sentó con la cabeza inclinada, de manera que su cuerpo quedó oculto tras la abundante cabellera. El diablo le lanzó un puñado de flores marchitas. *In Fortune solio sederam elatus, prosperitatis vario flore coronatus,* escuchaba el inspector, mientras advertía que los oficiales sentados a su siniestra tarareaban impacientes. *Quicquid enim florui felix et beatus, nunc a summo corrui gloria privatus.*

Emocionado, La Fortunata recogió las flores. Se aproximó a las jaulas indeciso, arrancando pétalos. Los dos oficiales se menearon inquietos. "Ese maricón de poca monta, bugarrón, cundango mamagüebo", murmuró el superior mientras se mondaba los dientes, "le hicimos el gran favor de convertirlo en Varón del cementerio, y mira con qué moneda nos paga". "Hubiera sido mejor no despellejarlo, que se quedara en su pendejo oficio de conseguir vírgenes para el Perínclito y sus funcionarios", corroboró el subalterno a la vez que removía el culo en el asiento, "o hubiéramos desaparecido su cadáver, para que se lo comieran los puercos del monte". "Ese es el problema de hacer favores", pontificó el letrado.

Fortune rota volvitur: descendo minoratus; alter in altum tollitur nimis exaltatus, continuaron los tenores y bajos, encadenados a un ostinato sin fin bajo la orquestación del diablo. La Fortunata arrancó el pétalo de la última flor y, fingiendo estar vencido por la sentencia del azar, se acercó a unos barrotes y se inclinó con una venia. Los desmembrados, acostumbrados a los caprichos del Varón, en principio quedaron estupefactos; luego sacaron angustiados los brazos y se aferraron a la generosa cabellera. Pronto se desengañaron al advertir, cuando tenían los pelos en las manos, que el Varón era calvo y que aquella larga cabellera era una peluca. El afeminado rio desternillado. "Pero esto ya marca el final", susurró la muchacha. El inspector, sobrecogido por su aroma de rosas, pensó acercársele. Ante una sutil señal del letrado, los dos oficiales golpearon el suelo y gritaron: "¡Farsantes! ¡Lo que el tiempo se llevó ya nada lo devuelve!" La Fortunata se puso de pie y volteó iracundo el rostro hacia los que habían voceado. "¡En este cementerio quien ordena las cosas soy yo, no el tiempo!", determinó. Provocador y enfurecido, empujó las carretas contra los barrotes. En seguida abrió los candados de las jaulas y se puso a emitir gritos enajenados. El diablo frotaba con energía las cuerdas del violín, produciendo una estampida de voces e instrumentos que avanzaban locos y ciegos hacia el precipicio de la noche. *Rex sede in vertice caveat ruinam! Nam sub axe legimus Hecubam reginam.* Los negros desmembrados salieron presto a encontrar sus brazos cercenados. Los dos oficiales protestaban airados desde sus asientos. El diablo empujaba a la orquesta en una codetta acelerada y sin retorno. La Fortunata subió a su tumba y vociferaba entre carcajadas de locura: "¿De qué sirve ya? ¡Todos estamos muertos!" El inspector aprovechó el revuelo para abordar a la muchacha, atraído por su hermoso perfil y por su aliento de rosas. Tocó la mano blanquísima que ella mantuviera inmóvil sobre el descanso de mármol. Sintió un profundo escalofrío al contacto con la piel. Extrañado, se colocó a su lado. En ese instante descubrió que el pecho de la muchacha estaba abierto por una cuchilla y en el interior del hueco había un corazón salpicado con inscripciones de oro.

XI, 10 / JARDÍN EXTRAMUROS. Marco Polo

En medio de su asombro, el inspector soñó que caía dormido y entonces soñó que despertaba y volvía a soñar que se levantaba y salía del camposanto. El paisaje ahora era húmedo y seco. Sus pies se arrastraban por vastos caminos de arena mojada. Tras bajar de un montículo, se encontró con un hombre montado sobre la ojiva de un camello. Se llamaba Marco Polo.

"La Princesa de Jade acaba de morir —le notificó apenado, tras bajar del animal—. Pero no temas, que yo conozco estos caminos mejor que la palma de mi mano y estoy dispuesto a conducirte hasta donde están las puertas del Reino de las Tinieblas. Si avanzamos con diligencia, llegarás a tiempo para reunirte con el Rey de la Muerte, a quien pedirás que la regrese al Reino de la Luz".

El inspector lo siguió por el desierto interminable. La primavera y el otoño se sucedieron muchas veces, sin hacer que la atmósfera húmeda y sombría cambiara. Los viajantes pasaban por pueblos remotos en los que no permanecían más de una noche. Durante las largas caminatas, Marco Polo le contaba las características y costumbres de los pueblos que quedaban tras una montaña o al borde de un camino. "Deberías escribir un libro con todo lo que has visto", sugirió el inspector. "No se me había ocurrido, pero es una buena idea. Los ejemplares se podrían vender a muy buen precio en los pueblos cristianos", comentó el guía, y continuó narrando las costumbres de los territorios por los que pasaban.

"Thanque es una provincia a la entrada de aquella montaña que está entre el oriente y el aquilón. Sus habitantes son cristianos nestorianos y se destacan en la fabricación y manejo de cuchillos. Gustan de las pendencias, del licor de arroz y de los gallos, los cuales adiestran para la lidia. Están bajo la regla del abominable Karrancho, un rey despiadado que los conduce a la ingesta de alcohol y al deseo de carne. Cuando los viajantes incautos cruzan por sus tierras, que son escasamente premiadas por la naturaleza, los nativos hacen por arte del demonio que se turbie el aire y roban sus asnos y camellos cargados de vituallas, para lo cual provocan no pequeño descalabro. Sus casas son pobres. Cuando se enferman, están condenados a morir porque para ellos no existe la provisión del medicamento. Algunos son fieles al Papa.

"Guabái es una ciudad que dista de Thanque siete jornadas. Sus habitantes son gentiles jacobitas; unos idolatran imágenes y otros guardan la ley de Mahoma. Semejante a los ciudadanos de esta parte del mundo, se alimentan de arroz, habichuela y carne, aunque por lo regular permanecen sin yantar, porque su tierra está dañada de pobreza. Los hombres son flacos y entre sus mujeres es reputada como la más galana la que de la cintura para abajo muestra mayor grosor. Son regidos por la mano de una proterva emperatriz, coronada bajo el nombre de Fransi Ka Kemakloche, que los guía por los senderos pecaminosos de la fornicación de alquiler. Cuando un extranjero se hospeda en la casa de alguno de Guabái, este lo recibe con júbilo y ordena que su hija sirva al extranjero como si fuera su esposa. Pero una vez terminada la visita, el viajero es sometido a un ritual que consiste en cortarle su parte de vergüenza, y esta es luego disecada y colgada en el dintel. Ellos creen que con esto los dioses de la virilidad traerán mayor fortuna al hogar. Si el extranjero se niega a participar del rito, entonces lo desmembran por la fuerza, y se considera que en estos casos los dioses serán doblemente generosos. También son aficionados al licor y a los gallos de lidia.

"Después de Guabái se encuentra el reino que se llama Tengue, el cual confina al aquilón con el desierto de Sapharraya. Los viajantes deben llevar su propia agua, porque la que hay allí es amarga y produce flujo de vientre, conforme a los malos usos de un canal que pasa cerca de aquella tierra, llamado del Rhiito, que no es uno de los cuatro ríos del paraíso. Los habitantes tienen su propia lengua. Sus casas fueron construidas de materiales pobres y así perduran hasta hoy sin apoyo de ningún sostén humano. Allí moran algunos cristianos y otros que observan la ley de Mahoma; los demás vecinos son idólatras y construyen altares para adorar divinidades paganas. Muchos de sus ciudadanos, como en el resto de las provincias de esta parte del mundo, son negros que suelen aborrecer su propia piel. Están bajo la égida de la celebérrima Phefa Kalampín, quien los provee de vestidos y vituallas a cambio de labores carnales. Se dice que en estas regiones hay hombres que son grandísimos bellacos, amigos de peleas, bandoleros y homicidas; pero todas estas perversidades son cometidas bajo los efectos de la droga de la pobreza. En cambio, se afirma que los guerreros y los funcionarios del reino son abominables en estado puro, porque se pervierten por mera codicia y maldad. Los viajantes deben abstenerse de transitar de noche por el Tengue, y también llevar su propia comida".

Los dos viajeros anduvieron después varias jornadas en silencio. Tras cruzar de un cabo a otro varios desiertos, se detuvieron en un campo sembrado. "¿Por qué nos hemos detenido en este paraje solitario?", preguntó el inspector. "Aquí termina tu viaje —notificó el guía—. Tienes que coger dos melones de los que hay aquí sembrados y llevarlos a Yama, el Rey de la Muerte, para que devuelva la vida a la Princesa de Jade". Y no bien hubo dicho esto, cuando espoleó el camello y se fue alejando hasta desvanecerse tras un manto de arena levantado por el viento.

XI, 11 / JARDÍN EXTRAMUROS. El Reino de las Tinieblas

El inspector tomó, de un viejo carretón, dos melones jugosos, de muy dulce olor, y caminó hacia cualquier dirección. Habiendo avanzado una jornada, cayó en el suelo, herido por un profundo agotamiento. Todo se volvió borroso y lóbrego. Quedó dormido y soñó que retomaba el camino y que, transcurrida otra jornada, volvía a quedar dormido y soñaba que soñaba que soñaba que se encontraba ante una edificación llamada Torre de los Cinco Fénix. Caminó por un extraño paraje en el que las cosas no permanecían fijas en su propia naturaleza, más bien se movían de un lado a otro o se desvanecían de forma intermitente. Se encontró con un hombre arrodillado que lloraba: "Perdóname, gran amador, por haber venido de tan lejos a reunirme contigo". "¿Quién sois", preguntó el inspector, "y por qué habéis venido a reunirte conmigo?" "Mi nombre es Yama, Rey de la Muerte", respondió él, "y hace dos días me enteré del fallecimiento abrupto de la Princesa de Jade. Uno de los diez Jueces de la Muerte me informó que hoy vendría un forastero a rogar que la devolvieran a la vida". "¿Y cómo supisteis que se trataba de mí?", inquirió extrañado. "¡Ah!, por el dulce olor de esas frutas que traes sobre la cabeza. No tenemos aquí perfumados melones del Sur".

Sin abundar en aquella plática, caminaron hacia una puerta sobre cuyo dintel estaba la inscripción "Tribunal de los Reinos de las Tinieblas", escrita con letras de oro. Un demonio de colmillos curvados y rostro azul los condujo a una plataforma verdosa. De inmediato, anunciados por un tintineo de campanillas de jade, en medio de una lluvia de perfumes y con antorchas que producían fuegos de variados colores, aparecieron los diez Jueces de la Muerte. Tan pronto el Primer Juez ocupó su asiento en el salón, sacó una jofaina y se sirvió un vaso de licor de anís. Elaboró sobre un papel la estrategia que sería llevada a cabo para realizar aquella sesión y se reclinó en su silla, con el mentón apoyado en la palma de una mano. Una deidad de rostro dorado, que interpretaba la actitud del magistrado, notició el inicio del proceso.

El inspector, un poco perplejo, explicó que se había enterado de la muerte de una mujer muy hermosa, llamada Princesa de Jade, a la cual el destino no le había dado aún la oportunidad de conocer en persona. Fue de la opinión de que, habiendo en el mundo tantas muchachas feas, no era justo que las tan hermosas tuvieran que fallecer. "En virtud de tal razonamiento, os ruego, arrodillado, que la devolváis al Reino de la Luz", concluyó. Después tomaron su turno los fiscales y los abogados. El Juez los escuchaba parsimonioso mientras bebía vasos de anís; cuando tenía algo que añadir o preguntar, lo susurraba a la deidad de rostro dorado, la cual lo transmitía al resto de la sala. Al final, pensó que no obtendría ningún beneficio al acceder a la petición del forastero. Mas en ese instante, Yama, el Rey de la Muerte, carraspeó y comentó, fuera de orden, como sin ninguna intención: "El forastero trae dulces melones del Sur". El Juez olfateó el aire y descubrió que el dulce aroma que desde hacía rato percibía era proveniente de dos jugosos melones que el hombre traía sobre la cabeza. Se tomó otro vaso de anís e hizo llamar al encargado de los archivos de la Corte de la Muerte. El funcionario, que era de movimientos cansinos, voz apagada y rostro amarillo, más amarillento que el de un viejo archivista de biblioteca, acercose con el Registro de la Muerte. Tras una larga y minuciosa búsqueda, halló a la muchacha bajo el encabezado "Alma 2870", donde estaba su nombre seguido por los siguientes datos: "Parentesco: criatura natural. Descripción: mujer de belleza en extremo. Lapso de vida: inmortal". Este registro fue leído en voz alta y, convencidos de que el fallecimiento de la muchacha había acaecido por error, el Tribunal impartió instrucciones para que el alma de la Princesa de Jade fuera bajada a la tierra y vuelta a colocar en su antiguo cuerpo.

Aliviado por la decisión y agotado por el largo viaje, el forastero tomó asiento y entrecerró los ojos soñoliento. Los perfumados vapores del salón le hicieron soñar que caminaba por una estepa de árboles aromáticos. Las esencias vegetales lo durmieron y entonces soñó que llegaba a un bosque de oro. Merodeó encantado entre árboles y pájaros dorados, todos mecidos por un viento suave que esparcía polvo de oro sobre el paisaje. Caminó por la orilla de un lago reluciente, sobre el cual se posaba una luna perfecta, semejante a una perla inmensa, que flotaba en las ondas del agua. De pronto descubrió en la otra orilla a una joven recostada sobre una alfombra de césped, con una mano posada en la pelambre azabachada de un gato. Era la Princesa de Jade. Sin darse cuenta cómo cruzó la corriente, se encontró del otro lado junto a la muchacha. La contempló largamente, extasiado, y susurró las siguientes palabras: "Ya no estás muerta, sino dormida". Y la Princesa de Jade abrió los ojos y se sentó en el césped. Luego miró al hombre, lo reflejó con intensidad en el fondo de sus ojos dorados. Cuando a través de la mirada se pusieron de acuerdo para tocarse, una esclava salió apurada de los matorrales y llamó a la joven. Y en ese preciso instante también oyó que desde fuera de este sueño lo llamaban. "Despierta, que ya hemos terminado", le dijo Yama, el Rey de la Muerte, mientras le tocaba el hombro.

Finalizado el proceso, el Primer Juez se tomó otro vaso de anís y pidió, por medio de la deidad de rostro dorado, que el forastero depositara en secretaría los dos olorosos melones. En ese punto sucedió que el inspector, cansado por el intenso proceso y molesto porque lo habían despertado, sintió ánimos de venganza. "Esta vaina se maneja como en mi país", censuró despectivo, "donde para cualquier minucia hay que hacer un papeleo burocrático interminable y, al final, todo se resuelve con sobornos. De manera que sólo os voy a dar un melón, y aun eso que doy es mucho". El Juez susurró algo a la deidad de rostro dorado. "Que deje el melón y vaya en paz", dijo en voz alta la deidad, transmitiendo fielmente las palabras del magistrado, "y que no coma nada que halle tirado en el suelo, porque andan envenenando".

El inspector entregó un melón y bajó a la tierra, ansioso de encontrarse con la muchacha. Cuando la mayoría de funcionarios se hubo retirado de la Corte, el Primer Juez llamó aparte al encargado de archivos y le quitó de las manos el Registro de la Muerte. Buscó la página de la Princesa de Jade y con un pincel cambió el dato que decía "inmortal" por una fecha temporal no muy lejana. El encargado se quejó, estupefacto. "No es posible", dijo, "que un juez modifique a su antojo los registros". El magistrado se tomó despreocupado otro vaso de anís y susurró unas palabras en lenguaje hermético.

"Que quien hace la ley, hace la trampa", tradujo en voz alta la deidad de rostro dorado.

XI, 12 / JARDÍN DE ORO. La Princesa de Jade venida de la muerte

Nuestro corazón nos abate
y nunca conoceremos el camino del cielo
ni el final de todas las cosas.
Eastern Shame Girl

Durante el séptimo año del período Hung Chih de la dinastía Ming, vivía en Shanxi una joven hermosa en extremo, llamada Princesa de Jade, la cual había muerto. Sin embargo, por regalo de las deidades, revivió días después más encantadora y embellecida. Los vecinos afirmaban que ahora el dorado de sus ojos era más luminoso, sus labios semejaban fresas del paraíso y su rostro parecía un loto cultivado en las huertas del cielo; esto hacía que la muchacha luciera una belleza sobrenatural. Los familiares celebraron regocijados el retorno de su pariente y de inmediato fijaron la fecha de las nupcias con su antiguo prometido.

A eso de la tercera luna de aquel año, se hospedó en uno de los burdeles de Shanxi un extranjero de piel desteñida y pelo acicalado con rareza. Vestía chaqueta y zapatos de cuero. Su primer nombre era Travolta, pero le llamaban el Inspector, y caminaba dando saltitos parecidos a los de un orangután. Hay que explicar que andaba de esta manera porque entre los escolares del país de los bárbaros existe la creencia de que ellos son una especie de monos evolucionados, tres grados inferior a la raza de los hombres. De manera que el Inspector se asemejaba a aquel mono disfrazado que imitaba el habla y las maneras de la gente, del que nos contara Wu Ch'éngén.

Tan pronto se hospedó, el forastero empezó a deambular por los pabellones y mercados, para recolectar información acerca de la Princesa de Jade. Una tarde se encontró casualmente con su esclava favorita, que recibía el nombre de Tu. Le rogó que le diera noticias sobre la hermosa joven. La criada, quien traía el rostro cubierto por un velo de seda, se negó a comentar con extraños los asuntos de su ama. El hombre comprendió que debía comprar el favor. Sacó del talego un melón.

—Este melón tiene un valor inapreciable —reveló, acariciándolo, mientras veía la admiración reflejada en los ojos de la criada—. Estaba destinado a los jueces del otro mundo, pero preferí traerlo a la tierra conmigo. Será vuestro si me habláis de vuestra ama y le dais mis saludos.

La esclava Tu contempló la fruta en silencio.

—En verdad —logró decir—, sería yo injusta si aceptara tan alto regalo a cambio de un favor que me cuesta tan poco. Quizá en otra ocasión podría aceptarlo. Esta vez me conformaría con algo menos sublime... digamos dos mil onzas de plata.

El Inspector, a regañadientes, acordó entregarle esa suma. Ella sugirió que le pagara por adelantado. Mientras comprobaba la calidad del metal, le prometió que a la mañana siguiente se encontrarían en ese mismo lugar, por si tenía algún mensaje para él. Le advirtió que dentro de dos días su ama celebraría los ritos del matrimonio.

Pasó la tarde. Entró la noche. Vino la luna y horas después quedó desvanecida bajo los candentes rayos del sol. El hombre esperó desde muy temprano la llegada de la criada. Se juntaron antes del mediodía. Ella le informó que la Princesa de Jade se había sentido complacida con el saludo y que le gustaría reunirse con él en algún sitio discreto; sin embargo, decía, tal cita sería imposible, debido a que estaba comprometida para casarse al siguiente día. El Inspector se sobrecogió impotente. Le rogó a la esclava que hiciera lo posible por arreglar para ellos una reunión. Ella se negó, con el alegato de que se trataba de un asunto difícil y en extremo delicado. El hombre, para convencerla, comentó:

—Si logréis que nos juntemos, estaréis haciendo un favor de grandes dimensiones... por lo que seríais buena merecedora de este valioso melón.

La esclava Tu sonrió encantada. Estuvo de acuerdo con que su encomienda merecía un pago superior. ¿Y qué mejor que un dulce melón traído desde el mismo cielo?

—Diez mil onzas de plata, además del melón... —determinó la criada—. El metal, que es muy inferior a la fruta, lo exijo para que los cielos no vayan a indignarse conmigo, al pensar que sólo persigo los regalos que a ellos son debidos...

El hombre trató de conseguir una rebaja.

—Aquí tenéis el melón... y las onzas de plata —refunfuñó, tras regatear en vano—. Decidme ahora en qué consiste el plan.

La mujer se tomó su tiempo para pesar el metal.

—Esto es lo que sucederá: os haréis pasar por bonzo y la esperaréis en la celda de cierto monasterio, ubicado en un lugar del que más tarde os informaré. Yo me encargaré de que ella os visite en dicho lugar.

—¿De bonzo? —preguntó desconcertado—. Pero si no tengo ni la más remota idea de cómo hacer eso...

—Dejad eso en mis manos. Yo tengo un amigo budista que, por una modesta cantidad, os prestará el vestido y os enseñará las maneras de los monjes. Lo enviaré esta tarde al burdel en que os hospedáis. Él también os indicará el lugar donde debéis esperar a la Princesa de Jade.

El Inspector, que veía en este extraño plan la única manera de verse con la hermosa muchacha, no tuvo más remedio que aceptar. La esclava Tu guardó el bolsillo de plata y tomó el melón. "En verdad, esta fruta ha de tener un valor incalculable... ¡No sé qué hacer con ella!", dijo, mientras se retiraba agitada. El hombre se dio cuenta de que la criada se detuvo en el puesto de un mercader de legumbres y vendió el melón por diez monedas de cobre.

En la tarde, un bonzo entró con discreción al burdel. Lo condujeron sin demora a una habitación. El Inspector lo recibió con un apretón de manos, según es uso entre los bárbaros. El monje se apartó de él tras el saludo y, fingiendo que se ponía de frente al poniente para entonar una oración, se sacó de la túnica una botellita que contenía un líquido purificador y se lavó la mano. Acto seguido hizo que el anfitrión se pusiera un atuendo anaranjado y algunas prendas. Luego le enseñó a hacer las reverencias más usuales. Mientras su pupilo practicaba las maneras, el bonzo se decía: *¿Tú ves, que cualquier imbécil bien afeitado puede hacerse pasar por santo?*, y ese otro que moraba en su interior, respondía: *Así es, así es.* Tras practicar durante dos horas, el monje le explicó el lugar donde se encontraba el Monasterio del Loto de Jaspe. Le indicó que lo esperaría junto a la capilla principal al caer la tarde, para indicarle la celda en que la Princesa de Jade aguardaba. Después se guardó el bolsillo de dinero que recibiera como pago. El forastero se acercó para despedirlo con otro apretón de manos, pero el bonzo, adivinando su intención, inclinó reverente la cabeza y se retiró de la habitación.

Las luces del atardecer caían vueltas jirones dorados sobre el hueco que el sol iba dejando. El templo se levantaba en medio del bosque con sus muros bermellones y su fachada decorada con una tableta de preciosas flores doradas en la que, con signos de oro, estaba escrito: "Monasterio del Loto de Jaspe". El falso monje logró entrar sin inconvenientes, pues era difícil distinguirlo de uno verdadero. Según lo acordado, entró a la capilla principal, donde quemó algunos palitos de incienso y luego se postró ante la divinidad Fo a consultar las varitas de adivinación. Después pasó a una pequeña sala, en torno a la cual había varias celdas. Se sirvió té. El bonzo que lo adiestrara en las maneras del monasterio se le acercó y, rechazando con desprecio un apretón de manos, le señaló la celda en que la muchacha supuestamente permanecía en oración para implorar la protección de la diosa Kwan-yin.

Al sonar la hora de la primera vela, el falso monje empujó la puerta de la celda. La Princesa de Jade yacía postrada en el lecho, acariciando la pelambre azabachada de su gato, sumida en un dulce abandono. Las paredes y el techo estaban pintadas con flores y el piso lucía cubierto por una alfombra verde. Sobre una mesa cubierta de zapatillas bordadas, una imagen atiborrada de collares era alumbrada por los incontables cirios que colgaban de los candelabros. El espacio permanecía lleno de oloroso incienso. En la pared que daba al jardín sembrado de acacias, una pequeña ventana enmarcaba la imagen de la luna. Oculta tras una mampara, la esclava Tu observaba a los amantes.

Hay un tiempo en que los amantes deben permanecer en silencio, porque una sola palabra sería capaz de postergar infinitamente el lance amoroso. Conocedores de este antiguo dicho, el Inspector y la Princesa de Jade se aproximaron ansiosos. Se encontraron en el borde del lecho. Él la deseaba desde hacía mucho tiempo, mientras que ella anhelaba estar a su lado desde que lo viera al final de un extraño sueño. Los dos estaban en trance. La muchacha acercó sus labios. De su boca brotó un perfume embriagador que insufló en el hombre un calorcillo delicioso. Ella quería implorarle que, en el lance amoroso, dejara intacto el cirio que llameaba bajo su vientre, porque sin dudas en la noche nupcial su esposo querría iluminarse con la primera luz que brotara de su flama. Sin darle tiempo a hablar ni pedir nada con los ojos, el amante la asió fuerte y la tiró en la cama boca abajo. Le levantó la túnica hasta las caderas, le desgarró las ropas interiores y la penetró, con todas sus consecuencias, por la apagada lámpara trasera. Sin hacer ninguna otra caricia, mientras la apretaba con furia apasionada por la cintura o los hombros, el monje embestía a la piadosa virgen por la parte trasera. La gata se lamía la pelambre desde un cojín y los miraba, mientras que la esclava Tu hacía lo propio desde la mampara. La Princesa de Jade, ora extasiada por el profundo placer, ora regocijada porque el amante había dejado intacta su virginidad, con graves dificultades para reprimir los suspiros, apenas lograba susurrar: "¡Qué rituales tan obscuros tienen los hombres del país de los bárbaros!" En esta ceremonia duraron largo rato, hasta que la lámpara trasera estuvo de tal manera rebozada de aceite, que quemó de pasión el objeto que penetraba su llama. El monje lanzó al fin una exhalación amordazada y luego quedó dormido a un lado de la muchacha. Despertó y, tras un prolongado silencio, él recuperó la voz y, ablandado por el trance de la pasión, susurró:

—Te amo.

Y la Princesa de Jade le dijo:

—Entonces estás perdido...

Se inclinó intrigado. El cobertor estaba vacío. La luna se apagó de repente, como si sufriera una avería, y en su lugar quedaron apenas unos cuantos pabilos encendidos. Las paredes del cuarto y las imágenes del monasterio se desvanecieron en la penumbra. Se levantó de la cama extrañado. El dulce olor del incienso había desaparecido y su lugar era ocupado ahora por una peste de ratas podridas. El calor lo hacía sudar de pies a cabeza. Pronto descubrió que se encontraba en los pasillos del burdel, alumbrados por velas a falta de energía eléctrica. Buscó en vano entre los rincones pestilentes y brunos, a ver si encontraba algún rastro de la princesa desvanecida. Decepcionado, bajó por la escalera.

La Maura lo vio aparecer en el primer peldaño. Tan pronto notó que, no obstante haber durado algunos diez minutos en la segunda planta, el inspector venía como con diez años de más, la ropa raída, los pelos crecidos, el semblante mustio y la mirada teñida de un dorado intenso, ella adivinó que diría algo parecido a: "En la segunda planta hay un bosque". Y acaeció de esa misma manera.

LIBRO DUODÉCIMO

LA ZARZA ARDIENDO

XII, 1 / CIUDAD INTRAMUROS. Las huestes del Señor

Por aquel tiempo, las desgracias asediaban el burdel. Las damas de la flor y nata movían sus influencias en las instituciones públicas para que le suspendieran los servicios de basura, agua y energía eléctrica. Así, el camión del Ayuntamiento pasaba por la edificación sin detenerse a recoger del frente los sacos de basura, y dos o tres horas después los inspectores municipales ponían al chino una multa por acumular desperdicios en la acera. Sin embargo, Changsán no cerraba ni daba a sus enemigos el gusto de que lo vieran preocupado, sino que subía a su cuarto y se drogaba con cualquier cosa. Cuando cortaban la energía eléctrica, se reía irónico y explicaba a través de Lù-shi que, de cualquier modo, en la ciudad casi nunca había luz. Después le daba una o dos botellas de ron a algún electricista para que conectara de manera fraudulenta los cables cortados. Acto seguido venían los empleados de la corporación y le ponían una sanción por robarse la energía eléctrica. El día que suspendieron el servicio de agua, le dio un ataque de risa porque afirmaba que en los quince años que llevaba en aquel edificio, por las tuberías nunca llegó algo similar a la humedad. Vinieron al día siguiente dos supervisores del acueducto e, inventándose que en el local habían hecho una conexión ilegal con las cañerías, lo penalizaron. Las multas se acumulaban bajo la caja registradora, ajadas y durmiendo el sueño del olvido, sin que el chino se animara a pagarlas.

Por su parte, el padre Cándido azuzaba desde su silla de ruedas para que se levantaran vigilias y campañas de oración. Aunque el obispo y el párroco de la catedral no daban su bendición a estas actividades, el clérigo utilizaba sus influencias y la autoridad de los años para unir voluntades en contra del burdel. Logró que se organizara una manifestación multitudinaria con católicos de la parroquia y refuerzos reclutados en los campos y distritos municipales aledaños, la cual se desparramó como río de agua viva sobre la explanada grisácea del parque bajo la empañada luz de la luna.

Pueblo mío, ¿qué te he hecho?, ¿en qué te he ofendido? ¡Respóndeme!, cantaba con lánguido fervor la muchedumbre, triste hasta la muerte, mientras empuñaba rosarios y velas encendidas y levantaba sus ojos apesadumbrados hacia el cielo, azuzada a través del altoparlante por la voz de locutor frustrado del Indio, quien vociferaba: "¡Ha llegado el tiempo de cerrar esa Sodoma en miniatura!". *Yo te saqué de Egipto y por cuarenta años te guié en el desierto...* La gente llegaba a pie, en guaguas, a caballo desde los parajes más lejanos para unirse a la cruzada, cargada con santos de yeso o litografías ajadas, y de inmediato se integraba a los cantos, al son de los güiros y las panderetas. *Yo te libré del mar, te di a beber del agua que manaba de la roca...* La muchedumbre tiene esta propiedad, que se multiplica por sí misma. Es una fuerza de atracción. Por eso, los curiosos que pasaban por la calle cruzaban al parque y se confundían entre los feligreses. *Yo te llevé a tu tierra, por ti vencí a los reyes de los pueblos cananeos...* No tardaron en alistarse los carteristas, con su andar como idos de sí y su nunca mirar hacia abajo. Se unió también una falange de heladeros, feriantes de fritanga, pregoneros de naranja china. La retaguardia fue cubierta por un batallón de vendedores de velas, santos y escapularios, quienes bajo la luna de febrero hacían su agosto. *Yo te hice poderoso, estando yo a tu lado derroté a tus enemigos, tú hiciste una cruz para tu Salvador...* cantaba el Indio por el altoparlante, desafinado y cortando el ritmo para insertar maldiciones contra la gran ramera que, a la sazón, era el burdel. Todos: *Pueblo mío, ¿qué te he hecho?, ¿en qué te he ofendido? ¡Respóndeme!*

Desde la alta ventana de la empinada torre de la elevada catedral, el padre Cándido, acompañado del padre Ponciano, contemplaba su rebaño. Entonaba cánticos, intercalaba jaculatorias en latín, seguía los coros. De vez en cuando miraba a su ahijado y comentaba conmovido: "He ahí las hordas del Señor", a lo cual el joven clérigo respondía con un gesto de admiración. *Pues se ven un poco abolladas estas huestes, Ponciano, se decía, parecen un ejército de indigentes, pero derrotado. No te burles: lo que pasa es que estamos en carnaval y algunos han venido con sus disfraces, le susurró en su interior Ponciano. ¡Ah, bueno! Ahora empiezo a entender... Mira a aquel viejo, el de los brazos abiertos, que trae una bandera nacional de papel descolorido; mira la vieja que está a su lado con el pelo peinado con aceite de higuereta y el rostro embarrado de colorete; y qué dices de aquel moreno, que más que cantar parece que berrea y al abrir la boca se le alcanza a ver la muela del juicio final; y échale un ojo a aquella barra de negros más prietos que el carbón, con las encías moradas y los dientes como teclas de un piano circular; y observa a aquel que va pasando de un lado a otro, vestido con los colores de la bandera nacional y cargando una estampa de la Virgen de la Altagracia mientras bebe tragos de ron... creo que es la Patria; y qué me dices de aquellas mujeres que zarandean lamparillas de lata frente al viejo cojo que tiene espejuelos de concha de carey y parece rezar una letanía del almanaque Bristol. ¡Basta, Ponciano!, le dijo en silencio Ponciano, te has convertido en un crítico de esta pobre gente. ¡Porque apoyo lo que tú dijiste sobre que estamos en carnaval!, se contestó. ¡Ay, Ponciano!, tú con tus cosas... Eres incorregible,* concluyó Ponciano para sí, antes de integrarse al gloriapatri. El anciano hizo una pausa; sinuosamente se llevó la mano a la boca para toser y aprovechó para tirarse en la caja de dientes un pedacito de chocolate. Sin haber leído el pensamiento del joven clérigo, señaló hacia la difusa muchedumbre: "Esas santas hordas que veis allí, que en poco distan de los cristianos de los primeros tiempos o de los fieles medievales, así como están, un tanto alicaídas y diezmadas, han sido capaces de transformar y sostener la historia del mundo". Después de concluido el rosario, pidió a su ahijado que lo bajara un momento al parque. Cuando empezaron a desplazarse por las losetas grises, el viejo clérigo sintió que la ciudad palpitaba al ritmo de un corazón.

Entretanto, en el interior del burdel el barullo de los feligreses se superponía al rumor y a la vellonera. Más que mortificados, los clientes estaban fastidiados por ese insistente cantar que les amargaba la noche. A eso de las nueve se escuchó un grito de mujer, cristalino, atormentado, que provenía de la segunda planta. Había sucedido lo siguiente: Mónica salió del cuarto a buscar una funda de hielo. Cuando caminaba por el penumbroso pasillo, a sus oídos llegó el zumbido de un objeto que cruzaba por el aire. Se quedó impávida. La luz de la lámpara le permitió vislumbrar cucarachas sombrías que volaban ruidosas de un extremo a otro, desordenadas. Decenas de cucarachas en celo realizaban su vuelo nupcial por los rincones del burdel. En ese momento varios de los insectos le cayeron en el cabello y liaron las patas y las alas entre las hebras. Ella gritó desgañitada. Así irrumpió en el burdel la tercera de las pestes, que fue de cucarachas obscenas.

La silla de ruedas se desplazaba sobre los bloques de granito que cubrían el suelo. El padre Cándido se acercó al Indio, quien estaba colocado a la izquierda de un diácono. Le dio conmovido unas palmaditas en la espalda sin decir media palabra.

El padre Ponciano aprovechó para apartarse un momento. Antes de bajar al parque, se había tomado dos analgésicos para el dolor de cabeza. El no estar vestido con la sotana le ayudaba a pasar desapercibido entre la muchedumbre. Era un hombre de constitución recia. Su piel no era india ni negra, sino un mestizaje formado de ambos pigmentos, desteñida por los inviernos de Europa. En su cabeza redonda, coronada por una capota de pelo duro, se destacaban los pómulos puntiagudos, la nariz chata, los labios gruesos, la dentadura saludable, el mentón macizo, ordenados bajo una expresión severa. Por sus ojillos negros y hundidos en el fondo de las cuencas, de víbora, brotaba un brillo empantanado. Sus manos estaban bien cuidadas, aunque eran gruesas y brutales, como las de un ordeñador al que acaban de hacerle la manicura. Observándolo en frío y sin pasiones, cualquiera podría llegar a la conclusión de que, de no haber sido ordenado sacerdote, hubiera terminado siendo asesino o ayudante de carnicería o, con mejor suerte, una gloria pasajera del pugilismo municipal.

Se reclinó en una columna de la glorieta. Observó el edificio del burdel. Le agradaba la estructura, que era una especie de híbrido arquitectónico con notables reminiscencias victorianas. La vista se le empañó y la cabeza empezó a darle vueltas. Pensó que no debió tomar esos calmantes fabricados en el país sin ningún control de calidad. Se sentía amodorrado. En medio de este estado miró hacia uno de los balcones del burdel y he aquí que sus ojos se encontraron con una visión insólita. Una hermosa muchacha de rasgos orientales, de brillantes ojos dorados, lo observaba. Estaba ataviada con un precioso vestido azul, parada bajo la sombra rosada de una sombrilla. Había detrás de ella algo parecido al tapiz de un ciruelo en flor. Después la muchacha puso gran pesadumbre en las pupilas y, mordiéndose los labios, desapareció del balcón. El padre Ponciano quedó con el alma en vilo. Esa mirada lo quemó. Estupefacto, movió una de las piernas, incrédulo; agitó la otra y no tuvo dudas de que —por encima de las oraciones y los cánticos piadosos— en su organismo acababa de acaecer un fenómeno mundanal y telúrico: se le había parado el güebo.

XII, 2 / CATEDRAL. La profanación del templo

La mañana del martes tendía los velos del sol sobre los santos de la catedral. El padre Cándido, con la estampa del Beato disimulada bajo el abrigo y con el espíritu fresco —recién acababa de pasearse por el capítulo ciento cuarenta y nueve del *Prado espiritual*—, comulgaba la *Homilía treinta y seis* de san Juan Crisóstomo, en acción de gracias por el triunfo de la vigilia celebrada la noche anterior contra los burdelianos. Cuando hubo terminado y hojeaba el tomo tercero del libro de Surio que refiere la vida de san Gregorio Nazianzeno escrita por Gregorio Presbítero, tuvo un sueño maravilloso. Le parecía estar ante la ventana de la torre y que dos hermosísimas mujeres se le sentaban a ambos lados y le hacían grandes caricias y amores; él, algo enojado de ver su desenvoltura, preguntoles sus nombres y cuáles eran sus intenciones. Respondiéronle: "No te pese, oh Cándido, que te hagamos caricias y nos juntemos contigo, porque has de saber que la una de nosotras es la Sabiduría y la otra, la Castidad, y hanos enviado Dios a ti para que toda tu vida te acompañemos y tengamos contigo buena amistad". Y quedó él con estas palabras contentísimo.

Despertó con una sensación de arrobo gozoso en el alma. Entonces vio penetrar por la ventana una criatura de cantar cristalino, muy colorida de alas, semejante a una avecilla del cielo. De repente la preciosa criatura se transmutó en una figura de rasgos carnavalescos. Era un ser con máscara caprina, rabo luengo, sonrisa maliciosa, tridente recién amolado y tufillo a azufre.

—¡El mismo diablo en persona! —masculló perplejo el clérigo.

"El mismo que viste y calza —confirmó el Pájaro Malo, con voz pausada, en medio de una venia—. Buenos y santos días, padre".

El clérigo lo examinó incrédulo.

—No, no podéis ser Lucifer... No os atreveríais. Seguro sois alguno de esos demonios que se disfrazan de vos en el carnaval. O algún brujo embustero...

"Yo también soy el que soy. Mas si te dijera que soy Satanás, dirías que Satanás es un mentiroso y que, por tanto, no estoy diciendo la verdad. Pero si no estuviera diciendo la verdad, entonces yo sería el diablo, por ser mentiroso; empero, siendo yo mentiroso, tú no podrías creer que yo soy Satanás, porque Satanás siempre miente... y siguiendo ese aburrido sofisma, el cual sé que aprendiste leyendo a escondidas a Cabodevilla mientras digerías cajas enteras de chocolate, nos pasaríamos aquí horas muertas sin lograr ponernos de acuerdo. De todos modos, te mostraré una prueba mínima de mi poder, y espero que eso no te dé pie a considerarme un vulgar brujo".

Y habiendo dicho esto, se multiplicó hasta llenar todo el espacio con su imagen, a la vez que convertía el aire del cuarto en una irrespirable masa de azufre. Después se replegó en sí mismo. El sacerdote, seguro de encontrarse ante el Enemigo Malo, desenroscó una botella de agua bendita y empapó un crucifijo con el líquido santo.

—¡Vade retro! —ordenó, con la poderosa voz de un exorcista, mientras acercaba esforzado la silla de ruedas al Dragón Maligno y lo salpicaba de agua bendita— In nomine Domini nostri Iesu Christi.

El diablo quedó pasmado al recibir la embestida celestial.

"¡Coño, Cándido! —exclamó, aún perplejo, secándose con la capa y sin mudar de sitio— ¿Todavía a estas alturas estás tú creyendo esas pendejadas?"

El clérigo quedó atónito, en una pieza.

—No olvidéis aquella ocasión, cuando niño… —rememoró amenazador, tras reponerse un poco— Vos andabais suelto por el pueblo, en cuaresma, y yo logré amarraros atando con fe dos briznas de hierba...

El diablo fingió que hacía memoria.

"En aquel tiempo yo era un niño... Ahora no hay cadenas que me amarren".

—¡De mí no conseguiréis nada! ¿Qué buscáis aquí?

"Te quiero conmigo, Cándido —reveló el Enemigo del Hombre. Contrario a lo que algunos fantasiosos podrían pensar, no expresó estas palabras con timbre fúnebre; lo hizo muy pausado, casi dulcemente, apenas dejando escapar el aire de los pulmones, como suelen hablar ciertas mujeres cuando han vivido varios años en Suiza—. Tengo en el infierno un horno nuevo, alimentado con leña nuclear, y te necesito para que manejes el fuelle".

El padre Cándido no respondió. Se entregó a sus jaculatorias en latín. Quizá le aliviaba un poco pensar que la burla era una de las propiedades de Lucifer. Dice Salomón en el versículo ocho del capítulo veintinueve de sus *Proverbios*: "Los burlones alborotan la ciudad, pero los sabios apaciguan la cólera". Por otro lado, también existía la posibilidad de que todo aquello fuera un juego de la ociosa imaginación. Cuando terminó de rezar, abrió un ojo y vio que el No-prójimo permanecía allí. Comprendió que no tenía otro camino que enfrentar la prueba y salir airoso.

—Mi alma pertenece sólo al Señor —notificó soberbio—. Yo soy un hombre viejo. He tenido el tiempo de vencer sobre las tentaciones. Mis aparatos para sentir el placer de la carne están estropeados. Perderéis el tiempo obrando en mi caída. Mi alma pertenece sólo al Señor.

El diablo reprobó estas palabras, chasqueando la lengua y negando con la cabeza.

"En la mayor fortaleza de un hombre es justamente donde se encuentra su mayor debilidad. Yo conozco las flaquezas de tu espíritu, *san* Cándido... Para ganar tu alma, voy a trabajarla durante tu vigilia y tu sueño. Voy a mezclarte ambos estados, de tal forma que no podrás distinguir qué es uno y qué es otro. Y te crearé imágenes tentadoras en el limbo del insomnio".

—Pues perderéis vuestro tiempo, diablillo: yo escasamente duermo.

"Me basta con que duermas unos segundos. Has de saber que un segundo del hombre es como un siglo del infierno. Para aprovechar mi visita, pondré sobre este mueble unos chocolates".

Habiendo dicho esto, sacó de la nada una deliciosa, olorosa caja de chocolates y la puso sobre la mesa. El anciano no pudo evitar que sus ojos miraran con curiosidad el paquete, ni que su nariz oliera el cacao azucarado, ni que su paladar se volviera agua. Sin embargo, se repuso con el poder de una oración.

—Sois tan perverso... —masculló, en lucha por refrenar la estampida de sus sentidos, que de nuevo intentaban salir tras la golosina infernal—. Empero debéis saber que estoy dispuesto a enfrentaros, pues soy campo de batalla del Señor. Yo no temo a vuestras artes, ni a ese rostro de mamarracho carnavalesco que tenéis.

El demonio se puso serio. Lentamente se quitó la máscara de diablo y mostró su rostro verdadero. El anciano sacerdote palideció al ver esta imagen.

"¡Atemorízate, Cándido! ¡Asústate! ¡Atérrate! Porque en ti tendrá lugar la batalla más encarnizada que jamás haya acaecido entre Dios y el diablo... Ahora ya puedes despertar".

Y el padre Cándido despertó. Con el alma colgando de un hilo, miró a su alrededor. El cuarto estaba vacío. Descubrió la caja de chocolates que reposaba sobre la mesa. Se acercó cauteloso. Olía tan delicioso. Pero recordó el sueño. Permaneció indeciso un largo rato, sin lograr concentrarse, mortificado por la golosina. Recordó a Calderón: *¿Qué es la vida? Un frenesí. ¿Qué es la vida? Una ilusión, una sombra, una ficción, y el mayor bien es pequeño, que toda la vida es sueño, y* *los sueños sueños son.* Aligerado de ánimos, recordó que esa era la caja de chocolates que, faltando a la discreción, había dejado momentos atrás sobre la mesa. Por si las moscas, decidió santiguarlos antes de comer uno. En efecto, no tenían sabor a hiel ni a mala mies.

Guardó el resto bajo el abrigo. Buscó el libro *Sobre los ocho vicios malvados*, de Evagrio Pontico. Cuando terminó el párrafo primero del capítulo xiv, que trata sobre la acedía, bostezó, se refregó los ojos, estiró los brazos, puso la mirada en la pared y, sin darse cuenta, cayó en un no muy profundo sueño.

La puerta se abrió ruidosamente. En seguida escuchó una voz ronca y terrena: "Hora de la medicina". Antes de que pudiera reaccionar, la monja que lo cuidaba ya le había metido dos cucharadas de jarabe y tres grageas, que sumieron al anciano en una leve modorra. La religiosa rebuscó en el viejo baúl en que él guardaba los recuerdos. Era una mujer que entraba a la curva de la madurez, de ojos marrones y desmesurados, piadosos, cuyas pupilas casi se le caían del rostro, y que solía sollozar con facilidad, en parte porque era como dice el refrán de la gata Flora. La monja puso a girar un disco en el plato de un fonógrafo. La aguja arañaba los canales del elepé y producía un suave ruido de lluvia por encima del cual se empezó a escuchar la música. Los oídos del clérigo fueron invadidos por una tonada sublime, sin embargo terrenal, que brotaba del disco. La reconoció, era *La Tricotea*, de Alonso, una peligrosa pieza que formaba parte del *Cancionero* de los Reyes Católicos. *La Tricotea:* con cuerdas e instrumentos de viento, más un tambor trepidando en el fondo, marcial, señorial, música profana que inicia recordándote el alma con un susurro celestial, herético, y te la desprende para elevarse con ella sobre las nubes, y la estira y la deja caer y amaga que la va a hacer chocar contra el suelo y la rescata justo a flor de tierra, subiendo y bajándola en cabalgata por las montañas del alma, jugando a pasear tu alma por el cielo y el infierno, con sus voces de ángeles caídos, cancelados, suaves y poderosas llevándose otra vez el alma, soltándola desde las nubes y volviéndola a recoger, en una dulcísima angustia que se disuelve en lo infinito. ¿No sería una canción sacada, desterrada, del pentagrama celestial? La música —comprendió el anciano— puede colisionar con el espíritu.

El padre Cándido logró escapar del letargo pecaminoso y volvió a fijar el alma en su sitio. Hizo girar apurado las ruedas de la silla. Ya junto al fonógrafo, lo haló de un tirón y lo lanzó por la ventana. La monja se sorprendió. Había puesto ese disco con la idea de que el anciano se contentaría al volver a escuchar esas canciones. Miró hacia abajo. No vio heridos, las gracias a Dios sean dadas. La acera estaba salpicada por los tornillitos y pedazos de chatarra del aparato. Sobre el elepé, que había caído en la rama de un árbol, unos pajarillos saltaban y trinaban alegres. Le tomó la presión al sacerdote y se marchó del cuarto silenciosa, a punto de sollozar. Una hora después, mandó a buscar al Indio para que lo bajara a la nave principal a oír misa.

Un grupo de mujeres con los rostros cubiertos por velos desgarrados y desteñidos, penetraron a la catedral ataviadas con modestos vestidos de luto, seguidas por un hombre que traía la cabeza humillada hacia el suelo. Se detuvieron en la pila bautismal para persignarse y continuaron por el pasillo central hasta que tomaron asiento frente al altar. El padre Cándido las observó extrañado desde un rincón. La misa estaba poco concurrida. Después de un melódico kirieleisón, las mujeres se pusieron de pie, sofocadas, y se apartaron el velo del rostro; el hombre que las acompañaba levantó por primera vez la cabeza. El viejo clérigo observó estos movimientos. Luego vio con sorpresa que las mujeres se desabrochaban las prendas de vestir y quedaban en paños menores. Y vio que en seguida entraba un grupo de hombres con tambora, maracas y guitarra entonando un merengue lascivo a la vez que fumaban y compartían una botella de ron; tígueres vulgares, insidiosos, burdo collage recortado del *Cristo con la cruz a cuestas* del Bosco. Las mujeres empezaron a danzar, saltaban al altar y, profanando el santo lugar, hacían movimientos de golpe de barriga y de cintura e iban tirando a los músicos las prendas interiores. Las llamas crepitantes de una casa que ardía en las inmediaciones llenaban de luz dorada el templo. El anciano empujó la silla de ruedas, vencido por la ira, para acercarse al hombre que estaba sentado entre las mujeres.

—Permitidme, despiadado jefe, que aquí, en la intimidad con nuestro Dios (no importa que el público nos oiga y nos observe) os cuente, de amigo a enemigo, mis penas íntimas, que en esta ocasión son tan hondas y amargas como no las he sufrido en el pasado, ni creo que puedan ser más intensas en lo futuro, debido a la abominable campaña atea, anticlerical y antisocial que estáis llevando a cabo en forma sacrílega e impía desde vuestro endemoniado burdel —comentó con rabia retenida, en alta voz, mientras hacía girar las ruedas de metal—. ¡Arrodillaos y humillaos ante el Señor, indigno pecador! —le gritó al hombre, ante el desconcierto del clérigo que oficiaba la misa y de los fieles.

El chino quedó estupefacto. Los cueros que lo rodeaban también. Habían venido a la catedral de forma discreta, con la intención de orar por el alma de la difunta. El anciano gritaba furibundo. El Indio, ante una orden de la monja, empujó la silla de ruedas hacia una capilla menor que quedaba junto a la nave principal. Changsán y las mujeres abandonaban la catedral, atónitos, asediados por las amenazas que profería el padre Cándido.

—¿Qué le pasó? —preguntó la religiosa, sollozando.

—No sé —respondió el Indio—. Yo vi que se quedó medio dormido y despertó de un sobresalto. Yo digo que parecen cosas del demonio.

XII, 3 / CIUDAD INTRAMUROS. Del *Tractado del vso de las mugeres*

La silla de ruedas se desplazaba entre suaves chirridos sobre la acera arropada de framboyanes. El Indio la impulsaba con mansedumbre, guiando al padre Cándido hacia una mansión de la ciudad. No sabía el propósito de tal diligencia, ni lo conocería después. El anciano había sido mandado a llamar por su ahijado, el padre Ponciano, quien se encontraba en un estado espiritual delicado. Cuando llegaron al portal de la mansión en que se encontraba hospedado el enfermo del alma, un criado salió a ocuparse de la silla y le pidió al Indio que esperara en la calle.

El viejo clérigo se encontró a solas con su ahijado. Este yacía en la cama afiebrado, con el rostro atribulado, estragado por la lucha interior que en su alma se libraba, aquejado de tentación grave, atormentado por el demonio con imaginaciones carnales malísimas. Antes de entrar en materia espiritual, el joven le recordó cortés que "nadie" debía enterarse del estado en que se encontraba. Duraron cerca de tres horas aplicando bajo la tutela del anciano el tratado quinto, llamado "Ejercicio espiritual", de los *Seis tratados* de san Francisco de Borja, correspondiente al día lunes. En la segunda parte dedicada a "Lo que hacemos con Él", el ahijado abrió de par en par su corazón para desahogarse. Era la mirada —aquella fatídica mirada semejante al oro que había vislumbrado en el balcón del Royal Palace— que lo tenía postrado en tal ansiedad. El padrino escuchó paciente. Le sugirió que los religiosos y castos deben ayunar y ser templados para guardarse de las sustancias que promueven la lujuria, la cual provoca ayuntamiento que entorpece y embota los sentidos. Y hablole también del basilisco, una serpiente que mata con la vista y cuyo aliento es capaz de secar los árboles y quebrar las peñas.

—Porque la mujer es un ser de humores venenosos —
comentó, con el mismo tono que usara décadas atrás al impartir las clases de antropología medieval—. Tan cierto es,
que el Aristóteles escribe que en una ocasión fuele enviada de
la India al Magno Alejandro una doncella que había sido
criada con veneno, para que cuando este la probara muriera
envenenado. Existe la pregunta: ¿por qué siendo las mujeres
tan dañinas, no se infectan a sí mismas?, que tiene la respuesta: porque el tóxico no obra contra sí, igual que en las serpientes. La mujer trae la ponzoña oculta en la sangre y la descarga a través de esa flor inmunda que menstruo llamada es.
La hembra menstruosa, dice el mismo Plinio, enturbia los espejos con sólo su mirada; los vapores tóxicos le suben a la cabeza y se le acumulan en las pupilas, de forma que, al mirar,
infecta el aire y produce el mal de ojo. Por esa razón hay mujeres que matan con la mirada.

Le prescribió que se flagelara con mayor vehemen-
cia, que macerara su carne con ayunos, cilicio y disciplinas,
para que huyera del coito en soledad, el cual, dijo, es muy
dañino porque enfría el estómago y lo diseca. El médico
aprovechó el último apartado dedicado a "Lo que Dios hizo con nosotros", para recordarle que, por haberlo criado,
esperaba que su ahijado se le diera por completo en santidad, así como que hay tres cosas que nunca se hartan: la boca del infierno, la vulva y el fuego. Para finalizar, el doctor
le hizo repetir al enfermo del alma el versículo de Oseas,
que dice: "Tu perdición, Israel, de ti es, mas el socorro y
ayuda de mí te viene".

El padre Cándido le entregó unas lecturas religiosas
para el resto del día y salió del cuarto. Cuando entraba a la
sala, vio que el árabe despedía al sargento y al raso por la portezuela del patio. Pidió reunirse con la cocinera y el doctor
del cuerpo. Estando ante ambos, autoritario, se dirigió de esta guisa a la criada:

—Los alimentos que provocan esperma son los que

abren el cuerpo al calor. Así que deberéis evitar preparar para mi ahijado manjares de carne de cabra, o chivo, que es como aquí se dice en romance; de oveja, gatuanços, peces guisados, huevos frescos, gorriones, palominos. Y lo que cocinéis para él en la hornilla no debe ser sazonado con cebolla, la cual alcahueta del coito es, garbanzos, la hierba que se dice enula, anís, hinojo, almendra, avellana, menta, oruga, yerbabuena ni uvas, porque multiplican la ventosidad y la repleción y mueven a lujuria. Tampoco le sirváis yemas de huevo ni vino nuevo, porque también tienen la propiedad de multiplicar esperma.

—Así se hará —dijo la cocinera, con la mano puesta en el pecho y una breve inclinación.

Se retiró de la sala sin haber entendido aquella verborrea. El sacerdote le pidió al médico que cerrara la puerta para hablar en intimidad. El doctor le aseguró que el paciente estaba aquejado de un extraño virus que desaparecería en un par de días, si se tomaba los medicamentos recetados. Le confirmó que los sueños mojados que el mismo padecía se desvanecerían con la calentura. El padre Cándido menospreció el diagnóstico, desautorizó la receta y le hizo las siguientes observaciones:

—El coito es una evacuación de pura substancia y de alimento procesado. Se produce porque los hombres tienen testículos, o compañones pendientes, los cuales con el calor del estío enflaquecen y demoran la virtud; las mujeres, que tienen los testículos adentro, lo producen en cantidad sin hartarse. Por eso el deleite de las hembras es más intenso, y no deben los varones porfiar en satisfacerlas y vencer los apetitos de ellas, si no quieren incurrir en diversas enfermedades. Ese calentamiento de los testículos, que produce el esperma, podéis evitarlo siguiendo al pie de la letra mis indicaciones. Puédese mitigar el calor que lo provoca poniendo cosas frías por fuera y tomando otras por dentro. Luego ejercitadle a mi paciente los brazos. Acostadlo decúbito supino en cama delicada y blanda. Los preparados fríos que para untura convienen, los podéis preparar con aceite omphancino y de membrillo añadiéndole un poco de cera, y después que hayáis sobado con esta pasta los miembros y el lomo del enfermo, fregadlos con alguna yerba fría, como la siempreviva, el abrojo, la verdolaga, la alegría o la yerba mora. Si todo esto no da con la cura, entonces a lo mejor os convenga aplicar el ejemplo de Galeno, quien a un hombre que sentía gran tentación de la carne, le mandó a poner una plancha de plomo sobre el lomo, con lo cual se le sanó la lujuria. Y guardaos de dar a mi ahijado infusiones del zumo de la mandrágora y de la adormidera, y recordad que aprovecha más dormir sobre rosas.

El médico lo escuchaba atento, sin interrumpirlo. Si mal no recordaba las clases de historia, el anciano sacerdote hacía una mezcolanza de textos de Aristóteles, Avicena, Hipócrates, Galeno y Averroes, que eran la Biblia de la medicina medieval. En verdad, el padre Cándido, antes de salir a visitar a su ahijado enfermo, había recortado con la navaja de Ocam los pasajes que consideraba antisépticos y provechosos del *Tractado del vso de las mugeres*, de Francisci Nunecii Coriani, para tratar la enfermedad de su ahijado. Conservaba una buena cantidad de libros antiguos, los cuales utilizara décadas atrás cuando impartía clases de cultura medieval en el seminario. El médico rememoró, divertido, aquel pasaje atribuido a Almanzor: "El coito moderado descarga y aliviana el cuerpo repleto, alegra el ánimo, aplaca la ira, quita pensamientos, alivia la cabeza y los sentidos". Se le ocurrió recitarlo en voz alta, pero se contuvo al pensar que el anciano se ofendería. Se limitó a decir que acataría al pie de la letra las indicaciones y se retiró a su consultorio.

XII, 4 / ROYAL PALACE. Libro de los gatos

Las luces del atardecer se reclinaban vencidas sobre las flores y los dragones que cubrían los muros del burdel. Tora el Pez Tigre Balón observaba melancólico el cuadro de tonos dorados que tenía enfrente. No había más clientes en el salón. El chino bostezaba en un rincón y bebía vasos de anís. Lù-shi limpiaba las bandejas tras la barra y, de vez en cuando, hacía una pausa para echar un puñado de maíz a los pollos que cacareaban bajo el mostrador. Una rata testaruda llevaba rato ociosa en la entrada del baño. Las moscas empezaban a replegarse hacia el techo. La putrefacción se disolvía en el aire caluroso para esparcirse inagotable. Tora cerró los ojos aletargado. Soñó que la Princesa de Jade se acercaba a su mesa. Asombrado, le miró los pies cubiertos por unas zapatillas tejidas con oro, su vestido cubierto de cuentas de jaspe azul. Sin embargo, cuando buscó su rostro, encontró que estaba vacío, hueco, a la manera de una jofaina rota. En ese momento una mano lo tocó en el hombro y Tora vio, como si pasara a una pesadilla, la cara lánguida del chino. Changsán se sobrecogió al advertir el desaliento en los ojos del otro. Sin decir ni media palabra, le entregó la infusión en un jarro de lata y dos pastillas, y, tras cobrar el importe, regresó al rincón a tomar vasos de anís.

Tora sorbió la infusión. Desde la noche en que tuviera la extraña relación amorosa, había consumido todos los tés y menjunjes que los chinos sabían preparar, esperanzado en encontrar aquella bebida que lo transportó al país de la Princesa de Jade. Pero ninguna le producía el efecto deseado; mientras unas lo sumían en un sopor, otras sólo le producían un pastoso amargor en el paladar. En varias ocasiones llegó a interrogar a Lù-shi y exigirle que le trajera la bebida de aquella noche; en esos casos la mujer, callada como sepulcro, lo observaba con mirada de que no entendía lo que le estaban preguntando.

La infusión de ese atardecer provocó que el ánimo de Tora se apagara y se agudizaran sus sentidos. Escuchaba con claridad ruidos que sin duda se producían lejos de allí; le irritaba los ojos la apagada luz del crepúsculo; lo atolondraba el tufo incesante de la carroña y el calor. Miró hacia la escalera: nada, ni un árbol, ni una muchacha, ni una flor. En la cocina había dos ratas gemelas que hurgaban entre los alimentos. Una merodeó alrededor de una botella de aceite; hambrienta, derribó el recipiente y, al ver que no se derramaba ni una gota, procedió a meter el rabo en su interior para engrasarlo y luego chuparlo con deleite. La otra se antojó de comer un huevo que reposaba sobre la mesa; lo pateó cual pelota de fútbol hasta que cayó estrellado en el piso; entonces se deslizó por la pata del mueble y procedió a comerlo. En este momento las ratas gemelas enfocaron con sus ojillos sanguinolentos y rabiosos hacia el curioso que las observaba. Tora volteó el rostro. Vio la noche desplomarse sobre la ciudad. La luna empezó a abrirse como un foco, pero se quedó a mitad. Se puso de pie. Subió los peldaños. Vagó por los pasillos penumbrosos. Se detuvo en un cuarto, atraído por el martilleo menudo de una máquina de escribir. Observó por el ojo de la vieja cerradura: era el chino joven. Continuó hacia la azotea. Escuchó unos maullidos que venían del techo. Se trataba de Yara y los gatos libidinosos, sentados en corro lamiéndose las patas y mirando la mitad de la luna. Parecían en sesión. Hay cierta hora de la noche en la que, si aguzamos el oído y prestamos la atención debida, escucharemos que los gatos maúllan sonidos semejantes a palabras. Tora pudo entender aquella noche todo lo que los felinos hablaban. De lo que trató aquella sesión gatuna fue mandado a hacer un bosquejo, muy sucinto, que a continuación se pone aquí bajo el título *Libro de los gatos*.

Aquí comienza el *Libro de los gatos* e inicia con la nómina de animales que estuvieron presentes para el diálogo. En el centro encontrábase Yara, la gata anfitriona. La rodeaban un pandillero de nombre Don Gato; la Gata de María Ramos, que era travesti y de marcada doblez; uno gordo y haragán, de acento gringo, nombrado Garfield; un cuadrúpedo afeminado, romántico pariguayo, que insistía en ser llamado la Gata Loca; un felino con porte de músico, apodado Gato Barbieri, y un gato taciturno, desconfiado, innominado, que parecía numerario proscrito del Opus Dei.

E indicó el Don Gato: —Páguenme por haber previsto que este burdel estaba llegando muy alto, colmando la copa, y que por ende no tardaría en provocar que muchos poderes se levantaran en su contra. ¿Quién dudará ahora que su tiempo está contado?

El Gato Barbieri mal imitó un solo de saxofón para resaltar el suspenso.

Y respondió la Gata Loca: —Están pagando por lo que codiciaron. ¿A quién se le podía ocurrir fundar un lupanar frente al sitio de trabajo de los santos? Es una pena... tan romántico que es este lugar. Recuerdo que en este techo conocí a mi primer amor, sobre una pila de ladrillos... ¡Oh, mi caramelo!

Se oyó un solo fálico de saxofón. El gato desconfiado escuchaba, sin opinar. La Gata de María Ramos se paró en sus patas y díjoles: —Es que no supieron guardar las apariencias...

Y dijo Garfield: —Yo decir sieumpre que ellos no sabieron hacer las cosas. Hay que ser atgr... ¿mmm?, ¡agresivo! Chino no supo sobornar ni entenderse con estos caribeños... *My goodness!*

Y opinó el gato innominado, con desconfianza y autoritarismo, después de un largo silencio: —Este lupanar está condenado a la clausura. Cuando las ratas abandonan una nave, es porque se va a hundir. Y aquí sólo queda una rata, por testaruda, junto a las que están envenenadas por los rincones esperando que les llegue su momento de heder. Si Changsán hubiese puesto un bar más discreto, como el que tenía aquí mismo su padre, otra historia se escribiría.

La Gata Loca miró la moneda partida en dos que era la luna. Suspiró embebecida. Vino a su memoria el amor junto al eco de un antiguo poema de Du Mu.

Y dijo, recitando: —Del esplendor de antaño, queda

en el viento polvo perfumado...

El Gato Barbieri hizo un desganado soplido de saxofón. La Gata de María Ramos trató, en vano, de callar a la recitadora con un aplauso. El taciturno hizo un aparte con el gringo Garfield. Yara permanecía en el centro, dormitando indiferente. Don Gato perdió la paciencia y díjoles: —Dejemos de preocuparnos por lo que no tiene remedio. Mayor favor haríamos si dejáramos la sensiblería barata y nos afanamos en la generosa lujuria... ¡Cállate ya, maldita loca! ¡A singar todo el mundo!

Y dicho esto, ordenáronse en fila india frente a Yara, la cual se paró remolonamente y mostró su sexo. El primero en montarla, que sería el mismo Don Gato, exhibió un pene de respetable grosor, forrado de púas erizadas, semejante a una maza de fierro. Los demás se excitaban acariciándose su propio sexo con la lengua. Tora los observaba en silencio, sorprendido o deleitado. Don Gato rodeó a Yara, ronroneando, susurrándole en lengua gatuna: "Pónmelo ahí, que te lo voy a partir", a lo cual la hembra respondía amagando con un zarpazo. El macho se dispuso a lanzarse contra su presa, para ganarla en una refriega y poderla someter a sus deseos. Mas sucedió que en ese instante se abrió una ventana del edificio de al lado y alguien, tras gritar una maldición, lanzó contra la pandilla gatuna un zapato viejo. Se armó el despelote, con el cual se dio término al *Libro de los gatos*.

En su loca carrera, Yara fue a parar a los pies de Tora. El hombre, al verla desorientada, la levantó en vilo y avanzó con ella hasta la escalera. Acarició la suave pelambre y recordó la lujuria del animal. Se sintió excitado. Era un deseo bestial, irracional, salvaje, que se le posaba entre las piernas. Cediendo a su instinto, se bajó la bragueta. Sin embargo, cuando tentó con los dedos el sexo caliente de Yara, descubrió estupefacto una noticia escandalosa: Yara no era gata, sino gato. Un gato maricón. Fuera de sí, frustrado, lo apretó rabioso entre sus manos y lo arrojó con fuerza por el techo. Se escuchó un maullido sobrecogedor que se fue apagando en medio de la noche.

XII, 5 / CIUDAD INTRAMUROS. Aquellas veces en que se sale el barrio

La dama de la pamela estaba arrodillada ante Nuestra Señora de la Antigua. En realidad, no oraba ni pedía nada. Permanecía absorta, quizá en espera de alguna señal que le indicara por qué el cielo permitía que su esposo la abandonara para amancebarse con un cuero de cortina. A ella, que era una mujer de buena casta, que ayudaba a la Iglesia y hacía obras de caridad. Algún cristiano tardío le respondería que a veces el Señor pone pruebas a la gente, a lo cual ella replicaría preguntando por qué ponerle pruebas a ella; qué le tenían que probar a una esposa abnegada, caritativa, que incluso se guardaba de abusar del impulso carnal.

El padre Cándido la observó compungida. La llamó bisbisando hacia un confesionario. La mujer vaciló. El sacerdote tenía casi dos meses que no confesaba debido a los estragos de la vejez. Como el anciano insistía con los bisbiseos, la dama de la pamela pensó que, de cualquier modo, el sacramento del sacerdocio sólo se borra con la muerte, y se internó en las sombras del confesionario. Salió un cuarto de hora después con el corazón aún sin cerrar, acongojada y con la deuda de cien avemarías.

Abandonó la catedral. Cuando cruzaba por el parque, miró de reojo hacia la fachada del burdel y vio a su rival, quien se pintaba las uñas en un balcón. La otra también la miró. Se miraron. La mente de la esposa legal se llenó de maldiciones y deseos de destrucción. Pero no se dijeron nada. La dama de la pamela sintió en su corazón el peso pecaminoso de aquel encuentro y retornó al confesionario con el padre Cándido.

Volvió a la calle con el alma atribulada y arrastrando una carga de setenta padrenuestros. Miró de nuevo al balcón. La otra todavía estaba allí. No pudieron retener más la tirria. "¿Qué pasa!", le vociferó desde el parque la dama de la pamela, desafiante, dispuesta a mandar la templanza y las buenas costumbres a la mierda. "¡Lo que no atora!", retó Mónica. "¡Líbrate tú de oírme la lengua, porque aunque soy una dama de alcurnia, la puedo tener más sucia que la tuya y la de esos cueros asquerosos que andan contigo!", gritó, con lo que rompió la compostura. Desde el balcón contiguo, Mamota Cajebola y la Canquiña replicaron a coro: "¡Más asqueroso será el toto de tu maldita madre! ¡Mejor vete a hacerle morcilla al diablo, santurrona, singamalo, o aprende a mamar güebo!" "¡Bajen de ahí, para que me lo digan cara a cara, par de bugarronas! ¡Y tú, negrita comecoco, quitamaridos, balbucia, maldito fleje, saltapatrá, tirigüillo, boquerosa, güísara, grillo, cretasucia, chivirica, galpántara... sal a la calle para que nos desgraciemos como dos hijas de la gran puta!" En ese momento, la China se paró a la entrada y vociferole: "¡Ven entra tú, petiseca, para descojonarte la semilla!" "¡No, salgan ustedes, sarta de mamagüebos, mascañemas, chupagranos!" Delia se paró en una mesa y, al sacar el rostro por una ventana, chilló: "¿Qué le pasa a la señora de la alta sociedad? ¿Se le salió el barrio?" La Maura apareció en un ángulo de la azotea y ululaba, ahuchando: "¡Uuu! ¡Uuu!" Los transeúntes se detuvieron a observar el espectáculo; algunos choferes aparcaban sus carros en el medio de la calle y provocaban tapones y golpes de bocina. Las damas de la flor y nata, que a esa hora tomaban el té bajo la galería sombreada por el tamarindo, seguían la disputa pasmadas, enmudecidas, con una mano sobre el pecho y otra en la boca abierta, secretamente deleitadas. Las voces de las mujeres se escuchaban por encima del tránsito vespertino, en medio de aquel bochinche que duró cerca de quince minutos. Y no se terminó de súbito, sino que bajaba de intensidad en la medida que los cueros iban retornando a sus oficios o a alguna se le gastaba la voz. Concluyó cuando Mónica se subió la falda hasta el ombligo, mostrole el ojo del culo y, con un portazo, se retiró del balcón.

La dama de la pamela paseó bufando, con la cara dura, por el parque. Cuando se sintió menos agitada, regresó al confesionario. Lo que le contó al padre Cándido no puede ser puesto aquí, porque sería violar el sacramento de la confesión. Sea suficiente con notificar que le fueron impuestos quinientos veintidós padrenuestros y una salve por cada uno de los latigazos que Nuestro Señor recibiera en la cruz, los cuales, según los cálculos correctores del viejo clérigo, fueron cinco mil cuatrocientos diecisiete. Después del ejercicio sacramental, conversaron en la sacristía. "Sería prudente que pidierais, orando con fervor, la intervención de la santa de las mujeres que sufren el maltrato de sus esposos", le aconsejó, en voz baja. "¿Cómo se llama esa santa?", susurró interesada. Y él le respondió: "Santa Mónica". La mujer suspiró rendida. Antes de retirarse exclamó, para regocijo de su interlocutor: "Ya no lo soporto más, padre. Esto es una vergüenza... Hay que mover cielo y tierra para cerrar definitivamente ese muladar".

XII, 6 / CATEDRAL. Cándido, hacedor de milagros

El padre Cándido realizaba el inventario de las propiedades y santos de la catedral. Tras dar las gracias ante san Judas Tadeo, observó receloso alrededor y se llevó a la caja de dientes un pedacito de chocolate. Se desplazaba en la silla de ruedas por el pasillo, cuando a su presencia llegó un objeto de carne con la encomienda de tentarlo. El clérigo se dio cuenta de la treta del diablo y se detuvo, dispuesto a vencer.

—Ave María Purísima, padre —saludó la mujer.

Era La Maura. Traída por sus propios pies, y no remitida por el diablo, entraba caprichosa a la catedral en procura del anciano. El martes, cuando se encontraba en misa con el chino y sus compañeras, había quedado maravillada con la composición orgánica del sacerdote: piel destemplada, carne macilenta, rostro magro... le parecía un auténtico galán de la carroña. Por eso merodeaba por la catedral, desocupada, por si acaso. El hombre no le respondió; al contrario, reflexionó absorto sobre el gran terreno que en la carrera humana había ganado el demonio, que antes se esfumaba tan sólo de ver la señal de la cruz u oír el Santo Nombre. Mirando apenas de soslayo al objeto de deseo, movió la silla de ruedas hacia una columna y se detuvo ante la imagen de la Inmaculada.

—¿Cuántos años tenéis vos, criatura? ¿Veinte, treinta años? Observad cuán vieja y gastada estáis —inquirió agriamente el clérigo. Entonces señaló la imagen sagrada—. La Virgen de la Inmaculada tiene más de dos mil años de edad, y mirad qué fresca y rozagante luce su faz... En verdad os digo que si queréis manteneros igual de joven en espíritu, debéis abandonar la corrupción del infierno y abrazar el árbol espinoso de la dulcísima cruz.

Y oídas estas palabras y exorcizada por las campanas de las seis de la tarde, la mujer abandonó la catedral. Entonces él suspiró dando gracias a Dios por la victoria y se quedó brevemente dormido. Y mientras predicaba, le trajeron personas enfermas de mano muerta, lepra, sarpullido, mal de ojo, alferecía, maldad de estómago y padrejón, que se apiñaban como si la nave fuera una Corte de Milagros. Al verlos a todos con fe, les dijo que sus pecados quedaban perdonados y, tras tocarlos en la parte dañada, se curaban y salían dando las muchas gracias a Dios. Abrió los ojos, maravillado, y vio en la nave a uno de piernas inválidas, quien se apoyaba en dos muletas frente al altar. Acercósele empujando las ruedas de la silla y díjole:

—Seréis salvo de vuestra tara.

El hombre de las piernas malas lo miró sin saber qué decir. El clérigo se le unió en oración y luego le pidió que soltara las muletas y caminara. El otro respondió temeroso que, si hacía eso, caería al suelo. "¡Incrédulo! ¿No os he dicho que ya estáis curado? ¡Soltad esas muletas y echad a andar!", le dijo con rudeza paternal. "No, que me caigo", insistió timorato el enfermo de piernas dañadas. Empero como el cura lo acusara de ser incrédulo y de poca fe, se decidió, un tanto inseguro, a comprobar la curación. Y soltó las dos muletas. En seguida movió por sí mismo un pie, luego otro... y cayó como una guanábana sobre los mosaicos. "¿Usted ve, que me iba a caer?", exclamó adolorido desde el piso. "¡Hombre de poca fe! Ya os había curado en oración, sin embargo echasteis mi obra al suelo con vuestra falta de fervor. ¡Salid de mi presencia, indigno!", gritó el anciano y se apartó a una capilla menor.

Tras elevar unas preces y comprobar que habían sido recibidas en el cielo, el padre Cándido hojeó el manoseado ejemplar de *La imitación de Cristo*. Pensó sosegado que había puesto en práctica desde hacía tiempo todo lo que Kempis escribiera en el desierto. En estas meditaciones andaba, cuando lo traicionó el sueño. Bajó al infierno con la espada de David y, tras provocar unas cuantas bajas en las hordas del Seol, entró al paraíso a refrescarse del sopor. Cuando abrió los ojos, todavía escuchaba en su memoria el cristalino trinar de las avecillas del cielo. Miró hacia la nave principal y sus ojos piadosos dieron con un joven que estaba sentado en la primera fila, el cual tenía una llaga purulenta y profunda, de las que se dice rámpano, en la región del calcañar. Acercose silencioso al enfermo, musitando las preces y, ya a la distancia de un brazo, extendió la mano y le tocó en el pie malo. El joven apartó la pierna, resoplando. Echó al anciano una mirada fatal y se retiró por el pasillo, arrastrando el calcañar de la dolencia.

XII, 6 BIS / CATEDRAL. La Hermandad del Padre Cándido

Monje es una orden y manera de vivir
de Ángeles, estando en cuerpo mortal y sucio...
monje es un ánimo afligido y triste.
San Juan Clímaco

Y nos habla san Juan Clímaco también de que memoria de muerte es muerte cotidiana, perpetuo gemido en todas las obras. El temor a morir es un indicio grande de que nuestros pecados aún no están del todo perdonados, y por eso suelen los que agonizan lucir tan espantosos, pues son semejantes al deudor que se ve forzado a visitar la casa de sus acreedores. Jesucristo, aunque receló de la muerte, no sintió temor en el árbol de la cruz. Precisamente, una de las carencias del estudio de los hombres es que se dirige siempre a enseñar a vivir y muy pocas veces a aprender a morir. Incluso, lo que el Aristóteles llama "bella muerte" es un estado que se preocupa más por la impresión que dejaremos entre los vivos. El arte del buen morir es superior a las otras ciencias, en parte por ser la última a la que se dará uso. Aun los gentiles comprendieron que la suma de toda la filosofía era la meditación y el ejercicio de la muerte.

El padre Cándido cerró el libro de *La escala espiritual*, suspiró arrobado y cayó en un leve sueño, que no era el de la muerte. Estaba listo para morir. Vio en sueños su cadáver vestido con hermosas telas bordadas. El cuerpo colocado frente al altar, rodeado por una muchedumbre de fieles que desbordaba la catedral y se esparcía hasta cubrir el parque; algunos se apresuraban a tirar pañoletas y prendas para que quedaran santificadas al rozar el ataúd. El réquiem solemne, el coro celestialmente afinado, los sacerdotes y prelados sentados alrededor del púlpito. El dulcísimo olor del crisma que inundaba las maderas del féretro. Se le salió una lágrima al escuchar la esquela enviada por el Papa. Cuando el obispo dio por terminada la misa, el ataúd fue levantado entre los brazos de la muchedumbre y llevado al cementerio. Tuvo deseos de aplaudir tras el panegírico del cardenal, mas recordó que estaba muerto. Tosió, ahogándose, desfallecido, cuando el último ladrillo fue colocado a la entrada del nicho y el espacio se volvió una sombra sofocante.

Regresó a la catedral un año después. Husmeó ansioso entre las oficinas y salones. Antes del mediodía, bajó las escaleras y los encontró reunidos. Se trataba de la Hermandad del Padre Cándido, organizada para ejecutar el proceso de beatificación y canonización del sacerdote recién fallecido. Tendrían a su cargo fomentar la oración a Cándido, para que este demostrara que era capaz de corresponder con favores divinos; preparar su biografía espiritual; recaudar los recursos económicos para administrar los trabajos de santificación. La sesión fue levantada. El difunto, por modestia, se escondió tras un archivo mientras los veía salir. La Hermandad estaba dirigida por el padre Ponciano, tal como esperaba. Tenía entre sus miembros al presidente municipal, quien se encargaba de los asuntos legales; a una meretriz redimida, de nombre Mónica, en el cargo de secretaria; al árabe, responsable de financiar el proceso; a un poeta llamado Edoy Montenégodo, recién convertido a la fe, quien tenía la responsabilidad de escribir la biografía, en calidad de hagiógrafo; y al Indio, para que se encargara de limpieza y mensajería.

El padre Ponciano se entretuvo en el pasillo con el hagiógrafo.

—¿Cómo va la biografía? —preguntó.

El interpelado se rascó la cabeza.

—No sé... Con los datos burocráticos no he tenido problemas. Sin embargo, no encuentro informaciones especiales que permitan probar que el difunto tuvo experiencias sobrenaturales...

El padre meditó un momento. Parecía rebuscar en el fondo de sus recuerdos. Sus ojos se encendieron con una chispa que se confundía entre la iluminación y la ironía.

—¿No puso usted el asunto de la yerbita?

—No le he encontrado la vuelta a eso —respondió el hagiógrafo con escrúpulo profesional—. Imagínese, ¿cómo demostrar que cuando niño el difunto encadenó al demonio amarrando dos briznas de hierba? La prueba debe ser fundamentada, que no entre en litigio con la verosimilitud.

Dicho esto, cerró la carpeta en que traía los apuntes y el ejemplar de la *Vida de Antonio* atribuida a Atanasio. Le tendió la mano al sacerdote, pero este, con un movimiento de elegante cortesía, se negó a corresponder al saludo. Abandonaron el salón. El Indio se quedó solo, organizando las sillas. El padre Cándido se perfumó con abundante agua de colonia y salió de su escondite. Al verlo, el Indio se persignó estupefacto.

—Decidme qué está pasando con la Hermandad —fue al grano el otrora anciano.

El otro se mordió los labios. Entendió que no tenía caso ocultar los inconvenientes que encontraban en el proceso de beatificación. Antes de hablar, pensó en la mejor manera de dirigirse al visitante. Dudaba sobre si nombrarlo como cuando estaba vivo o añadirle el tratamiento de difunto, "difunto Cándido", en vista de que sabía que era impropio llamarlo beato o santo. En ese momento se dio cuenta de que el ambiente estaba lleno de un fuerte olor a rosas, como se dice que los santos huelen. Regocijado, encontró la dignidad correcta: Siervo de Dios.

—Tenemos algunos baches en el camino, Siervo de Dios —informole, con adulación clerical en el tratamiento. Tras observar el beneplácito del visitante con aquel título, detalló los problemas—. El hagiógrafo no ha terminado la biografía suya, aunque eso es lo de menos. Lo peor es que el obispo no demuestra mucho entusiasmo por el proceso. Es más, ni siquiera está enterado de los trabajos de la Hermandad. También se han mandado varias cartas a Roma, pero nadie responde. Lo peor de todo es que el árabe se muestra tacaño con las finanzas. En la reunión de hoy advirtió que no estaba dispuesto a poner ni un centavo más.

El Siervo de Dios suspiró, mortificado en su espíritu. Pensaba con tristeza que incluso después de muertos nos siguen pesando las mezquindades de los vivos. Por otro lado, se sintió satisfecho por el efecto que el truco del agua de colonia había tenido en el Indio. Dispuesto a resolver los entuertos, fue ante el obispo. El prelado estaba ocupado en revisar el borrón de una carta pastoral. Sin levantar la mirada ni el lápiz, le explicó vagamente que la parroquia tenía santos en demasía. Para ilustrar este parecer, le hizo un inventario de las imágenes que estaban colocadas en la nave principal; también de las que descansaban olvidadas en el sótano, pensionadas debido a la ausencia de devotos, arruinadas por el polvo. Al final lo despidió a secas, no sin comentarle que con los millones que se gastan creando un santo —que, si en verdad lo es, no necesita mayor reconocimiento que el de encontrarse en el cielo—, se pueden hacer numerosas obras de caridad. El Siervo de Dios, por respeto a la dignidad eclesiástica, guardó silencio y se retiró.

XII, 7 / ROYAL PALACE. Padre Cándido baja a los infiernos

El padre Ponciano paseaba por el parque en compañía de su padrino, quien se mantenía en silencio y con la vista perdida en la fachada del burdel. El joven se había curado de la fiebre tormentosa que lo mantuviera en cama, aunque no del recuerdo de la mirada que provocara el quebranto. El Indio se les acercó. Saludó al anciano, pero cuando ofreció la mano abierta al padre Ponciano, este entró las suyas a los bolsillos y dijo sereno:

—Indio, voy a enseñarle la forma correcta de saludar a un sacerdote. Lo primero es que nunca debe tocarle la mano, a menos que no se trate de un alto prelado que le dé a besar el anillo. Simplemente, haga una venia así, inclinando respetuoso la cabeza... Más o menos así. A ver, hágalo otra vez.

El Indio, complacido por la instrucción, repitió el movimiento.

—¿Y así no estaría mejor, padre? —preguntó, y combinó este gesto con una suave genuflexión.

—Podría ser —le respondió—. Lo importante es no estrecharle con vulgaridad las manos... Las manos las usa el sacerdote para funciones muy elevadas, como preparar la santa comunión, dar el sacramento de la extremaunción, sacar espíritus malignos... ¿Ha visto usted la estampa de la Mano Poderosa?

El Indio le contestó, ávido, que sí, que incluso tenía una colgada en su habitación. El clérigo dejó la conversación en ese punto y volteó el rostro hacia el balcón del muladar. Tras un largo rato de silencio, el padre Cándido pareció despertar.

—Hagamos una visita a esa casa de perdición —ordenó decidido—, a ver si algunas almas se podrían salvar.

¿Estará tu padrino desvariando, Ponciano?, se preguntó el sacerdote. *¡Qué importa, tú! Mejor síguele la corriente, pues quién sabe si...* se respondió. El Indio, con mansedumbre doméstica, empujó la silla de ruedas. Los tres avanzaron hacia el lupanar.

Changsán bajó a la primera planta y se sentó exhausto en el peldaño de arranque. Estaba sudado y con el rostro estragado aún por las imágenes de la pesadilla. Tras comer una flor de loto espolvoreada con tres pastillas, había caído en una intensa modorra que lo dejó dormido. Y soñó que se encontraba abandonado en el burdel, vestido con un abrigo sucio y raído, bebiendo vasos de ácido. Intentó subir por la escalera, pero a cada escalón resbalaba y caía, por lo que tuvo que hacer una pirámide de mesas y trepar hasta un hoyo del techo. Halló que el pasillo era un puente a punto de desmoronarse sobre un tenebroso pantano. Las moscas y cucarachas libidinosas volaban por doquier; sobre los mosaicos ilustrados con flores marchitas, correteaban ratas cadavéricas. Changsán vagó en medio de las tinieblas. Vislumbró siete puertas cerradas, cada una de las cuales tenía en el umbral una vela moribunda a punto de apagarse. Abrió la primera puerta y vio que daba a un abismo. La segunda abría a un basurero de ataúdes salpicados por hojas de apio podrido. La tercera permitía ver un bosque de árboles derribados, sobre los cuales se arrastraban áspides. La cuarta daba a un jardín de verduras perfumado por azucenas. Abrió la quinta y halló una biblioteca de libros comidos por los insectos, por la que se paseaban burros amanerados y apariciones. La sexta descubría un altar arreglado con agujas oxidadas, réspedes venenosos, jeringuillas rotas, en el cual oficiaba una bruja que comía piezas de ajedrez en escabeche. La séptima daba a un yermo de arena, amueblado con barriles repletos de cabezas decapitadas. Changsán despertó sofocado al pasar por esta última puerta.

Se levantó de la escalera y caminó hasta la barra. Paladeó un vaso de anís mientras observaba el ambiente del burdel. El sol de la tarde saltaba por las ventanas o se abrazaba a los muros para convertirlos en gigantescas planchas encendidas. Una brisa sosa esparcía el calor por el salón y soplaba las cintas que, forradas de moscas, pendían del techo. El tufo nauseabundo de las ratas —que parecían envenenarse por turno para perpetuar el hedor— llenaba el aire. Una rata aburrida se paseaba entre las flores de los mosaicos. Algunas cucarachas despistadas o excedidas en su lujuria bajaban de vez en cuando la escalera y se paseaban en vuelo nupcial. Las moscas susurraban sin descanso, se estrellaban furiosas al pegamento, se daban un chapuzón en algún vaso de cerveza que quedara destapado. Las mujeres bebían el café en torno a una mesa del fondo, de la cual se paraban cuajadas cuando alguno de los cinco parroquianos que había a esa hora, quería otra botella, echar un polvo o repetir un bolero del Indio Araucano.

Los tres hombres irrumpieron en el burdel. Biblia en mano, el padre Cándido se paseó temerario entre las mesas, seguido por sus dos acompañantes. Deploraba en voz alta, sin darse cuenta de que citaba a Mencio: "En verdad, lo que distingue al hombre de los pájaros y las bestias es poco". Los parroquianos, respetuosos, se quitaron las gorras y taparon los vasos. Una de las mujeres apagó la vellonera. El chino miraba de soslayo al Indio, mientras sacaba cuentas en el ábaco. El viejo clérigo se cubrió las narices con un pañuelo empapado de vinagre y, sin poder evitar los estornudos, leyoles en tono amenazador el sitio del *Génesis* que trata de la destrucción de Sodoma, que es el diecinueve; al final les pidió que meditaran sobre la lectura. Entre el número de las mujeres descubrió a una que se había aparecido en la catedral, para tentarlo, que La Maura por nombre tenía. Vio también a dos hembras juntas, muy horrendas y libidinosas, semejantes a aquellas que se le habían acercado en sueños fingiendo ser la Castidad y la Sabiduría. Y estas eran Mamota Cajebola y la Canquiña.

En medio del escabroso silencio cayó dormido. Abrió los ojos, amodorrado por el calor, y vio dos ratas que se cogían lujuriosas sobre el mostrador, impúdicas, mientras lo miraban con unos ojillos sanguinolentos y rabiosos. El padre Ponciano apenas podía respirar. *Ponciano, antes de irnos, ¿tú te atreverías a subir a la segunda planta, a ver si...?*, se preguntó en su interior y se respondió: *¿Te estás poniendo loco? Mejor vámonos de aquí, que este ambiente es insoportable.* Hizo una señal al Indio. Justo en ese momento, Lù-shi le pasó a éste una nota escrita por Changsán. El Indio la leyó, indiferente, y dijo, para que los curas lo oyeran: "Dígale a su patrón que la cuenta que yo le debía puede ir a cobrársela al Señor", y le devolvió el papel.

Estas palabras llegaron a orejas del sacerdote anciano, quien soñaba con los *Bocados de oro*. Y dijéronle: ¿Qué dices de las mujeres? Y dijo: Son como el árbol de la adelfa, que da hermosa y buena vista, y al que se engaña y come de él, mátalo. Y dichas estas palabras, predicó ilustrando con ejemplos narrados, los cuales se ponen en lo que sigue.

CANDIDUM EXEMPLARIUM

El padre Evagrio Pontico dice en los capítulos de la lujuria que un semblante embellecido de mujer hunde más que un oleaje marino; aunque este nos da la oportunidad de sal-

varnos nadando, mientras que la belleza femenina nos persua-
de de despreciar incluso la vida misma. Y dice que mirar a una
hembra es como un dardo venenoso que hiere el alma e ino-
cula ponzoña. No por otra razón, en los tiempos de los padres
del desierto existía una estatua que fingía ser una doncella galana de hermoso rostro, enrubiados cabellos y mirada ardiente, la cual, cuando era volteada, se mostraba por dentro llena
de gusanos, excrementos y otras materias asquerosas. En ellas,
cierto es, se oculta el veneno de las serpientes, al extremo de
que el casto que prueba los humores de su sexo, envenénase.
Y conviene saber antes de entrar en la perdición que acarrean,
que ellas son hombres atrofiados, según comprobara el Aristóteles; que producen gravísimas tentaciones de carne, pues
son destempladas y lujuriosas, por lo cual gusta el demonio
usarlas como carnada para atrapar incautos. Y de todas las
hembras las más dañinas son las que obran en casas públicas.
Para poner al tanto de la manera en que pierden al cristiano,
voy a ilustrar con ejemplos sacados de la vida de los santos,
aunque algunos produzcan acedía en orejas castas. De las mujeres trata el presente discurso.

[1] En tiempos de Rosendo Abad, criose en el desierto y en religión desde que se apartó de los pechos de su ama,
un mozo. Allí creció puro y en santidad, sin conocer figura
dañosa de mujer. Siendo de quince años fue llevado por vez
primera a la ciudad, donde, al ver que en una calle estaban
bailando ciertas mujeres, preguntó el mozo qué era aquello.
Respondiole Rosendo Abad que ánades. Cuando vuelto al
monasterio preguntáronle los otros monjes qué le gustó más
de la ciudad, el mozo contestó ansioso que las ánades. Porque
así como el que pone los ojos en un triste se entristece, así el
que mira a las mujeres lujuriosas dáñase el ánimo con lujuria.
Lo dicho se refiere en el *Promptuario de ejemplos*.

[2] Un hombre perdido por el sucio apetito de la carne fue a una de esas casas de mujeres públicas y pidió que se
acercara la más ardiente y tentadora. Y en eso se le apareció

una moza que cuadraba con su apetencia, quien echole sal en el vino para que quedara embriagado y sin sentido. Al despertar, vio el hombre que se encontraba en un aposento elegante, amueblado para la fornicación. Mas cuando se disponía a entablar el coito, la habitación se convirtió en una cueva llena de sangre, candelas y reptiles. Y al preguntar qué sitio era aquel, la hembra se mudó a forma de feo demonio de color negra y díjole: ¿No querías a la criatura más ardiente y tentadora? Pues esa soy yo y he venido a echarte en perdición.

[3] Estando en una opípara cena servida por el cuestor Tiberio, a Sexto Claudio fuele traída una doncella de extrema hermosura. Viendo que no la hacía entrar en calor con sus caricias obscenas, porque la moza era católica casta y permanecía fría como hielo, ordenó despechado y furioso Sexto Claudio que la quemaran con antorcha para ver si así era que prendía. Y quemáronla. Mas cuando de la mártir sólo quedaban cenizas, vieron que se le hizo otra vez el cuerpo de doncella y que subía al cielo en brazos de dos ángeles. Oh, mujer perdida, así mismo puede renacer vuestra alma incendiada, si abjuráis del arte maligno y entregáis vuestro corazón a Dios.

[4] Un herrero destemplado y sucio de placeres gastaba el tiempo en perseguir mujeres deshonestas. Un día estaba en la campiña y vio a una doncella equipada para la tentación carnal, quien le hacía señas desde unos arbustos. El pecador se le acercó, pero halló que ella lo llamaba ahora desde unos matorrales más adentrados. Volvió a la doncella, pero esta se le escabulló de nuevo. Y en esta persecución lo agarró la noche, sin dar a su caza alcance. Y se internó en el bosque tenebroso más y más, hasta que nadie lo volvió a ver. Los doctores entendidos en materia de carne aseguran que esa doncella era el diablo, que lo fue guiando con subterfugios hacia los solares del infierno. Es de Severo Sulpicio.

[5] Han de saber las mujeres que la vulva fueles dada para multiplicación de los hijos de Adán y no para asediar al

hombre con tentaciones ni deleitarse en pasiones asquerosas. Muchas olvidan esta ley natural impuesta por aquel que murió en el Árbol y se entregan a la sosa fornicación. Una casada que practicaba con vergonzosa frecuencia el adulterio, dado que poseyendo las mujeres apetito insaciable nunca consiguen hartarse de lujuria, quedó preñada de un negro esclavo. Para ocultar su bochorno, parió el fruto en secreto y quitole la vida. La adúltera murió después podrida por la buba y se condenó. A los piadosos que hacían oración por ella y decían misa, se les apareció cierta noche, con su cuerpo envuelto en llama viva, un ave nefanda royéndole las entrañas, dos terribles dragones que tenían las bocas aferradas a sus pechos y cargando en sus brazos un niño ardiendo, y dijo que no gastaran tiempo en rezar por la salvación de su alma, porque debido a su pecado mortal la habían mandado directo al infierno. Esto díjolo Villegas en el *Flos Sanctorum*, discurso cincuenta y cinco, de mujeres.

El padre Ponciano no podía soportar más la pestilencia. Seguro de que esa tarde no vería a la muchacha de ojos dorados, ordenó al Indio que empujara la silla de ruedas y se marcharan. El padre Cándido se dejaba llevar, no sin observar complacido el ambiente de profunda reflexión y mansedumbre que sus palabras habían causado entre los burdelianos. Desde su entrada al burdel, todo era contrición y silencio. Apenas las moscas del techo emitían un indecoroso susurrar. Cuando salieron a la acera, un ruido mundanal invadió los oídos del anciano. Volteó el rostro y descubrió que los burdelianos habían vuelto a encender la vellonera y retornaban a su viejo estado de perdición. Le pasó por la mente frenar y acometerlos con un sermón apocalíptico sobre la carne, el diablo y el mundo; pero, al pensar que era menester dejar cierta carroña para alimento del infierno, desistió y continuó tranquilo de conciencia su camino. Meng-Tse ha dicho: "El noble es el que sigue el dictado de sus facultades superiores, mientras que quien busca complacer sus partes viles es una criatura vulgar".

Cuando pasaban por el parque, el Indio rompió el silencio para confesar que le habían gustado los cuentos ilustradores usados por el padre Cándido para predicar. Y no dijo esto como un cumplido, sino que habló con palabras del corazón. Porque abundamos espíritus así, de precaria ilustración apostólica, que más fácil comprendemos la dimensión del sacrificio de Nuestro Señor cuando vemos, por ejemplo, *Jesus Christ Superstar* que al leer las encarnizadas cartas de san Antonio del Desierto. El padre Ponciano no le respondió. Tras cerciorarse de que su padrino seguía dormido, le preguntó al Indio, con fingido desinterés, si las mujeres que estaban en el salón eran las únicas que trabajaban en el burdel. El otro le respondió que sí, que eran las mismas que él conociera en el tiempo viejo, "cuando vivía cegado por el demonio y de espaldas a Dios". El joven clérigo guardó un marcado silencio y, antes de llegar a la catedral, le preguntó si allí no trabajaba una muchacha china de ojos dorados. El Indio le contestó que esa china era embuste, que nadie la había visto nunca, salvo algunos tipos raros que de vez en cuando bajaban por la escalera afirmando que en la segunda planta había un bosque en el que vivía una tal Princesa de Jade. "Al menos, nunca fue vista en el salón —aclaró, encogido de hombros—. Si existe, el chino debe tenerla prisionera en uno de los cuartos de arriba".

LIBRO TRECEAVO

SODOMAM PESUM IRE

Porque fuego vine a echar en la tierra,
¿y qué quiero, si ya está encendida?
Lucas 12, 49

XIII, 1 / CIUDAD INTRAMUROS. El brazo seglar

El sargento colgó el teléfono. Se limpió los dientes con un palillo, pensativo. Luego sacó del escritorio una novelita de Agatha Christie y se la guardó en el bolsillo trasero. Tras una corta pausa, miró al raso Batida y se pasó el dedo índice por el cuello, como si fuera una cuchilla, indicando que a alguien se le iba a dar para abajo. El subordinado se removió en la silla, fastidiado por la hemorroide.

—¿Cuándo? —preguntó, incondicional.

—Este lío es una pelota caliente. Hay que manejarlo con cuidado para no quemarse. Es más, lo mejor sería no meterse en eso...

Se internaron por los pasillos calurosos del cuartel, cuyos pisos exhalaban un penetrante olor a trementina. El raso miraba distraído hacia la pared: rótulos de oficinas; presos retratados con un pollo, dos salchichones guindados del cuello, un puñal o cualquier otro cuerpo del delito; un letrero borroso, viejo, que habían dejado ahí porque daba lo mismo que quitarlo: "Los que no creen en Dios son enemigos de la patria, y los comunistas no creen en Dios". Entraron al cuarto de interrogatorio. En un rincón sombrío, desgonzado en una banqueta, herido y vuelto una mierda, estaba Mazamorra. Luego de incontables golpizas, casi habían llegado a la conclusión de que ciertamente no le quedaba ni un centavo de lo que se robara en el Royal.

El raso sacó una linterna para alumbrarle los ojos. Como tenía las pilas gastadas y la pobre luz no servía para irritar, le dio piquetes en los ojos con los dedos. El sargento lo apartó, autoritario, y procedió a azotar al ladrón. Le aplicó la sordina, que consiste en dos galletas dadas al mismo tiempo en los oídos y dejan por mucho rato en la víctima la sensación de oír un lejano solo de sordina. Luego lo mandó a golpear con el "güebo de toro", que en romance se dice "ninguno", una larga macana que no está hecha de toro ni de güebo, sino de goma. Al final, lo azotó con un objeto, del que él insistía ser el inventor, llamado el bate de arena, que consiste en eso mismo: un bate de plástico atestado con arena, el cual tiene la propiedad de no dejar rastros de golpiza y es muy útil para despistar a ciertos fotógrafos y activistas de derechos humanos. "¡Ay, Dios mío, me van a matar!", balbuceó Mazamorra, entregado a la perdición. El sargento se apartó y puso el bate en un rincón.

—Aquí no matamos a nadie, huevón —defendiose Batida—. Lo que pasa es que te estamos despidiendo. Te vas para la calle.

El prisionero los miró incrédulo. En gesto de buena voluntad, el raso encendió un cigarrillo y se lo puso en los labios. Mazamorra apartó la cabeza. Le daba asco fumar. El otro tuvo deseos de apagarle la brasa en el pómulo, pero se limitó a ponerlo a fumar. "Mírenlo, si fuma más que un murciélago", exclamó burlesco al verlo absorber las bocanadas. Dicen que los murciélagos fuman y para demostrarlo agarran uno por la alas y le obstruyen el hocico con una colilla, de manera que el roedor no tiene otra alternativa que inhalar el humo. Yo siempre he dicho que así fumaría hasta el diablo. Cuando se hastió de joder, el raso apagó el cigarrillo. El sargento le confirmó que estaban dispuestos a soltarlo, a cambio de "un favor".

—Tú conoces mucho a Sandro...

El interpelado, despistado, encogió los golpeados hombros:

—¿Sandro... Sandro? ¿Cuál Sandro?

El raso se subió de un salto a la banqueta, se alumbró con la débil luz de la linterna y, usando la macana como micrófono, hizo movimientos de cintura y canturreó: *Rosa, Rosa, tan maravillosa, como blanca diosa...*, desentonado, con gallos, hasta que el prisionero recordó de qué Sandro se hablaba. Y después le dijeron que se podía ir. Mazamorra lo pensó dos veces antes de ponerse de pie. Conocía el viejo truco de decirle al prisionero "Anda, vete", para luego dispararle por la espalda. Entregado a la suerte, se levantó y arrastró por el pasillo su cuerpo adolorido.

XIII, 2 / ROYAL PALACE. La ficha marcada

El mensajero llegó al burdel antes de que las campanas anunciaran las tres de la tarde, entregó la correspondencia y esperó la respuesta. Changsán abrió el sobre. Era otra de esas cartas en las que el árabe le notificaba que debía abandonar el local. Esta, sin embargo, estaba salpicada de expresiones menos burocráticas, enérgicas, que le daban un plazo de setenta y dos horas para que desalojara la propiedad. Lo más novedoso era que estaba escrita en letra de molde. El chino, un poco absorto, subió a la segunda planta a consultar al violinista. El mensajero pidió una cerveza para hacer menos angustiosa la espera en medio de las moscas y la tibia pestilencia. Delia se acercó con la bandeja.

El hombre abrió con desmesura los ojos ante aquel monumento de mujer que se le aproximaba. Traía un vestido corto, ceñido con maldad a las curvas violentas del cuerpo; el pelo que le acariciaba el escote; las piernas que imploraban a cualquiera trepar por ellas... Si se analizan todos los discursos medievales del padre Cándido y se aparta cuidadosamente el trigo de la mies, quizá se encuentre algo de verdad en aquello de que las hembras son venenosas. ¿Qué, si no veneno, es lo que irradiaba por los poros esta mujer sensualísima, asesina sin matar, más tentadora que el diablo, que ponía ahora la bandeja sobre la mesa? El mensajero se bebió un trago de cerveza. Vio a la tíguera alejarse. Lamentó no tener tiempo ni dinero para echarle un polvo y, principalmente, que la inminente clausura del burdel se fuera a llevar bellezas como aquella.

Changsán regresó al salón quince minutos después. Le devolvió la misma carta, pero con una nota que decía: "Me voy si me indemniza por los quince años que llevo aquí", escrita por el violinista. El mensajero la guardó en la cartera, cogió la botella de cerveza, que estaba aún por la mitad, y salió, volteando de vez en cuando el rostro para envenenarse mirando el cuerpo contagioso de Delia.

Las mujeres estaban apiñadas en el fondo, sentadas alrededor de una greca. Se abanicaban con pedazos de cartón mientras escuchaban a Ángela descifrar sueños y contar historias viejas o de su imaginación. La Maura se mantenía avispada, pendiente para beber de las tazas que sus compañeras desatendían. Esa tarde había dado un ultimátum al periodista para que le pagara los setecientos pesos.

—Esto se está poniendo feo para la foto y sucio para el vídeo —vaticinó por enigmas.

Las demás no le hicieron preguntas; tal vez temían que su boca de pájaro agorero llenara la tarde de noticias azarosas. Demasiado tenían con el mal presentimiento. El negocio andaba de capa caída. La suspensión de la energía eléctrica, la escasez de agua, las multas que se apiñaban bajo la caja registradora, daban a pensar que algo peligroso se cernía sobre el burdel. Además, muchos clientes se habían alejado al ser asediados por la peste. Por ejemplo, en ese momento apenas se encontraban Tora y Edoy Montenégodo, en mesas distantes, sumidos en la contemplación del viejo cuadro que colgaba de la pared; los dos chulos a destajo, que rememoraban sus antiguas pendencias; Ángel el ángel, quien paladeaba su jarra de cerveza con hielo; y también el inspector, ataviado con guayabera y corbata, quien solitario y de pie clavaba los ojos en el mencionado cuadro.

—Un atardecer —reveló Ángela con la voz apagada— llegó al burdel un hombre alto, desconocido, vestido de negro. Cuando le preguntamos quién era, respondió que un vampiro. Una de las muchachas lo atendió. Bailaron bachata, bebieron ron, comieron frituras. En la madrugada subieron a una habitación. Después se oyó un grito. El difunto y yo subimos delante del gentío y abrimos la puerta. La muchacha estaba tirada en la cama, con el cuello mordido y sin una gota de sangre. Perseguimos al matador, hasta que el difunto logró acorralarlo al final de un pasillo. Pero el desconocido se convirtió en un murciélago y desapareció —hizo un silencio lúgubre en medio del azoramiento de sus espectadoras. Sin transición brusca, continuó con la siguiente historia—. Una mañana llegó al burdel un señor gordo y colorado, que decía ser chofer de una pala mecánica. Bebió más que un puerco: dos cajas de cerveza, seis litros de ron, cinco cuartillas de whisky, un galón de moscatel... Parecía una barrica desfondada. Cuando dieron las doce, voceó que tenía hambre y subió a un cuarto con una de las muchachas. La desnudó sobre la cama, sacó un pequeño salero y le dijo que se la iba a comer poco a poco. El gordo le acariciaba, por ejemplo, un poco del cuello, le ponía sal y se lo comía, y así iba haciendo con los dedos, la cintura, los senos, las rodillas, las nalgas... y a la muchacha esto no le dolía ya que le provocaba un gusto sin igual. Cuando lo único que quedaba sobre la sábana era el toto, la voz de ella imploró que se lo comiera con mucha caricia y sal. Entonces el gordo guardó el salero y le dijo que no, que él nunca comía de esa parte, y no se le volvió a ver jamás ni nunca por el burdel.

Las mujeres la escuchaban sin interrumpir, embebidas, sin apelar a razonamientos, sólo para reivindicar su derecho a la ficción. Formulaban preguntas, aportaban detalles, apoyaban lo inverosímil, acostumbradas a justificar capítulos enteros de telenovelas y de *Kazán el Cazador*. El sargento, anunciado por el golpe de macana que el raso diera sobre una mesa, entró al salón y caminó hacia la barra, donde estaba Changsán.

—Llegaron los dos indeseables —anunció en voz baja Crucita.

Los cueros, sin poner atención a los visitantes, continuaron escuchando a Ángela:

—Una vez llegaron al burdel setenta edecanes y se dividieron en dos filas, por el medio de las cuales, pisando sobre una larga alfombra de terciopelo rojo y anunciado por una fanfarria de trompeta, entró un joven apuesto, vestido con un elegante traje azul. Era un príncipe. Traía en la mano una fina zapatilla de oro y anunció que a la mujer a la que tal prenda le sirviera en el pie, la tomaría por esposa y se la llevaría hacia un reino lejano. Todas nos descalzamos y nos probamos ansiosas la zapatilla. Pero a ninguna nos sirvió.

—¡Se me ponen en fila india! —gritó el raso Batida, a punta de revólver.

—¿Qué pasa? —se quejó alarmada la China.

Junto al mostrador, Changsán y su mujer estaban esposados. El sargento amarraba parsimonioso con una soga a Tora, Edoy Montenégodo y Ángel el ángel. El subalterno repitió la orden a las mujeres. Ellas se pusieron en fila, temerosas de que el policía fuera a disparar.

—¡Presas, por la guardia de Mon! —anunció con saña mientras las empujaba para que se alinearan.

—¿Pero por qué? —cuestionó Delia enfurecida.

El sargento terminó de amarrar a los tres hombres.

—Para investigarlas por la muerte de la nombrada Gema, la meretriz que hace tres años ultimaron en este burdel —respondió, sudoroso.

Los policías organizaron a los arrestados como si fueran una manada de reses y, arma en mano, dieron la orden de avanzar en dirección al cuartel. Cuando llegaron a la acera, el inspector hizo un aparte con el sargento. Entonces soltaron a la esposa de Changsán.

El inspector ocupó una mesa frente al cuadro de tonos ajados. La vista se le perdió entre aquellos paisajes superpuestos, que correspondían a los de su memoria. La noche anterior había soñado con una mujer idéntica a la Princesa de Jade, pero cuyo rostro era semejante a una luna hueca. Por esta razón traía el ánimo dañado por la acescencia. Llamó a Lù-shi y le ordenó que se sentara con él. La mujer, humillada por la ostentación del funcionario, acató la orden. Se sentó silenciosa, con el rostro inexpresivo, los hombros caídos cual pájaro mojado y las manos enredadas sobre el vientre. El inspector la escrutó. Se dio cuenta de que, aunque ella era oriental, no le serviría para borrar de su memoria la imagen de la Princesa de Jade. Se ha comprobado que para que un clavo saque a otro clavo, el sacador debe ser más grande, o al menos del mismo tamaño que el que va a sacar. "Tu marido está preso... malpreso. Pero a lo mejor, si te portas generosa, yo podría hacer algo para que no se pudra en la cárcel". Mirando hacia el cuadro, le pidió, sin verdadero apetito sexual, incluso con el güebo flácido: "Pónteme en cuatro, que te lo voy a meter por el culo".

Lù-shi no se inmutó. Se quedó inmóvil con las manos anudadas sobre el vientre. En verdad, no sabía cómo. No era que entendiera mal la lengua de cristianos, ni que tuviera temor de que Changsán se enterara de los cuernos, ni que tuviera en mucho su virginidad. Se trataba, simplemente, de que en su mentalidad no había caminos para la infidelidad. Se puso de pie y regresó en silencio al mostrador. El inspector, con los ojos perdidos en el cuadro, la dejó ir.

Justo antes de la llegada del cobrador mencionado al inicio de este capítulo, había yo salido del burdel tras caer en una especie de sueño soporífero... En ese sueño el Royal Palace luce restaurado. Los arquitectos modificaron la estructura interior y transformaron el salón principal en pequeños cubículos trazados con desabrida geometría. Los cuartos de la segunda planta han sido subdivididos en oficinas tan pequeñas como latas de sardina. El piso de los balcones está cubierto con losetas de fríos colores planos. Ahora se trata de una edificación sin alma, semejante a un palomar, retocada con el mal gusto que caracteriza a los hombres de esta generación. Quizá por ordenanza municipal, prurito posmodernista o recortes en el presupuesto, mantuvieron los mosaicos de flores exuberantes y la fachada... Pero los parroquianos que en algún momento recibimos el estado de gracia de la vellonera y del trago, también soñamos con un Royal intacto, sobre todo en los inagotables días de hastío, hasta llegado el tiempo en que nos entre un cansancio profundo y nos encontremos en la obscuridad con un jinete sombrío que nos mire tristemente y se marche sin hacer ninguna pregunta, llevándose nuestro silencio hacia la noche, y el mundo se desvanezca para siempre por los siglos de los siglos.

XIII, 3 / CIUDAD INTRAMUROS. Ultimátum, o el buen consejo

El sargento entró al cuarto de interrogatorio. Changsán llevaba casi una hora sentado en la banqueta, esperando. La demora, por supuesto, había sido deliberada: cuestión de estilo, para presionar. Con la novelita de Agatha Christie enrollada en las manos, el oficial caminaba de un lado a otro, mientras repetía las preguntas que años atrás le hiciera en ese mismo cuarto apagado, cuando investigaban el asesinato de la difunta. A cada momento el sargento se le acercaba amenazador; pero no lo torturaba ni con el pétalo de una flor. Le decía, solapando una profunda reticencia: "No se asuste, chinito, que nadie va ponerle una mano".

Changsán no comprendía el motivo del interrogatorio. Se suponía que el caso estaba cerrado. Pensó que a lo mejor era una excusa del policía para desatar su complejo de detective frustrado. De todo aquello, lo que más le molestaba era tener que responder en español, esa lengua antojadiza que le sonaba tan rústica, llena de consonantes áridas y pobre de diptongos. Le parecía denigrante tener que comunicarse en la misma lengua de su interrogador. Durante ese tiempo de presión y bochorno, trajo varias veces a su pensamiento aquella frase de su padre: "Nunca permitas que estos bárbaros te hagan sentir humillado. Para tu orgullo, siempre debes recordar que cuando sus antepasados andaban con taparrabo por la selva o hacían la guerra por un poco de especia, ya China había tenido brillantes imperios y grandes pensadores".

El sargento no insistió mucho con el cuestionario. Tras dar vueltas y vueltas con las mismas preguntas, detuvo el interrogatorio. Se sentó en una silla frente al chino y, con un aire paternal que le quedaba mal, le dijo:

—Mire, chinito, yo le voy a dar un consejo de padre a hijo... Múdese de ese local. En esta ciudad hay mucha gente que no lo quiere. Es que aquí huele mal todo el que parece raro. Yo sé que usted pide que le paguen una indemnización por abandonar el punto comercial, y tiene su derecho a exigirlo. Pero le voy a dar este otro consejo: no se complique más la vida con esa gente. Desaloje el local por las buenas. Quién sabe si el propietario, al ver la buena voluntad, después hasta le pague el doble de lo que usted merece. Y si quiere sentirse más tranquilo con la compensación, sólo tiene que pensar que usted perdió más cuando el incendio de la maipiolería... Es más, para que compruebe mi buena fe, haré lo siguiente: olvidaré este asunto de la occisa, dejaré que los muertos entierren a sus muertos, como dice la Biblia, y lo despacharé a usted para el negocio. Eso sí, tan pronto llegue allá, recogerá sus bártulos y se mudará mañana mismo. Yo tengo unos amigos que cargan mudanzas y pueden darle un buen precio por ese trabajito... ¿Estamos de acuerdo?

Con ese mismo paternalismo había hablado anteriormente a los otros arrestados, pero para aquellos el consejo, en tono más amenazador, fue que se desgaritaran del burdel y no regresaran, porque la pelota iba a ponerse muy caliente. El chino no le respondió. El sargento abrió la puerta y le pidió que caminara delante por el pasillo. Llegaron a una celda donde estaban apiñados, sin distinción de géneros, los demás arrestados. Las mujeres echaban maldiciones, incómodas por estar encerradas en un sitio pestilente en el que no había servicio sanitario. Tora y Edoy Montenégodo, sin exacerbar los ánimos, trataban de explicar al carcelero que ellos no tenían vela en ese entierro, porque no visitaban el burdel en la época del asesinato. El sargento los mandó a callar con su vozarrón. Tras pedir al carcelero que abriera la reja, dijo que se podían ir, no sin antes recomendarles que no olvidaran su buen consejo. Cuando todos salieron de la celda, detuvo por el hombro a Ángel el ángel y le dijo: "No, pajarito, tú te quedas aquí un rato más", y lo hizo encerrar de nuevo. Se trataba de una venganza del inspector. Cuando el oficial le comunicó, ensañado, que durante muchos días no podría beber cerveza con hielo y recibiría duras palizas, Ángel el ángel encogió los hombros y sonrió, al pensar que además podían obligarle a escribir un cuaderno de aforismos filosóficos para amargarse más la estadía.

XIII, 4 / CIUDAD INTRAMUROS. Los hacedores de santos

Era tiempo muy agitado para el alma del padre Cándido. El camino de la santificación es mucho más complejo de lo que el católico de a pie suele imaginar. Los canonizadores son entes en extremo desconfiados que, articulando una burocracia ancestral de naturaleza escéptica, exigen para todo una prueba, un papel debidamente certificado. El anciano iba de un lado a otro en su afán por enderezar entuertos, romper trabas y acometer los molinos de viento que pretendían escatimar su reputación de santidad.

Ligeramente agotado, se sentó a pocos pasos de la glorieta, oculto tras el tamarindo del parque, para observar un proceso ordinario que los miembros de la Hermandad del Padre Cándido —aún sin contar con permiso del obispo— desarrollaban en aquel lugar, ansiosos por recoger los testimonios que sobre la vida del difunto tenían diversas personas. El padre Ponciano y el presidente municipal fungían como jueces, mientras que Mónica, la secretaria, recogía en una máquina de escribir, apurada, los asuntos que eran tratados. El anciano se embadurnó de colonia de rosas, por si acaso. En ese instante escuchó los potentes latidos de un corazón que palpitaba desde el fondo de la tierra y provocaba que el paisaje urbano temblara leve, como si la ciudad fuera de papel y soplara con suavidad el viento. El Indio fue llamado a estrado. Desde la sombra del tamarindo, el padre Cándido lo escuchaba complacido insistir en que el difunto fue un santo varón. Ante la pregunta: "¿Pensaba usted, cuando él vivía, que el padre Cándido gozaba de reputación de santo?", afirmó sin vacilar, olfateando la esencia de rosas: "Como que dos y dos son cuatro". Dos damas de la flor que fueron llevadas a declarar, se mostraron muy parcas, más preocupadas por guardar las apariencias que por exaltar las virtudes heroicas del fallecido. Inesperadamente subió a estrado un grupo de rameras de oficio, hicieron comentarios horrendos y, ante la pregunta: "¿Opinan que la vida del padre Cándido indica que sus actividades estaban impulsadas por un gran amor al prójimo?", ellas relataron el episodio aquel en que el anciano sacerdote, con furiosas amenazas, las había expulsado de la catedral. Luego fue llamado uno que tenía las piernas inválidas; dio testimonio de que el finado sacerdote, en plena catedral, lo obligó a soltar las muletas para que se cayera al piso. Al final llamaron a un joven, quien contó que en cierta ocasión, mientras él se encontraba orando en la catedral, el anciano se le acercó furtivo y le manoseó un rámpano, el cual desde ese momento se infectó mucho más.

El padre Cándido se apartó de allí. En realidad, no se sentía flaco de ánimo por aquellos testimonios. Recordaba que cosas peores se habían rumorado durante el corto proceso del Beato. Llegó a la casa del árabe. Lo encontró sacando cuentas en un cuadernito. Tras breves rodeos, el hombre, que había sido puesto a cargo de las finanzas de la Hermandad, le reiteró, sin dejarse convencer, que no estaba dispuesto a poner un centavo más para el proceso de beatificación. El anciano sacerdote se contrarió en el alma. Antes de abandonar la casa, picado por un tolerable y comprensible sentimiento de inquina, le comentó al árabe con reticencia: "Cuando pasaba por el purgatorio, tuve una plática muy instructiva con el ánima de vuestra difunta esposa, durante la cual ella me reveló los pormenores de la forma en que vino a la muerte..." El hombre, angustiado, cerró el cuadernito. Preguntó, decidido y temeroso, qué cantidad de dinero hacía falta para continuar con el proceso de beatificación.

Pero no todo se resolvía con tal facilidad. Faltaba aún por enderezar un entuerto mayor. Así que el padre Cándido fue a Roma. Llegó al Palacio de las Congregaciones una mañana en que el sol se negaba a barrer las nubes opacas sobre el cielo vaticano. Subió al tercer piso. Merodeó por pasillos de paredes desnudas hasta dar con una pequeña oficina con vista a la Plaza de San Pedro, desde la que despachaba el cardenal prefecto de la Congregación para la Causa de los Santos. Como no había llegado nadie, se sentó a esperar. Se bañó el cuerpo con abundante agua de rosas. Era un despacho apenas amueblado con un escritorio de caoba, tres sillas y una librería. Leyó con curiosidad los lomos de los libros que había. Los cinco volúmenes de *De Servorum Dei Beatificatione et Beatorum Canonizatione* preparados por Próspero Lambertini, una colección de textos de Derecho Canónico, una sección de *positio*, un grueso libro sin inscripciones forrado con piel negra y los sesenta y dos volúmenes del *Acta Sanctorum Bolandistarum*.

Se oyeron unos pasos en el umbral. El cardenal entró al despacho sin saludar. Se quitó el solideo escarlata y se sentó al escritorio, desgonzado. Al olfatear la esencia de rosas que llenaba el salón, frunció el ceño. Era un hombre de rostro colorado, grasiento, de inconfundible acento italiano.

—¿Bien? —resolló.

Sus gestos y su voz mostraban que no se sentía cómodo con la visita. Era inusual que los candidatos a la beatificación se aparecieran en las oficinas de la Congregación. Aquello le presentaba un serio conflicto ético. Tras escuchar desganado al visitante, quedó en silencio. Se puso de pie y avanzó hacia la librería. Para que el otro notara que no estaba interesado en guardar las apariencias, tomó el grueso libro sin inscripciones forrado de piel negra y lo abrió sobre el escritorio. Sacó de su interior una pequeña copa y una botella de coñac. Se tomó un trago.

—En fin, no he venido para presionaros —mintió el visitante mientras notaba la mirada desafiante del prefecto—. Pero en la diócesis existe la creencia de que vosotros no estáis poniendo todo de vuestra parte en este proceso de beatificación. No sé, a lo mejor daríais una mano a la Hermandad si sugirierais al obispo que sea más entusiasta con esta tarea apostólica.

El prefecto desenroscó la tapa y se sirvió otra copita.

—Yo no soy hombre de andar con rodeos, Siervo de Dios —adelantó, en su español salpicado de acentos italianos. Imprimió una peculiar frialdad burocrática al título "Siervo de Dios"—. Le diré lo que pasa. Nos parece sospechosa la prisa que tienen ustedes en esta beatificación. La ley canónica establece que el proceso ha de iniciar al menos cinco años después del fallecimiento, y usted apenas lleva un año de muerto. Además, los católicos de hoy tienen suficientes santos. Lo que necesitan es más obras de la Iglesia...

El Siervo de Dios se sintió provocado por aquellas palabras, mas logró contener su espíritu. Vio que el cardenal acarició con mansedumbre la botella. La inteligencia se le iluminó con un buen argumento.

—Notad que la fiel América ha sido muy marginada en

la distribución de los santos: se le ha asignado menos de una veintena. Europa, en cambio, ha sido premiada con un número mayor. Italia cuenta con más santos que toda América...

—De algo ha de servir la ventaja de la casa —interrumpió el prefecto.

—Y nuestra isla no cuenta con ningún santo vernáculo —prosiguió sin perder el hilo el Siervo de Dios—. Allá pensamos que ya es justo que uno de los nuestros ocupe un lugar en el cielo. ¿Y qué mejor que uno salido de La Concepción de la Vega, cuna de primicias, donde inició la evangelización del Nuevo Mundo?

El prefecto quedó admirado. Entendió que esa argumentación requería una respuesta bien pensada. Se sirvió otra copita. Emocionado, sacó una carpeta.

—En todo caso, no debe olvidar que usted es español —advirtió con humor sombrío. Leyó con detenimiento, siguiendo las líneas con el dedo—. Aquí tengo un caso muy interesante, semejante al suyo. Es el padre Fantino Falco, un misionero que vivió veinte años en La Concepción de la Vega y falleció en 1939. Fue un buen sacerdote. Hasta compatriota mío es —destacó, con cierta mala fe—. Tiene rostro contrito, ojos píos, labios exangües... Vea la foto...

El Siervo de Dios se acercó desganado y fingió mirar.

—Yo lo conocí —murmuró, diríase que de mala gana.

El prefecto puso la foto en la pared.

—Es una foto perfecta —calificó con autoridad—. No necesitaría ningún retoque... Apenas habría que dibujarle la aureola. Sin embargo, ustedes han hecho un trabajo muy burdo que impide su beatificación. Han publicado su fama de santidad, poniéndole su nombre a calles y centros hospitalarios. Y también han dispuesto de muy pocos recursos económicos para el proceso. Es una lástima que, por una torpeza, ese santo se vaya a perder...

Guardó la foto entre amargos suspiros.

—Mi caso es diferente —interpuso el visitante—. Se ha formado una Hermandad que está trabajando duro y cuenta con los recursos materiales.

El cardenal se sirvió otra copita de coñac. Sacó de la gaveta un manojo de papeles. Los tiró sobre el escritorio.

—¡Han hecho un trabajo horroroso! —exclamó, exigente—. Mire usted esta biografía piadosa. Impresa en una edición barata, hecha en un viejo mimeógrafo. Está plagada de errores ortográficos e incongruencias en las fechas. Además es muy calculada, sin un rasgo de espiritualidad. Claro, no se podía esperar mucho, si utilizaron como hagiógrafo a un poeta de calidad dudosa. Así no se puede... ¿Cómo se podría preparar una *positio* con tales materiales? —suspiró impotente. Leyó algo que estaba subrayado. Miró al Siervo de Dios con sorna—. Esto que dice aquí, que en su niñez amarró usted al diablo atando dos briznas de hierbas... ¿es eso cierto?

—Quien cree que una montaña puede ser movida por la fe, ¿cómo puede sorprenderse de que el No-prójimo sea diezmado con hojas de hierba?

El prefecto guardó el manojo de papeles.

—Era sólo una pregunta —repuso—. Sin embargo, lo que más nos preocupa es el historial de algunas personas que forman parte de la Hermandad del Padre Cándido. Entre ellos se encuentran ese poeta, que aparte de mal versificador tiene fama de vagabundo; el sustentador económico está bajo la regla de Mahoma; el mensajero ha tenido numerosas riñas de muladar; la secretaria es una reconocida meretriz...

—Todos son católicos convertidos —defendió enérgico el visitante.

El cardenal hizo una pausa mientras desenroscaba la tapa de la botella.

—Sí, comprendo —reconoció y terminó de desenroscar. Habló en tono confidente—. Pero el asunto es que, usted sabe, hay quienes piensan que en la escala espiritual de los cristianos hay unos que están más elevados que otros...

El visitante entendió que era conveniente cambiar el curso de la conversación.

—Sin embargo, supongo que las dificultades no provienen de aquí, sino del abogado del diablo —comentó, para ofrecer una ramita de laurel—. Sería bueno hablar con él.

—Allá están muy mal informados, Siervo de Dios —reprobó el otro—. El abogado del diablo ya no existe, su cargo fue eliminado en 1983. Esa Hermandad suya tiene que actualizarse —olfateó con vulgaridad el aire y añadió un comentario con espíritu fraternal—. Usted mismo, si me permite el buen consejo, debería utilizar una colonia menos corriente que esa Agua de Florida... Estoy seguro que podría lograr un efecto más profundo con una agua de rosas de mejor calidad.

El alma del Siervo de Dios fue visitada por la ira. Observó al prefecto que llenaba con tranquilidad la copita de coñac. Hizo un último esfuerzo por contenerse. Y dijo con voz desabrida:

—No seáis exigente en exceso... Si echáis un ojo a la historia, descubriréis que una peccata minuta no debe ser motivo para obstruir los caminos de la santidad. El santoral está lleno de santos que, si se les mide con vulgaridad científica, dejarían mucho que desear. Os ilustraré con los siguientes ejemplos: se ha demostrado que los hechos y milagros de san Jacinto son muy cuestionables; Clemente X canonizó al legendario héroe Venancio, dejando a los historiadores del futuro la tarea de investigar quién fue ese personaje. Además, observad que hay muchos puestos ocupados sin necesidad en el libro de los santos. Así ha sucedido con san Miguel Arcángel, quien ya tenía ganado su lugar en el cielo por ser arcángel y no había por qué ordenarlo santo, y con el Buen Ladrón —y recontó otros casos, con el cuidado de no imprimir un tono crítico a sus palabras. Tras una pausa, sacó del bolsillo la estampa del Beato y la colocó sobre el escritorio, donde el prefecto pudiera verla—. Y ya sabe usted lo que se dice del Beato...

Al reconocer la gastada estampa, el cardenal se apartó la copita de los labios. Tartamudeó un poco. Luego la tomó del escritorio, la contempló con una expresión de mansa dulzura y la devolvió al visitante. Habló maravillas sobre los hechos y milagros del Beato. Se volvió a llevar la copa a los labios. El Siervo de Dios hizo algunas insinuaciones sobre la santidad del personaje del retrato. El otro rebatió con indirectas crueles, muchas de las cuales cuestionaban la vanagloria de haber venido a su despacho a cabildear su propia beatificación. El visitante contraatacó al esbozar ciertos comportamientos supuestamente non sanctos que el Beato tuviera en su presencia décadas atrás, cuando compartieron algunas experiencias en España. Acto seguido, vencido por la ira, censuró el método historiográfico de la Congregación. Al recibir tan fuertes embates, el cardenal retó:

—¿Tiene usted alguna censura a la autoridad de la Congregación para la Causa de los Santos?

El Siervo de Dios perdió los estribos del alma. Se escarbó con mano temblorosa los bolsillos. Herido en el espíritu por el cinismo de su interlocutor, tomó la estampa del Beato y la tiró con desprecio sobre el escritorio, furibundo, y gritó: "¡Sí: que donde se hace beato a Josemaría Escribá de Balaguer, se puede canonizar hasta al diablo!", fuera de control, sin importarle que estas palabras lo hicieran caer en pecado de juicio ni que bloquearan para siempre su proceso de santificación.

XIII, 5 / ROYAL PALACE. El hijo puesto en discordia contra su padre

Mientras un mortal sea juez, no habrá

*justicia en el mundo, y donde no hay
justicia es un peligro decir la verdad.*
Alfonseca

El árabe se limpió los pies en el umbral, bufando, y entró al salón. Lo deprimió la pestilencia, que se pegaba a la piel como melcocha nauseabunda y hacía sudar. La vellonera estaba muda y, más allá del ruido de los autos, sólo se escuchaba el susurrar de las moscas mezclado con el aleteo metálico de las cucarachas. Se acercó al mostrador, donde su inquilino paladeaba un vaso de anís. Discutieron. El viejo lo insultaba en un español que, al serle reforzadas la r y la d, sugería un pesado compás de metralleta, mientras que Changsán se defendía con los violentos diptongos del cantonés. El casero le recordaba que habían pasado las setenta y dos horas de plazo que le había dado para que desalojara el local. El chino, entre carcajadas cortas, replicaba que sólo se marcharía cuando le pagaran la indemnización. El árabe llevaba la desventaja en la discusión al no estar aclimatado al ambiente nauseabundo del burdel. Las cucarachas le acrecentaban la ira al estrellársele en el rostro o caminar impacientes por su camisa sudada. Quizá teniendo en cuenta estos factores adversos, se silenció de súbito. Calmado con calma de huracán que está a punto de azotar, le entregó otra carta escrita en letra de molde. El inquilino la cogió con un gesto de soberbia vulgar y la metió, sin leerla, bajo la caja registradora. El propietario pareció no inmutarse. Pensó que no tenía caso seguir gastando palabras en porfías, cuando al final de cuentas él era quien tenía la razón y el poder. "La virtud del noble —dijo Confucio— es como el viento, y la del hombre vulgar, como la hierba: la hierba se inclina al paso del viento".

El propietario cerró el maletín. La Maura hizo algunos silbidos de ave asmática, a ver si conseguía llamar su atención. Cuando el visitante llegaba a la salida, el violinista, que había escuchado la discusión desde la escalera, le vociferó entre lágrimas:

—¡Tú eres un perro, papá!

El árabe volteó el rostro y frunció el ceño. Aunque tenía constancia de que el tipo era fruto de un cuerno, durante el tiempo que le permitió vivir bajo su techo le seguía llamando sardónicamente "hijo", por negación, mientras que el otro le llamaba con rencor "papá", por afirmación monstruosa. Después de todo, amén de su relación infernal, cada uno era del otro lo más cercano a un padre y a un hijo. Se miraron con saña, no con simple odio, con esa zurrapa podrida y tóxica en que se convierte el amor cuando se ha transformado en su perfecta antítesis. El padre salió a la calle sin decir una palabra. El hijo subió la escalera.

Después de estos episodios, pasaron por la acera de enfrente el sargento y el raso Batida silbando con sospechosa despreocupación. El chino, Lù-shi, Tora, Edoy Montenégodo, el inspector y los cueros seguían con los ojos sus imágenes que iban de una ventana a otra. Los dos agentes se detuvieron un instante en el umbral. Sin entrar ni dejar de silbar, medio risueños, saludaron caballerosos con la mano y continuaron su camino.

Una hora después el burdel fue clausurado. Un cartel tapizaba la puerta principal: "Cerrado por Sanidad". El director de Sanidad fue quien hizo la breve inspección, solo, sin compañía de asistentes ni policías, con su rostro macerado por treinta años de ejercicio burocrático y sus lúgubres espejuelos de concha de carey. Apenas entró, olfateó el aire pestilente, escuchó el susurrar indecente de las moscas, vio la rata dormitando junto a la caja registradora, espantó una cucaracha que se le pegó en el pescuezo. Acto seguido salió a la calzada, llenó un formulario y llamó al chino para que cerrara el local. Él mismo clavó el cartel. Changsán, molesto por la clausura, se echó unos billetes al bolsillo y, como había hecho tantas veces, salió a resolver el asunto. Sin embargo, algo inusual sucedió en esta ocasión: ningún funcionario público quiso aceptar el soborno, alegando que esta vez el asunto era delicado. Ni en el Ayuntamiento, ni en la Gobernación, ni en Obras Públicas, ni siquiera en el Palacio de la Policía encontró a alguien que estuviera dispuesto a firmarle un papel que le autorizara a abrir. Así que regresó al burdel antes del mediodía, rompió el cartel y dejó entornada la puerta principal, avalado por su propia autoridad.

XIII, 5 BIS / ROYAL PALACE. La vida que te di

Dame la vida que te di, dame los sueños.
Sandro de América

No era de noche, pero el cielo estaba atiborrado de nubarrones y la ciudad se había llenado de densas sombras. Las campanas de la catedral recreaban con su badajo las tres de la tarde. De lejos llegaban moribundos los gritos de la muchedumbre que despedía al carnaval en aquel último domingo de febrero. En la vellonera sonaba *La última noche,* canción desenterrada de la voz potente y cavernosa, caballar, de Johnny Ventura. El ambiente se tornaba pesado en el burdel. La peste, el calor, los insectos asquerosos. Y ahora la incertidumbre. La primera que decidió marcharse y levantar su tienda en otro suelo fue Delia. Tras ella, y hacia otro destino, marcharon la China y Crucita.

Lù-shi veía a las flores de lodo abandonar la casa de té, enmudecida, quizá en su interior maravillada de que se pudiera abandonar una vida simplemente con marcharse. Por primera vez sintió envidia de estas mujeres. Ella no podía ir a ninguna parte. Tenía que quedarse allí, impotente, fiel a los requerimientos de su marido. Se sentía contaminada de amargura, sin destino, como aquella "fruta amarga que sólo sirve de adorno encerrada en una vitrina" de la que hablara Confucio. Con la excusa de que era necesario recoger algunas ratas muertas, subió a la segunda planta. Permaneció largo rato, deslizando sus pies desnudos entre las flores frescas de los mosaicos.

Desde tres ángulos distintos del salón, el inspector, Edoy Montenégodo y Tora el Pez Tigre Balón miraban melancólicos hacia el cuadro amarillento que colgaba de la pared. Las bombillas, como un resplandor de oro sucio, esparcían su lumbre por los rincones. Los tres hombres tenían los ojos marcados por el mismo sentimiento de adiós. Sabían que desde aquella abrupta noche jamás retornarían a aquel sitio. No tanto porque se desconociera en qué pararía el local, como por la antigua idea griega que indica que nadie entra dos veces al mismo burdel. Nunca compartían entre ellos su experiencia con la Princesa de Jade, recelosos, aunque sospechaban que los tres habían gozado la dicha del mismo sueño. Silencio. Se escuchó una moneda que era tragada por la garganta metálica de la vellonera. Silencio. El salón se fue inundando por la voz trémula de José José. Los hombres sentían los embates de la canción mientras sus pupilas se perdían por los pasajes del dibujo y de la memoria.

Yo quiero luz de luna para mi noche triste; para pensar, divina, la ilusión que me trajiste; para sentirte mía, mía así, como ninguna, pues desde que te fuiste no he tenido luz de luna, escuchaba entristecido Tora al tiempo que seguía con la vista la raya dorada que conectaba los enmarañados paisajes del cuadro. Rememoró el viaje entre aquellos extraños senderos que no había vuelto a encontrar fuera del recuerdo. Sus pupilas se nublaron al evocar a la Princesa de Jade sentada a la orilla del lago, iluminada por el fulgor provocado por la luna al posarse en el Jardín de Oro. Vibró al revivir en su pensamiento aquella noche de amor refugiado en sus brazos perfumados con jazmín. La imaginó de pie sobre un acantilado, diciéndole adiós desde el extremo infinito del mar. *Yo siento tus amarras como garfios, como garras que me ahogan en la playa de la farra y del dolor,* tarareaba silencioso Edoy Montenégodo reclinado en un rincón, con la vista extraviada en los pasajes dibujados. *Si debo tus cadenas arrastrar en la noche callada, que sea plenilunada, azul como ninguna, pues desde que te fuiste no he tenido luz de luna.* Miró a la Princesa de Jade, quien lo esperaba bajo la sombra de un ciruelo florido, intacta, en su imaginación. Tras soplar un suave beso en el aire, susurró: *Farewell, my love, my darling*, y se levantó de la mesa. *Si ya no vuelves nunca, provincianita mía, a mi selva querida que está triste y está fría, que al menos tu recuerdo ponga luz sobre mi bruma, pues desde que te fuiste no he tenido luz de luna.* El inspector sacó de su memoria, tembloroso, los episodios que lo condujeron a la Princesa de Jade. La recordó de cuerpo entero, vestida impecable, destilando claridad por la piel y los ojos. No una mujer, más bien ensueño era ella en su imaginación, porque —soñada o no soñada— aquella mujer reunía todas las propiedades de un sueño ideal. Los tres hombres, por turno, avanzaron hacia el umbral y abandonaron para siempre el burdel.

La tarde anochecida había subido la escalera y se posaba también en la segunda planta. El violinista salió al pasillo con el estuche de violín debajo del brazo. Comprendía que no tenía caso permanecer en el burdel, que figuraba como un barco atrapado en medio de un mar tempestuoso. Al llegar a la escalera, se detuvo, indeciso. Se devolvió. Avanzó hesitado hacia el cuarto del fondo, entre la nube difusa de las cucarachas. Una voz lejana se filtraba de la vellonera y ondeaba entre las sombras. Era Sandro, que cantaba con rancia amargura *El maniquí*. Empujó la puerta del cuarto. En un rincón, alumbrada por la luz temblorosa de la lámpara de queroseno, Ángela yacía arrollada por los fantasmas de su memoria. Estaba pálida y melancólica, ataviada con el vestido de María Montez, semejante a una muñeca que quedara abandonada en un ático. *Tan sólo quedó al fin el viejo maniquí donde probabas tú la seda y el chifón que llamó la atención a todo aquel que vio tu cuerpo de princesa*, esparcía la voz, que ascendía fatigada por las escaleras. *Y ahora quedó allí, tirado en un rincón, en el viejo desván, guardando la emoción de cosas que no están.* El hombre le ofreció su mano a la mujer. Ángela permaneció inmóvil, con la noche perdida en el pelo y la luna aferrada a su piel. No respondió al gesto. Recostada en la tumba del pasado, arropada por la mortaja del recuerdo, salpicada por las frías cenizas de la pasión extinguida, no miraba hacia ninguna parte con los ojos muertos. Quizá inquieta por aquella mano que se reiteraba sobre sí misma, incesante, que pretendía sacarla de la obscuridad, la mujer levantó la cabeza desde la tumba del pasado en que se encontraba acostada, y dijo: "Aquí me quitaron la vida y aquí me van a enterrar". El violinista se dio cuenta de que sería inútil intentar apartarla de allí. En todo caso, tendría que llevársela con el edificio y las sombras. Regresó a la escalera. *Y veo en el rincón del viejo maniquí a aquella que quise...*

El presidente municipal se paseaba entre las tinieblas del pasillo, sigiloso, con una chancleta en un pie y la otra blandida en la mano. Mientras canturreaba con dientes apretados: *La cucaracha, la cucaracha, ya no puede caminar...*, en sus oídos restallaban las voces del diablito y del angelito, quienes porfiaban con acritud desde temprano. Se desplazaba despacio y hacía silencio antes de dar un chancletazo a las cucarachas que volaban en desorden, solas o pegadas a otras en ayuntamiento sexual, o reposaban en la pared. Amontonaba en un rincón los cadáveres apachurrados, que eran a la sazón más de sesenta. Cuando las campanas de la catedral, como si golpearan en el fondo del agua, hicieron las cinco de la tarde bajo el cielo que amenazaba desplomarse con el peso de las nubes, se calzó la otra chancleta y regresó al cuarto.

Mónica miraba por la ventana. La ciudad se había vuelto una sombra por la que deambulaban difuntos desvanecidos, como un paisaje impresionista dibujado a carboncillo. Vio pasar a la Patria dando tumbos, embriagado y amargo, vuelto un fantasma. El presidente se tiró sobre la cama abatido por el sopor, con los brazos abiertos en cruz. De su boca cerrada escapaban aún, casi inaudibles, las notas de *La cucaracha.* La mujer se sentó a su lado y le secó el rostro con una toalla. Ella se arrellanó en una silla entre el hombre y la ráfaga tibia del abanico. De la vellonera subía una canción. *Él me mintió*. Observó al hombre, que resoplaba bañado en sudor. Impávida, aturdida por la evidencia, descubrió que todos los hombres son iguales. Esa mañana le volvió a reprochar que, sabiendo que la policía haría una redada en el burdel, él no se lo informó para que ella advirtiera a sus compañeras, sino que se limitó a prohibirle bajar a la primera planta. También le echó en cara que el día aquel, cuando su esposa, la dama de la pamela, le voceó los insultos, él se quedó atrincherado en el cuarto, riéndose hasta con las muelas de atrás, en vez de salir en su defensa.

—Al menos debió contarme lo de la redada —volvió a reprocharle—. Así ninguna hubiera ido presa.

El presidente se descuajaringó panza arriba. "Primero está Dios y después sus santos", se defendió con parquedad. Esa misma tarde se había negado a darle al chino un papel firmado para que reabriera el burdel. Estaba aburrido de su estadía en aquel cuarto vaporoso. Ya había agotado todas sus fantasías con la muchacha, así que nada lo motivaba a permanecer un día más en aquel muladar sobre el que se cernía peligrosa la asechanza.

Verdaderamente, era difícil echar un polvo bajo el calor sofocante de esos cuartos del Royal. Tras realizar el ejercicio venéreo, muchos teníamos la impresión de haber transitado por un desierto ardiente. Porque el calor externo es devastador a la hora del ayuntamiento. El tiempo fresco es mejor para el enganche genital, no importa que Aristóteles dijera que en el verano se acrecienta el calor natural y las operaciones son más perfectas, ni que Hipócrates y Galeno coincidieran en la opinión de que el verano fuera la más sana de las temporadas. La fresca hace más idóneo y tolerable el coito, pues, como afirmara Avicena, en este tiempo el calor del cuerpo se libera con las frotaciones.

El presidente municipal pensaba en la manera más conveniente de decirle que esa misma tarde recogería sus enseres y se marcharía para siempre. El angelito aleteaba sobre su hombro derecho y el diablito, sobre el izquierdo. El angelito volvió a insistir: *No seáis duro con esa pobre muchacha. Habladle con la verdad, decidle que, por respeto al sacramento del matrimonio, debéis regresar al lado de vuestra esposa. Ella sabrá comprender...* El diablito, iracundo, lo interrumpió: *No te lleves de ese santurrón, que en materia de mujeres no sabe nada. Lo que tienes que hacer es darle a mamar el güebo, que para eso es lo único que ella sirve. Después, recoge tus bártulos y vete, sin decirle ni púdrete. Y si ella se pone a joder, la descalabras a garrotazos y te vas como si no hubiera pasado nada.* El bonachón censuró: *Sois muy bellaco. ¿Cómo podéis malaconsejarlo de esa manera?* Y el malévolo, echando chispas por los ojos, respondió: *¡Cállate, comemierda! Tú no eres más que un desabrido aguafiestas...* El ofendido inquirió, mientras se remangaba la sotana: *¿A quién habéis llamado "coprófago"?* El otro, que no aguantaba más la rabia, le gritó: *¡A ti y a tu maldita madre, pariguayo!*, tras lo cual avanzó furibundo y lo pinchó con el tridente por el culo. Los dos espíritus se emburujaron en un combate cuerpo a cuerpo y, reburujados de esta manera, se esfumaron en el aire caliente de la habitación.

El presidente se bajó la bragueta y se sacó el güebo destemplado. Ella, sin apetito sensual, le sugirió que se pusiera un preservativo. Él extrajo de la almohada un paquetito. Lo desgarró y sacó un condón. Lo estiró, lo llenó de aire, jugó un momento con él y lo hizo estallar. El letargo involucionista en que el machismo mantiene al hombre a menudo le ha impedido apreciar la ganancia del preservativo. No sólo sirve este objeto de goma para prevenir de enfermedades y embarazos indeseados, sino que dota al hombre de una propiedad que antes era exclusiva de la mujer: la posibilidad de fingir el orgasmo.

—Ven, dale una mamadita —le pidió el presidente, en una pausa del canturreo.

La muchacha, con la mansedumbre de un animal doméstico, subió a la cama y se arrodilló entre sus piernas abiertas. Y he aquí que cuando se recogía el pelo con una mano y descendía, encontró que en las pupilas de su macho estaba escrita la palabra adiós. Se le quedó mirando, con esa mirada que se da al amante sentado tras la ventanilla de la guagua en que se va. La gente que lee los ojos suele sufrir la desdicha doblemente, pues le llega por adelantado, igual que quienes tienen el poder de la premonición. Mónica quedó pensativa. La canción que subía de la vellonera le inundaba los sentidos. Se hundió en el fondo nebuloso de la memoria. Le preguntó, dolida:

—Señor... ¿por qué hizo que aquella vez me vendieran al burdel?

El presidente dejó de canturrear.

—Yo no tuve la culpa. Mi esposa se enteró de que yo te tenía mudada en ese sitio y me exigió que te vendiera... Esa mujer es el diablo —le respondió, sin cargo de conciencia.

A la muchacha se le gastó el aire. El alma le quedó colgando de un hilo. La canción la hizo volver en sí. Cantó, desgañitada, a coro con la voz desgarradora que salía de la vellonera. *¡Él me mintió, él me dijo que me amaba y no era verdad!* El Señor se sintió aludido. Para defenderse, y también para que la tíguera se callara y empezara de una buena vez a mamárselo, le dijo a secas: "Yo no te mentí. Yo en ningún momento dije que te amaba". Mónica se quedó sin voz. La canción se fue extinguiendo en la vellonera. Acto seguido, ella le sonrió, lejana. Se recogió el pelo con una mano, inclinó la cabeza hasta las piernas del hombre, se llevó la punta del miembro viril a su boca y lo sopló.

XIII, 6 / ROYAL PALACE. Huéspedes súbitos, visitantes de las tinieblas

Cantando y bailando estaba
y enamorando mujeres.

El mundo dizque se acaba,
pero es para el que se muere.
Quiterio Peña

El burdel quedó en tinieblas. Changsán encomendó a su esposa que fuera a comprar dos galones de gasoil para encender la planta. Apenas se escuchaba en la edificación el aleteo metálico de las cucarachas y las moscas que agitaban sus alas de papel de celofán. El chino trataba en vano de sobreponerse a la modorra cegándose los ojos con gelatina y bebiendo vasos de anís. Todas las mujeres se habían marchado, por turno, sin mirar hacia atrás. La última en abandonar la guarida fue La Maura, quien esa tarde había logrado cobrar los setecientos pesos al periodista. Se detuvo en el umbral, sacó de la espalda unas alas enormes y echó a volar. Las imágenes se mezclaban con la pestilencia, giraban alocadas ante los ojos de Changsán.

La arena del tiempo se filtraba en los cristales ennegrecidos de la noche. La puerta se abrió con un chirrido. Entró una sombra. El chino se acercó con una lámpara y condujo al visitante hasta una de las mesas del fondo, sin hablar. Dejó la lámpara y fue a buscar una botella de moscatel. Lo vio desde el mostrador. Era un hombre corpulento, de ojos negros, melancólicos, y abundante cabellera negra bruñida con vaselina. Era bien parecido y vestía una chaqueta marrón, de falsa piel de serpiente, bajo la que se distinguía una camisa de estilo gitano. Llevaba también una correa ancha, cuya hebilla estaba adornada por dos escopetas cruzadas en equis, y un voluminoso anillo de plata con el rostro de un indio. El chino puso sobre la mesa la botella y la copa. Mientras sacaba la cuenta, vio que una cucaracha sobrevoló la cabeza del visitante y se le enredó en la cabellera. El hombre la desprendió, la miró con curiosidad y la volvió a poner en el cabello. Otras cucarachas se acercaban revoloteando y se pegaban lujuriosas en las manos, le colgaban de la chaqueta, le caminaban por el rostro, mientras él sonreía y se dejaba hacer.

Aquella noche en el lupanar había un ambiente raro. No lo digo por el calor, ni por la peste de las ratas, ni por las cucarachas y las moscas que aleteaban desordenadas. Hablo de un mal oculto, invisible, que hacía que uno se sintiera acechado por una bestia salvaje a punto de entrar. Quizá era por el rumor que corría en secreto entre los burdelianos, de que se urdía una trama terrible para clausurar de golpe la maipiolería. Yo me acerqué esa noche, mas no tuve coraje para pasar del umbral. Cuando me disponía a dar un paso hacia la calle, vi a un chino joven que se detuvo en la escalera a contemplarme. Changsán lo escrutó desde el mostrador, lleno de pavor, sin hablar. El chino joven tenía una rara expresión en los ojos; luego, como si me hubiera reconocido, movió la cabeza con un leve ademán afirmativo y retornó escaleras arriba.

Lù-shi entró al burdel apurada, dando saltitos con sus pies descalzos. Con los ojos rojos de llorar, le contó a su marido que en la otra calle había encontrado a Yara. El chino la miró atento. Desde días atrás no tenía noticias del animal. Incluso había organizado varias operaciones para que su consorte fuera en su búsqueda por los rincones y los patios aledaños. Lù-shi, tras una remarcada pausa, le reveló que sólo había encontrado del gato un cuero estirado y pestilente sobre la calle, apachurrado hasta la saciedad por las ruedas de los autos. Changsán no la siguió escuchando. Atribulado, se refugió en un extremo del mostrador y se sirvió otro vaso de anís.

La mujer siguió hacia el callejón, echó el combustible a la planta y tiró del cable de encendido. Tras un breve pestañear, los bombillos quedaron alumbrados. El visitante se puso de pie y avanzó hacia la vellonera. Apartó cuidadoso las cucarachas que tapaban el cristal. Dejó caer una moneda en la ranura. Se apartó hacia el centro, puso la chaqueta en el espaldar de una silla y saltó a una mesa. El salón se llenó con la rosa cantada por Sandro. *Rosa, Rosa tan maravillosa, como blanca diosa, como flor hermosa, tu amor me condena a la dulce pena de sufrir.* El visitante, como drogado por la música, se transformó en Sandro, movía la cintura y canturreaba con voz horrenda encima del disco. Las cucarachas sobrevolaban inquietas alrededor de su cuerpo, despistadas con sus contoneos inesperados. Cuando la canción terminaba, echaba otra moneda a la vellonera, saltaba a la mesa y repetía la rutina de danza. Entonces retornaba la voz ahumada, siempre nocturna, de Sandro, para forrar de terciopelo negro todas las cosas, incluso las de la memoria. Todo empezaba con un grave rasgar de guitarra que brotaba del silencio, in crescendo, para fundirse con el pandero y seguir rasgando durante toda la orquestación. No es lo mismo "rasguear" que "rasgar" una guitarra: en el primer caso, se trata de frotar las cuerdas con técnica más o menos depurada, preestablecida, lo que produce siempre un efecto de "pieza bien hecha"; en el segundo, se acaricia con deliberada y fría mala fe la guitarra, para que la pasión supere el método y provoque un sonido ensañado que rasgue ya no las cuerdas del instrumento, sino las del alma. *Rosa, dame todos tus sueños, ay dueño de tu amor quiero ser, ay dame de tu ayer las heridas, vida junto a mí has de tener.* Guitarra, pandero, violines, órgano y batería fundiéndose en secreta armonía para rebosar el espacio con una música tenebrosa que hacía vibrar el cuerpo. La gente decía que él era idéntico a Sandro de América, que hasta podría doblarlo; pero si era cierto lo de su contextura, no menos cierto era que su garganta lo ponía en ridículo, ya que poseía una voz desastrosa. Así que tenía que conformarse con no ser Sandro, o ser Sandro sólo en representación plástica. No obstante, le extasiaba mover la cintura y danzar al ritmo de sus canciones. *Ay, Rosa, Rosa, pide lo que quieras, pero nunca pidas que mi amor se muera, si algo ha de morir, moriré yo por ti.*

En una pausa de la vellonera, la puerta volvió a chirriar. Esta vez entró al salón un mandarín, con barba copiosa y cejas de muñeco de ventrílocuo, que parecía salido del carnaval.

Frunció el ceño tras olfatear la pestilencia. Huyendo de una cucaracha, avanzó apurado hasta una mesa. Lù-shi mató el insecto y le indicó al visitante que podía sentarse. Este la observó con detenimiento. Pareció desengañado. Se cubrió la nariz con un pañuelo y tomó asiento. No pidió nada. Miró curioso hacia la escalera. Palpó sin darse cuenta una rosa de plástico, polvorienta, que adornaba la mesa. Asqueado, se rebuscó en los bolsillos, sacó una pequeña botella que contenía alcohol isopropílico y se desinfectó con el líquido la mano dañada.

XIII, 7 / CATEDRAL. La Muerte acalambrada

El padre Cándido desplazaba la silla de ruedas entre las sombras del cuarto. Se detenía ansioso ante la ventana nublada, se tiraba en la caja de dientes un pedazo de chocolate, hojeaba el misal. Buscando paz en el alma, avanzó hasta el viejo baúl. Escarbó entre los libros ajados y encontró la bolsa de terciopelo en la que guardaba las reliquias. Un cabo de la soga con que estaba amarrado el burro en que el Señor hiciera su entrada a Jerusalén; tres monedas de plata —pero genuinas— de las que Judas cobró por la traición; una rama seca de la higuera que Jesús maldijera en las afueras de Betania; un pedazo de la esponja empapada de vinagre que le pusieran en los labios a Nuestro Señor; unas boronas de maná... Y todo conservado en excelente estado. Luego observó entre sus pertenencias personales aquellas que pudieran servir para engrosar su relicario. Las imaginó encerradas en un cajón de cristal, paseadas en las manos de los fieles por todas las iglesias del mundo: la sagrada sotana, el anillo milagroso, las humildes sandalias, la santa caja de dientes reposando en el vaso de agua... Tuvo dudas sobre si sería prudente incluir en el número de las reliquias su mortificadora silla de ruedas. Cerró el baúl. Suspiró arrobado mientras deshacía en su garganta otro pedacito de chocolate. Procedió a inventariar sus propiedades espirituales. Encontró que estaba libre de pecados actuales, veniales y mortales; tenía en regla los diez mandamientos de Dios y los siete de la Iglesia; permanecía bajo la gracia de cinco de los siete sacramentos; había practicado las virtudes teologales y cardinales; apreciaba con respeto los siete dones del Espíritu Santo, así como sus doce frutos; practicaba las catorce obras corporales y espirituales de misericordia; predicaba las ocho bienaventuranzas; había logrado vencer los siete pecados capitales y no llegó a cometer ni una de las seis ofensas contra el Espíritu Santo; manejaba las tres obras buenas eminentes y los tres consejos evangélicos. "En fin, ¿qué más se puede pedir?", suspiró, a la vez que se echaba en la caja de dientes otro pedacito de chocolate.

La puerta se abrió con lentitud, provocando un solo de bisagra mal aceitada. El anciano oyó unos pasos secos, de madera golpeada por un hueso. Frunció el ceño y se volteó para escarmentar a la monja. Y he aquí que descubrió a otra criatura. Estaba cubierta de pies a cabeza por un traje negro y estrujado.

—Vámonos —ordenó la visitante.

Era La Muerte. El viejo clérigo quedó perplejo. No se movió de la silla. La recién llegada se llevó las manos a la cintura, contrariada. Otro anacoreta, pensó con fastidio. Los anacoretas siempre hacían más difícil el trabajo por su insoportable arrogancia de creerse más listos y sabedores que la propia naturaleza: exigían tratamiento especial y pensaban que tenían derecho a hacer una oración, sin saber que el muerto ya no es gente. El negocio con estos personajes le producía calambre en los huesos. Prefería tratar con laicos de la gleba, porque estos nunca ponían peros y se dejaban llevar con mansedumbre, sin pretensiones, como los animales de comer. La Muerte sacó su cuadernito y lo revisó atenta, con la remota esperanza de que se tratara de algún equívoco. No. Desazonada, guardó el viejo cuadernito. El padre Cándido se repuso un poco de la perplejidad. Sintió que el cuarto temblaba bajo los potentes latidos de un corazón. Sonrió nervioso.

—Ya sé —exclamó, mientras la señalaba con gesto de amonestación—. No sois La Muerte, sois una de esas mascaritas... ¿A quién queréis engañar? Tengo para deciros que estáis ante un campeón de la fe, frente a un atleta imbatible que ha sabido desenmascarar y rebasar demonios a lo largo de su carrera. Así que seguid vuestro camino, que vuestro carnaval pasó.

La Muerte se sintió ofendida. La jeringaba mucho que la compararan con la Muerte en Jeep, esa máscara de baja ralea que sale para carnaval. El calambre le hizo vibrar la osamenta. Tendió hacia el sacerdote su mano huesuda. El padre Cándido confirmó que no se encontraba en presencia de una farsanta. Tragó en seco. Los latidos ascendían desde el fondo de la tierra, ahora como marcha funeral. En ese momento recordó mortificado que de las cuatro postrimerías, sólo había reflexionado en las del juicio, el cielo y el infierno. O sea, que le faltaba la muerte. Miró angustiado hacia el baúl. Rogó a la visitante que le permitiera unos minutos, para repasar el escalón sexto de san Juan Clímaco. La Muerte se interpuso entre él y el baúl e insistió con la mano tendida.

—Yo no puedo caminar —le replicó, ansioso de ganar tiempo con este inconveniente de último minuto.

La Muerte exhaló hastiada. De mala gana, se colocó detrás de la silla y empezó a empujarla hacia afuera. El padre Cándido trató de exorcizarla. Le echaba maldiciones, la retaba, la acusaba del pecado de soberbia. Y todo esto lo gritaba desesperado, mientras los poderosos golpes del corazón le ahogaban la voz. Viendo que estos recursos no daban resultado, comentó amigable: "A lo mejor esto se trata de un sueño". Sin detener su marcha y encogiendo los descarnados hombros, la otra pensó: "¿Cuál sería la diferencia?" Cuando cruzaron el umbral, La Muerte, harta hasta el hueso de la coronilla de oír tanta palabrería póstuma, en represalia, apoyó su pie esquelético en el espaldar y tiró la silla de ruedas cuesta abajo por la escalera.

XIII, 8 / ROYAL PALACE. La búsqueda final

El mandarín miraba desalentado la escalera sombría. En el centro del salón, el otro visitante se contoneaba como un muñeco de goma. El chino apuró un vaso de anís, hizo una seña a su mujer y subió a la segunda planta. El mandarín comprendió que no tenía sentido permanecer un momento más en aquel lugar pestilente. *Mejor vámonos de este muladar, Ponciano*, se dijo, y Ponciano le respondió: *Lo que pasa es que nunca te llevas de mí. Yo te advertí que este disparate del disfraz no te conduciría a nada bueno.* Sin darse cuenta, se apoyó sobre la mesa infectada de microbios y su mano palpó una cosa tibia, arrugada, que latía. Volteó el rostro despacio, presintiendo lo peor, y descubrió que se trataba de una rata asquerosa que lo miraba con ojillos sanguinolentos y rabiosos. Apartó rápido la mano. El roedor emitió un chillido y saltó de la mesa; él se quedó helado, con los nervios destrozados, arrellanado en la silla. Sintió una náusea profunda y cayó en un pesado sopor. Vio que la china se acercaba con una bandeja de plata en la que traía una taza de porcelana decorada con florecillas. La mujer, con rigurosidad maternal, le dio a beber una infusión. El hombre se dejó llevar; sin embargo, no bien tomado un trago, tiró la taza de porcelana contra la pared. Vio que la china se apartó apurada y comenzaba a borrarse, a confundirse con las moribundas luces del salón.

La mano que posara sobre la rata le empezó a arder. Sentía los microbios esparcirse por sus dedos. Lo embargaba una profunda sensación de tiriquito y tenía ganas de vomitar. Se dio cuenta de que estaba más cerca del baño que de la salida. Entró al retrete. Tuvo la incómoda sensación de que unos ojos lo espiaban. Una bandada de cucarachas saltó de las paredes, aleteó a su alrededor y con un desplazamiento desordenado le rozaban el rostro maquillado, le caminaban por las manos, se pegaban al gorro. Se encerró en un cubículo asqueroso, donde estaba el inodoro, y sacó del bolsillo el frasco de alcohol isopropílico. Pero cuando lo desenroscaba, una cinta forrada de moscas se despegó de la pared y le cayó en la mano. Espantado, soltó la botellita, que fue a parar al interior del inodoro. Escapó desesperado del baño.

Cuando retornó al salón, encontró, extrañado, que el ambiente ya no estaba corrompido. Diversas plantas exóticas se levantaban de los mosaicos. Sandro danzaba sobre una mesa por cuyas patas ascendían hiedras verdosas. El cielo estaba nublado de dragones y fénix que volaban armoniosos bajo una luna redonda, luminosa, que, de tan perfecta, parecía artificial. Miró hacia la escalera y vio, bajo una planta de ciruelo en flor, a la Princesa de Jade. Ella lo contempló con sus ojos dorados; después suspiró amargada y desapareció de la escalera. El mandarín subió apresurado los escalones. El árbol y la bella muchacha se habían desvanecido. Sospechando que aquello era una mera visión, decidió marcharse del burdel. Pero en ese instante apareció ante él una figura alada, de ángel, que le ofrecía la mano.

"Ven conmigo, Ponciano —le dijo el ángel menor, con solapada inquina, esmerado para que su voz sonara lo más celestial posible—. Yo te conduciré hacia los placeres del amor". Sin albergar temor, se agarró de la mano angélica y dejó que lo guiara escalera arriba. Pasaron por un desierto. Cruzaron sobre un estadio de limbo, en el que el espacio y el tiempo permanecían rezagados, enredados en una alfombra verde de ánades salvajes y flores bordadas con hilos dorados, vertida sobre las ruinas luminosas de un arco iris. Y después llegaron a una tierra habitada por dos grupos de hombres: unos cuyas manos eran derechas y otros cuyas manos eran izquierdas, y ambos grupos se la pasaban en guerra despiadada para cortar las manos contrarias y poderse combinar las propias.

La vellonera quedó en silencio. Sandro saltó al piso y dejó arriba la aureola de cucarachas. Se rebuscó en los bolsillos. No le quedaba ni una sola moneda. Miró a su alrededor. No había nadie. El chino y su mujer se encontraban en la segunda planta. Se acercó a la caja registradora, pero no pudo abrirla porque estaba cerrada con una cadena. Bajó del estante una botella de moscatel. Bebió un trago y fue hacia la mesa. Se puso la chaqueta marrón de falsa piel de serpiente. Dejó que las cucarachas rehicieran la aureola sobre su cabeza, sacó un llavero que fulguró al encuentro con la luz y avanzó rumbo a las escaleras.

El ángel menor aleteaba apurado, con el padre Ponciano encaramado sobre su espalda. Pasaron por una tierra en la que la sombra de cada hombre era la imagen de su futuro cadáver. Los habitantes de esta tierra caminaban arrastrando la figura de sí ahorcados, apuñalados, ahogados, envenenados, podridos por la buba. Sin embargo, ninguno tenía el poder de ver su propia sombra y sí la de los demás. Existía también para ellos un mandamiento inquebrantable, según el cual nadie debía decir al otro la figura de su sombra. El clérigo interrogó intrigado qué le podía pasar a quien rompiera esa regla, a lo cual el ángel menor, con honda crueldad bajo una sonrisa inocente, respondió: "Nada".

Sandro se detuvo en el rellano. La tarde anterior su compadre Mazamorra lo había visitado en la guarida. "Será un trabajito fácil. Yo tengo las llaves de los cuartos de la segunda planta y conozco el sitio de memoria... Lo va a encontrar en el cuarto del fondo, en el de la puerta roja", reiteró Mazamorra, tras indicarle dónde debía ir a cobrar el pago y explicarle que no habría ningún tipo de represalia. "Y recuerde, compadre: debe ser un corte parejo, para que no quede piedra sobre piedra". Sandro sacó la cuchilla, que al abrir produjo un chasquido de caja registradora. La hoja de metal relampagueó al recibir los rayos de la luz. Relampagueó también el indio de plata del anillo.

El ángel menor esquivó una curva de arco iris y sobrevoló por una región de vientos helados, formada por una estepa sobre la que flotaban, separadas por un corto espacio, el sol y la luna. Y cada uno de esos cuerpos celestes era alcanzado por una larga escalera de hierro que se apoyaba al suelo, de la que colgaban millares de hombres. Los hombres de la escalera del sol se pasaban incesantemente leños secos, que hacían llegar a los que estaban en la punta, quienes los echaban dentro del astro para mantener la intensidad del fuego. Por otro lado, los hombres de la siguiente escalera aprovechaban las brasas que caían y las hacían ascender en cubetas para que la luna se mantuviera tenuemente encendida. El padre Ponciano escuchó las explicaciones del ángel menor y llegó a la conclusión de que el universo utilizaba un mecanismo muy primitivo para mantenerse en movimiento.

XIII, 9 / ROYAL PALACE. La Princesa de Jade

One day soon I gonna tell the moon...
Geoff Stephens

El Jardín de Oro relucía bajo los destellos de plata de la luna. Al observar los árboles dorados, los pájaros aleteando con alas auríferas, el follaje de amarillo metálico, el polvo de oro llevado de un lado a otro por el viento y el lago cristalino con su fondo resplandeciente, el mandarín dudó de la verosimilitud de aquel espacio. "Esto es un sueño, a lo sumo un paisaje de la loca imaginación", calculó con fría lógica. Miró hacia el otro extremo del lago y descubrió a la Princesa de Jade sentada sobre el césped, tan sólida como etérea, bella en extremo, quien contemplaba con dulce melancolía la luna que temblaba sobre las ondas del agua.

El ángel menor lo empujó por los omóplatos y lo instó a que se acercara y copulara con la muchacha. Justo en ese instante, un arcángel de alas enormes apareció en la cúpula del cielo. El ángel menor trató de esconderse, aterrado. Se había escapado sin permiso para conducir al padre Ponciano a los brazos de la Princesa de Jade y sabía que, si era sorprendido en ese acto, la pasaría muy mal. Se hizo invisible, aunque entendía que su superior utilizaría el mismo recurso. Entonces echó mano de la inteligencia, en busca de alguna idea que le permitiera disimular su falta y confundir al arcángel.

Sandro, tras abandonar el remolino de cucarachas, se detuvo frente a la puerta roja. Se llevó la mano al corazón para ver si traía el escapulario cosido a la camisa. Pronunció la oración secreta de los ladrones antes de entrar a robar, se persignó y giró el picaporte. Entró a una sala pequeña, desamueblada, en cuya pared de fondo había un abanico de bambú y papel dorado con ilustraciones de aves del paraíso y rosas gigantes. Avanzó sigiloso hacia una entrada cerrada con un biombo. Pasó a un cuarto vacío, sahumado de incienso, en el que había un altar con retratos de gente de la China. Tiró las vasijas repletas de carne y arroz, revisó debajo de la mesa, vació el contenido del trípode sobre el mantel, pero no encontró nada de valor. Rompió los retratos y regresó a la sala. Entonces descubrió un vano tapado por una cortina de flores rojas, que dejaba filtrar una luz verdosa.

La Princesa de Jade vio al mandarín sentarse en el césped. Lo contempló sumergida en una dulce ansiedad, pues recordaba que tiempo atrás lo había visto en un sueño. La esclava Tu, cubierto el rostro con su velo de seda, apartó unas ramas para espiar a la pareja. El hombre escrutó a la ama y empezó a dudar si se encontraba ante una criatura del cielo, de la imaginación o de la tierra. Un suave aroma de jazmín llenaba el espacio. Él se mantenía casi inmóvil, apenas sus labios temblaban. Percibiendo la indecisión del amante, la muchacha se sintió forzada a propiciar el encuentro. Apoyó las manos sobre el césped y se acercó poco a poco al hombre. Él quedó atrapado en la red de su belleza. Los ojos de oro, las mejillas rosadas, los labios de sangre o de rubí se encontraron encima de su rostro, tan cerca que los podía rozar con la respiración, con lo poco de aire que aquella aproximación le había dejado en los pulmones. El hombre no conocía el camino de los labios, pues nunca había besado; sin embargo, derrotado por la pasión, encontró el sendero, porque para besar sólo se necesita dirigir los labios en línea recta hasta que choquen con una protuberancia mullida, húmeda, hecha con la carne de una fruta. Al ganar la boca de la muchacha, se le borró momentáneamente la razón. Un perfume tibio insufló su cuerpo y lo transportó a un burbujeante estado de sopor.

El arcángel disputaba con el ángel menor. Sus gritos retumbaban en el cielo, mas no en los rincones del mundo, porque las dos criaturas permanecían invisibles para los hombres y las bestias de la tierra. Sandro apartó la cortina de flores y entró al cuarto. En el centro, iluminados por una bombilla verde, un hombre y una muchacha se besaban. Ambos amantes eran espiados por una mujer que se ocultaba tras un biombo dibujado con ramas verdes. Fue precisamente ella la primera en descubrir al intruso. Se quedó pasmada al ver los destellos verdosos del cuchillo. Sandro se acercó a la pareja. Cuando estuvo a pocos pasos y miró el rostro de la Princesa de Jade, quien inclinó la cabeza sorprendida, quedó patitieso. Las dos criaturas angélicas se desplazaban en vuelo mortal por la bóveda del cielo; sus voces llegaban a un confín y retornaban hasta el extremo contrario, igual de fuertes, rebotando en el eco. Sandro saltó contra la Princesa de Jade y, con un salvaje manotazo, le arrancó el tocado de perlas artificiales. El mandarín la observó sin el encanto de la peluca. Estupefacto, descubrió que la mujer no era más que un hombre disfrazado. Fuera de sí, se despojó de sus ropajes y de la barba. Sandro se persignó boquiabierto al ver que se trataba del padre Ponciano. El amante, desengañado y herido de burla, agarró al travesti por el cuello y le quitó el maquillaje del rostro con las manos. Al encontrar que el hombre oculto bajo la fachada de la Princesa de Jade era Changsán, tuvo ganas de vomitar. Lo tiró contra el suelo. En seguida se lanzó contra la mujer que los había espiado. Le arrancó el velo de la cara. Ella profirió fuertes alaridos mientras correteaba desesperada por el cuarto. Se trataba de Lù-shi. El padre Ponciano salió del cuarto y se internó en el pasillo umbrío, vaporoso, pestilente, lleno de cucarachas en celo que volaban enloquecidas. Corrió escaleras abajo y, dando un fuerte golpe a la puerta de salida, abandonó el burdel. Entretanto, Sandro acorraló a Changsán y a Lù-shi junto a la ventana. Cortó con el cuchillo los brazos que se le oponían, las manos que se levantaban como inútiles escudos, las espaldas que intentaban proteger la parte frontal del cuerpo. En medio de la arremetida, a Sandro no dejaba de sorprenderle el hecho de que el hombre no se defendiera, ya que tenía la creencia de que todos los chinos son maestros de karate. Por extraña caballerosidad, sólo hería a la mujer cuando esta se interponía entre el cuerpo de Changsán y el arma. La hoja de acero entraba y salía teñida con la sangre del hombre, taladrando el vestido azul bordado con lotos y crisantemos. Cuando la pareja de chinos casi se desvanecía en la muerte, Sandro pensó en irse. Empero, al recordar las instrucciones: "Y recuerde, compadre: debe ser un corte parejo, para que no quede piedra sobre piedra", los levantó a los dos en un abrazo y los arrojó por la ventana. Y viendo el arcángel que era la hora de la destrucción, lanzó contra el ángel menor un zarpazo con tal violencia que este cayó fuera de control hacia el fondo de los abismos, mientras sus alas se desflecaban por el roce brutal del viento y gritaba con un ruido como si se estuviera hundiendo el mundo.

Cuando Sandro salió al pasillo, vio que dos tipos se acercaban manoteando la miríada de cucarachas. No se saludaron. Sandro bajó la cuchilla y se sentó en el rellano. Los hombres entraron al cuarto de la tragedia. Vieron los destrozos, las manos rojas mal pintadas en la pared, la sangre que salpicaba el piso. Se apostaron en la ventana rota y miraron hacia abajo. Después revisaron entre los cajones, de donde tomaron un fajo de billetes y algunas prendas de valor. Retornaron al pasillo. Sandro se secaba el sudor y los chisguetes de sangre que habían quedado en la cuchilla; bruñía también el indio de plata del anillo. Vio a los tipos apoyarse del contrahuella.

—Este Sandro es terrible —censuró con indulgencia uno de ellos mientras se limpiaba los dientes con un palillo y se subía y bajaba mecánicamente la bragueta.

—Se hace lo que se puede —comentó Sandro y se puso de pie.

Acordaron que tenía que irse con ellos. No para averiguar los hechos, sino por simple papeleo. Los tres bajaron la escalera.

A esa hora encontrábame sentado en la glorieta del parque, cuando vi que por la puerta del burdel salía el chino joven con un neceser y una máquina de escribir muy vieja cargada al hombro. Vi que se detuvo frente a mí. Sacó del neceser un manojo de papel mecanografiado y me lo entregó. Me sentí extrañado. Eché una ojeada a los papeles. Se trataba de un reporte detallado sobre diversos hechos de mayor o menor envergadura acaecidos en las últimas semanas dentro de los muros del Royal. A ver, ¿por qué entregármelo a mí? ¿Qué podía hacer yo con eso…? Cuando levanté los ojos, vi que el chino joven había desaparecido.

Luego vi que la entrada del Royal Palace se abría desde adentro. Y tres hombres, o mejor dicho tres sombras, salieron con sigilo. Al cruzar el umbral y llegar a la acera, tuvieron el cuidado de cerrar la puerta del burdel.

CODA. Los poemas del Royal Palace

PLEGARIA A LA VIRGEN, DEL DR. PRUDEN-CIO DE LA HOZ AL PADRE CÁNDIDO

Santa María, ¡oh Reina de la Fe!
Que habitáis la rosa y jamás el loto,
Mandad sobre esta villa un terremoto...
Mas que destruya sólo el cabaré.

¿Puede esta ciudad de sacras primicias
—Do América estrenó su misa nueva—
Tener su Catedral junto a una cueva
En que rameras venden sus delicias?

No sé si algún día al cielo, ¡oh Virgen Mía!,
Ha ascendido, mezclado con mi ruego,
Un raro acorde de música impía...

Es de ese burdel, de su pagano juego.
Mas si juzgáis de cruel la súplica mía,
Apiadaos y enviadle sólo un fatal fuego.

CÁNTIGA GATUNA, DEL CABALLO DEL ENTE-RRADOR A YARA

Sois gata inerte, inútil harpía,
que del vivir nunca hacéis derroche,
pues durmiendo os gastáis el día
y singando se os va la noche.
Tanto no ser para estar viva
y al fin de la existencia gatuna
sólo llevarse a la nada, cautiva,

las sobras del oro y de la luna.

SONETILLO DE LA CHINA A EDOY MONTENÉ-GODO, SEUDÓNIMO DE RAFAEL COLLADO, ALIAS EL POETA DE LA CARPETA AMARILLA

Ah, tú, maldito poeta,
pensando el ser y la nada,
y yo aquí, en 4, encuerada,
ansiando que me lo metas.

Si quieres tocar la fama,
empieza por esta teta:
pon allí tu mano, inquieta,
y luego da lengua y mama.

Entre mis dos piernas, baja,
y peligrar hazme la vida
con el volcán de una paja,

¡y al fin clávate en mi herida!
Y he tu mayor obra y alhaja:
la faz de una hembra venida.

ARENGA PATRIA, DEL MACHOTE A TORA EL PEZ TIGRE BALÓN

Sin lucha y sin ilusión,
por los sueños derrotado,
yace este viejo soldado
mordido en el corazón.
Evocando los muros rotos
del Lenin crucificado,

hoy sólo clava, frustrado,
su espada de carne en totos.
En las tardes, con pereza,
si el llanto se pone en boga,
la revolución ahoga
en un vaso de cerveza.

SONETILLO DEL MECEDORA PARA LÙ-SHI, POR ENCARGO DE CHANGSÁN

Ay, que se la llevaron.
La noche es ruda aguatinta
que en muda borrasca pinta
las voces que os raptaron.

¿Dónde estaréis, amada?
Mi voz sin cesar os nombra.
Vos que incendiasteis mi sombra,
hoy dejáis mi luz helada.

¿Hacia qué portal de sueño
os llevará, o hacia qué muerte,
esa estela de gris ceño?

¡Pues hasta el reposo inerte
—que el amor vuelve pequeño—,
viajaré tras vuestra suerte!

ADIVINANZA DEL GRAN MAESTRE GEOFREDO DE LA DULCÍSIMA CRUZ PARA ÁNGEL EL ÁNGEL

Ser y no ser que en uno solo arde.
Criatura anclada en su masa maligna.

En vez del sol, la luna a media tarde
tatuada contra el sol. [No es un enigma.]

Cuesta, adivinar, una honda herida,
grandes jarras de cerveza y mucho hielo.
Cuesta, además, gastar toda una vida
evocando antiguas alas y los cielos.

SONETILLO DEL ENTERRADOR PARA ÁNGELA, POR CORTESÍA DE LA MAURA

Llegó el ataúd. *Ya es hora,*
de despertar al caído,
que se perdió en el olvido
de la vida: ya es hora.

¡Despertad! ¡Esto es la tumba!
Los del cortejo se han ido,
pues creen que os habéis dormido:
¡La muerte es la eterna rumba!

Seguid el rastro al gusano
y bebed la sangre amarga.
Lamed la podrida mano...

Así aliviaréis la carga.
Pues muy breve es ser humano,
mas la eternidad es larga.

Índice